HIMNARIO ADVENTISTA

SPANISH—Word Edition Church Hymnal

HIMNARIO ADVENTISTA

PARA USO EN

EL CULTO DIVINO

NUEVA EDICION REVISADA Y AMPLIADA

"Cantad alegres al Señor,
mortales todos por doquier".

ASOCIACION PUBLICADORA INTERAMERICANA

Bogotá—Caracas—Guatemala—Madrid—Managua
México—Panamá—San Salvador—San José, C.R.
San Juan, P.R.—Santo Domingo—Tegucigalpa

Editado por:
PUBLICACIONES INTERAMERICANAS
División Hispana de la Pacific Press Publishing Association
Boise, Idaho. EE.UU. de N.A.

Impreso por:
ASOCIACION PUBLICADORA INTERAMERICANA
2905 N.W. 87th Avenue
Miami Florida 33172
Estados Unidos de N.A.

ISBN 1-57554-313-3   Azul
ISBN 1-57554-162-9   Negro Tradicional
ISBN 1-57554-312-5   Verde

Tercera Edición de lujo con las
Lecturas Antifonales de la Biblia
"Nueva Reina-Valera"

Impreso y encuadernado por:
PRINTER COLOMBIANA S.A.
Calle 64 No. 88A-30 Santafé de Bogotá, D.C. - Colombia
Impreso en Colombia - Printed in Colombia.

PROLOGO

DESDE el año 1921 —fecha en que se editó el primer HIMNARIO ADVENTISTA—, los himnos y canciones contenidos en dicha colección, que expresaban la esperanza, la fe y la experiencia cristiana del pueblo remanente, han sido entonados en todas partes por los adventistas hispanohablantes. Por esta razón, aquel conjunto de himnos característicos de los que aguardan "la esperanza bienaventurada", ha llegado a ser muy querido en todos los hogares y congregaciones de habla española.

Como resultado del constante aumento de nuestra feligresía, sin embargo, se ha sentido la necesidad de un nuevo HIMNARIO ADVENTISTA que contuviera un mayor número de composiciones, particularmente de aquéllas escritas por poetas y músicos de nuestra denominación, para dar así expresión más cabal al espíritu del movimiento adventista.

Más de cincuenta hombres y mujeres de ambos continentes, que viven y alientan el espíritu adventista, han colaborado en la composición y selección de los himnos que aparecen en el presente himnario.

Las comisiones designadas por las Divisiones Interamericana y Sudamericana de la Asociación General trabajaron durante largo tiempo y con diligencia en la preparación del nuevo HIMNARIO ADVENTISTA que hoy se da a la estampa. Sus integrantes han ejercido cuidadosa discriminación al seleccionar los himnos. Se han conservado los cánticos favoritos del antiguo himnario, aunque sus números y muchos de sus títulos han sido alterados para adecuarlos a una nueva agrupación por temas. Además, se han añadido unos 180 himnos. La mayoría de los nuevos poemas y de los cambios introducidos en los antiguos fueron efectuados por personas que desde temprana edad y con corazón alegre han entonado en la escuela sabática y en la iglesia las selecciones del primer himnario.

En la edición con música se imprime cada poema con el acompañamiento musical correspondiente. Además, se han agregado "Lecturas antifonales" para ser empleadas en los cultos. El índice temático y el índice por títulos (primeras palabras) facilitarán la búsqueda de un himno determinado.

Se tiene la esperanza de que este nuevo HIMNARIO ADVENTISTA

será utilizado ampliamente por los adventistas del séptimo día para adorar a Dios mediante el canto.

Rendimos un tributo de agradecimiento a los recopiladores, a los editores y a cada uno de los integrantes de las comisiones por los excelentes servicios prestados. También agradecemos a los que han concedido permiso para emplear himnos cuyos derechos de autor poseían y, en forma muy especial, a los que contribuyeron con sus composiciones originales, tanto de orden poético como musical.

Confiamos en que el nuevo HIMNARIO ADVENTISTA será cordialmente recibido y constituirá una gran bendición para la iglesia.

Asociación General de los Adventistas del Séptimo Día
División Interamericana y División Sudamericana

INDICE DE CONTENIDO

HIMNARIO ADVENTISTA

1

Cantad alegres al Señor

1. Cantad alegres al Señor,
mortales todos por doquier;
servidle siempre con fervor,
obedecedle con placer.

2. Con gratitud canción alzad
al Hacedor que el ser os dio;
al Dios excelso venerad,
que como Padre nos amó.

3. Su pueblo somos: salvará
a los que busquen al Señor;
ninguno de ellos dejará;
él los ampara con su amor.

Carvajal

2

Da gloria al Señor

1. Da gloria al Señor, de rodillas adórale
en la hermosura de su santidad,
tu plena obediencia cual oro
ofreciéndole
con el incienso de grata humildad.

2. Echada a sus pies esa carga que
oprímete,
la llevará sobre su corazón;
tus penas te quitará, limpiando tus
lágrimas,
guiando tus pies a mayor bendición.

3. En sus santos atrios adonde convídate,
aunque eres pobre no temas entrar;
la firme, constante fe y el puro,
sencillo amor:
tales ofrendas pon sobre el altar.

4. Y cuando tú vayas temblando a
llevárselas,
por su Hijo amado las aceptará;
y tras noche lúgubre habrá aurora
espléndida:
gozo, alegría y paz te dará.

E. L. Maxwell

3

¡Santo! ¡Santo! ¡Santo!

¡Santo! ¡Santo! ¡Santo!
Tu gloria llena cielo y tierra.
¡Hosanna, hosanna, gloria a Dios!

1. Te bendecimos, te adoramos,
glorificamos tu nombre, oh Dios.
¡Oh Rey del cielo, oye clemente
nuestra ferviente y humilde voz!

2. Perdona al hombre la falta impía;
mira a tu Hijo, mi Redentor.
Ferviente entonces el alma mía
pueda alabarte con todo amor.

3. Dignos seamos de bendecirte,
limpias las almas de todo mal.
Cielos y tierra cantan tu nombre,
¡oh Dios, oh Padre, Rey celestial!

T. G. Valle

4

¡Alabadle!

1. ¡Alabadle, fiel Salvador compasivo!
   ¡Canta, oh tierra, canta su magno
      amor!
   ¡Saludadle, ángeles santos en gloria,
   tributad al nombre de Cristo honor!
   En sus brazos él llevará a sus hijos;
   guardarálos siempre cual fiel pastor.

Coro
   ¡Entonad canción a su excelsa
      grandeza;
   ensalzadle en himnos de santo amor!

2. ¡Alabadle, fiel Salvador compasivo!,
   quien por nuestras faltas su vida dio.
   ¡Roca eterna, nuestra inmortal
      Esperanza,
   Rey del cielo que en Gólgota murió!
   ¡Dadle gloria; nuestros pesares lleva!
   ¡Alabad tan ancho y profundo amor!

3. ¡Alabadle, fiel Salvador compasivo,
   querubines que obedecéis su ley!
   Cristo en gloria reina por siglos de
      siglos;
   nuestro Abogado, Profeta y Rey.
   Cristo viene, grande en poder y gloria.
   ¡Viene, sí, del mundo ya vencedor!

                              E. L. Maxwell

5

A nuestro Padre Dios

1. A nuestro Padre Dios
   alcemos nuestra voz.
   ¡Gloria a él!
   Tal fue su amor que dio
   al Hijo que murió,
   en quien confío yo.
   ¡Gloria a él!

2. A nuestro Salvador
   demos con fe loor.
   ¡Gloria a él!

Su sangre derramó;
con ella me lavó;
y el cielo me abrió.
¡Gloria a él!

3. Espíritu de Dios,
   elevo a ti mi voz.
   ¡Gloria a ti!
   Con celestial fulgor
   me muestras el amor
   de Cristo, mi Señor.
   ¡Gloria a ti!

6

De mi amante Salvador

1. De mi amante Salvador
   cantaré el inmenso amor;
   gloriaréme en el favor
   de Jesús.
   De tinieblas me llamó,
   de cadenas me libró,
   de la muerte me salvó,
   mi Jesús.

Coro
   ¡Mi Jesús! ¡Mi Jesús!
   ¡Cuán precioso es el nombre de Jesús!
   Con su sangre me limpió,
   de su gozo me llenó,
   de su vida me dotó,
   mi Jesús.

2. ¡Oh, qué triste condición
   de mi impío corazón!
   Lo salvó de perdición mi Jesús.
   Mi pecado perdonó,
   de la ruina me salvó,
   de la angustia me sacó
   mi Jesús.

3. Por el mundo al vagar,
   solitario, sin hogar,
   ignoraba el amor
   de Jesús.
   Mas las lágrimas de ayer
   han pasado, y hoy placer
   ya comienzo a tener
   en Jesús.

4. De lo falso a la verdad,
   de lo impuro a santidad,
   ya me trajo la bondad
   de Jesús.
   Y hecho fuerte en la virtud
   de su perennal salud,
   himnos doy de gratitud
   a Jesús.

7

Venid, con cánticos venid

1. Venid, con cánticos venid,
   del trono en redor;
   con ángeles loor rendid
   a Cristo, Salvador.
   Con ángeles loor rendid
   a Cristo, Salvador.

2. De alabanzas digno es él,
   quien en la cruz bebió
   la copa de amarga hiel,
   que vida al hombre dio,
   la copa de amarga hiel,
   que vida al hombre dio.

3. Cantad, mortales, por doquier,
   cantadle con ardor.
   El siempre es digno de poder,
   dominio y honor.
   El siempre es digno de poder,
   dominio y honor.

4. Con gozo, pues, alzad la voz;
   a él alegres id,
   y con los ángeles de Dios,
   a Cristo bendecid.
   Con gozo, pues, alzad la voz;
   a él alegres id.

8

Aquí reunidos

1. Aquí reunidos en tu santo nombre
   rogamos nos des tu divino perdón.
   Perdido, afligido se siente el hombre,
   mas gracias, oh Jesús, por la salvación.

2. Es Cristo Jesús nuestro eterno amparo.
   Ordena y mantiene su reino de amor.
   Nos muestra el camino con célico faro,
   nos guarda y nos protege.
       ¡Gloria al Señor!

3. Con voces alegres te glorificamos.
   ¡Oh, Cristo, sé tú nuestro gran
       Protector!
   Contigo en las luchas victorias
       ganamos.
   ¡Tu nombre sea honrado, oh Salvador!

   W. Pardo G.

9

En Sion Jesús hoy reina

1. En Sion Jesús hoy reina, alégrate,
       mortal,
   y ve con devoción y fe al trono
       celestial.
   En Sion Jesús hoy reina en gloria y
       majestad,
   venid, oh poderosos, y su gloria
       proclamad.

2. En Sion Jesús hoy reina cual infinito
       ser,
   los mares y abismos él gobierna con
       poder.
   ¡Oh, todo el universo alabe al
       Salvador!
   Proclámenle los pueblos cual amante
       Redentor.

3. En Sion Jesús hoy reina, del orbe es
       regidor.
   ¡Venid con regocijo y adoradle con
       fervor!
   Y ante su grandeza venid con santa
       unción.
   Venid y coronadle Rey con toda
       devoción.

   Mercedes P. de Bernal

10

Engrandecido sea Dios

1. Engrandecido sea Dios
en esta ocasión.
Alegres, juntos a una voz
dad gloria, gloria, gloria
al Dios eternal.

2. Durante el día que pasó,
la mano del Señor
de muchos males nos salvó:
dad gloria, gloria, gloria
al Dios eternal.

3. El hasta aquí nos ayudó,
y siempre proveerá.
Con gratitud, placer y amor
dad gloria, gloria, gloria
al Dios eternal.

4. A otras almas salva, ¡oh Dios!
Despiértalas, Señor;
escucha nuestra petición,
y salva, salva, salva,
salva al pecador.

A. M. J.

11

Unidos en espíritu

1. Unidos en espíritu
al coro celestial,
cantemos con los ángeles
un cántico triunfal.
Y si vertimos lágrimas
al frente de la cruz,
rebose hoy el júbilo,
pues vive el buen Jesús.

2. Lo que en el triste Gólgota
derrota pareció,
desde el sellado túmulo
en triunfo se cambió.
Vencido está el báratro,
menguado su poder;
y el mortal su súbdito
ya no habrá de ser.

3. Jesús, de gloria Príncipe,
autor de nuestra paz,
ven, muéstranos benévolo
tu esplendorosa faz.
Y acepta el dulce cántico
de nuestra gratitud,
por tu valiosa dádiva
de la eternal salud.

J. B. Cabrera

12

¡Tu nombre es dulce, buen Jesús!

1. ¡Tu nombre es dulce, buen Jesús!
¡Oh cuánta paz, consuelo y luz
dimana de tu santa cruz!,
mi luz, mi esperanza.

Coro
¡Dulce nombre: Emmanuel!
¡Dulce nombre, siempre fiel!
¡Dulce nombre: gloria a él
los santos todos canten!

2. Jesús; en cuyo corazón
descargo entera mi aflicción,
pues calma toda turbación,
Jesús, tu amado nombre.

3. Tu nombre pláceme escuchar;
lo siento a mi alma alentar.
Cual canto calma mi llorar,
Jesús, tu santo nombre.

4. Jamás contó profano autor
cuán dulce el nombre es del Señor;
ascienda siempre mi loor
a su glorioso nombre.

Elisa Pérez

13

Oh Dios, mi soberano Rey

1. Oh Dios, mi soberano Rey;
a ti daré loor;
tu nombre yo exaltaré,
santísimo Señor.

2. Tus obras evidencia son
   de tu infinito amor,
   y cantan con alegre voz
   las glorias del Señor.

3. Aquel que busca salvación,
   en Cristo la hallará;
   y su ferviente petición
   él pronto atenderá.

4. Eternamente durará
   el reino del Señor.
   Allí sus siervos gozarán
   la plenitud de amor.

14

Oye la voz, Señor

1. Oye la voz, Señor,
   que el pueblo con fervor
   eleva a ti;
   clama con ansiedad
   pidiendo libertad,
   que aparte la maldad
   lejos de sí.

2. Tú la divina luz
   nos diste, buen Jesús,
   al padecer;
   y no permitirás,
   Dios de bondad y paz,
   que siga el pueblo más
   tu luz sin ver.

3. Quisiera alabar
   tu nombre sin cesar
   el pueblo, oh Dios.
   Haz que ningún poder
   opuesto a tu querer
   siga sin conocer
   tu dulce voz.

4. Libra a tu pueblo aquí,
   que humilde viene a ti,
   de esclavitud;
   muéstrale tu poder
   y en su alma haz nacer
   consuelo y placer,
   gracia y virtud.

15

En espíritu unidos

1. En espíritu unidos
   alabámoste, Señor;
   a tus hijos redimidos
   nos concedes este honor.

2. Adorarte y alabarte
   sea nuestra ocupación;
   que podamos proclamarte
   Dios de nuestra salvación.

3. Eres tú, Señor, benigno;
   tú perdonas con amor;
   de alabanzas eres digno,
   infinito Bienhechor.

4. Siempre seas alabado
   por tu inmensa caridad,
   nuestro Dios, y celebrado
   seas por la eternidad.

   M. Cosidó

16

Alza tu canto

1. Alza tu canto, ¡oh lengua mía!
   Alza tu canto, ¡oh corazón!
   Llénese el alma de alegría,
   de gozo santo y devoción.

2. Vuelen al cielo los ecos santos
   que arranco alegre de mi laúd;
   vuelen al cielo mis dulces cantos,
   mis dulces cantos de gratitud.

3. Padre, en tu regia, santa morada,
   donde la dicha no tiene fin;
   allí mi patria miro esmaltada
   de bellas flores de tu jardín.

4. Llévame, oh Padre, para consuelo;
   nada en la tierra yo espero ya;
   llévame al cielo, llévame al cielo,
   que allí tan sólo mi dicha está.

   H. M.

17

A Cristo coronad

1. A Cristo coronad
   divino Salvador.
   Sentado en alta majestad
   es digno de loor.
   Al Rey de gloria y paz
   loores tributad,
   y bendecid al Inmortal
   por toda eternidad.

2. A Cristo coronad
   Señor de nuestro amor,
   al triunfante celebrad,
   glorioso vencedor.
   Potente Rey de paz
   el triunfo consumó,
   y por su muerte en la cruz
   su grande amor mostró.

3. A Cristo coronad
   Señor de vida y luz;
   con alabanzas proclamad
   los triunfos de la cruz.
   A él, pues, adorad,
   Señor de salvación;
   loor eterno tributad
   de todo corazón.

   E. A. Strange

18

¡Suenen dulces himnos!

1. ¡Suenen dulces himnos gratos al Señor
   y óiganse en concierto universal!
   Desde el alto cielo baja el Salvador
   para beneficio del mortal.

Coro

¡Gloria!, ¡gloria sea a nuestro Dios!
¡Gloria!, sí, cantemos a una voz.
Y el cantar de gloria que se oyó en
      Belén,
sea nuestro cántico también.

2. Montes y collados fluyan leche y miel,
   y abundancia esparzan y solaz.
   Gócense los pueblos, gócese Israel,
   que a la tierra viene ya la paz.

3. Salte, de alegría lleno el corazón,
   la abatida y pobre humanidad;
   Dios se compadece viendo su aflicción
   y le muestra buena voluntad.

4. Lata en nuestros pechos noble gratitud
   hacia quien nos brinda redención;
   y a Jesús el Cristo, que nos da salud,
   tributemos nuestra adoración.

   J. B. Cabrera

19

Loámoste, ¡oh Dios!

1. Loámoste, ¡oh Dios!,
   con alegre canción,
   porque en Cristo tu Hijo
   nos diste perdón.

Coro

¡Aleluya! Te alabamos.
¡Cuán grande es tu amor!
¡Aleluya! Te adoramos,
bendito Señor.

2. A ti, oh Señor,
   que tu trono de luz
   has dejado por darnos
   perdón en la cruz,

3. Te damos loor,
   santo Consolador,
   que nos llenas de gozo
   y santo valor.

4. A la Trinidad,
   entonemos canción,
   que es la fuente infinita
   de gracia y perdón.

   W. H. Cragin

14

20
Ved a Cristo

1. Ved a Cristo, Rey de gloria;
es del mundo el vencedor.
De la guerra vuelve invicto;
todos démosle loor.

Coro
¡Coronadle, santos todos!
¡Coronadle Rey de reyes!
¡Coronadle, santos todos!
¡Coronad al Salvador!

2. ¡Exaltadlo, exaltadlo!
Ricos triunfos da Jesús.
Entronadle allá en los cielos,
en la refulgente luz.

3. Si los malos se burlaron
coronando al Salvador,
hoy los ángeles y santos
lo proclaman su Señor.

4. Escuchad las alabanzas
que se elevan hacia él.
Victorioso reina Cristo:
adorad a Emmanuel.

21
Cristo, Señor

1. Cristo, Señor, mi Dios y Salvador,
mi gran anhelo es servirte a ti.
¡Oh Salvador!, yo quiero siempre
amarte,
y en tus pasos quiero yo seguir.
Rindo mi ser a ti, mi Redentor.
Oh, comunícame tu grande amor.

2. Cristo, yo quiero que me limpies tú,
y quites todo mi pecado y mal.
Tu siervo siempre anhelo ser, Señor,
y en tus manos quiero siempre estar.
Rindo mi ser a ti, mi Redentor:
acepta hoy mi vida y mi amor.

3. Cristo, Señor, mi apoyo en el pasado,
mi esperanza en años que vendrán.
Defensa mía sé en esta vida;
sé tú mi paz por la eternidad.
Rindo mi ser a ti, mi Redentor;
confío en ti, ¡oh, Cristo, mi Señor!

D. Finstrom y J. Mora, arr.

22
Alabanzas sin cesar

1. Alabanzas sin cesar
entonemos al Señor;
himnos mil a su bondad
entonemos con amor.
El nos da la plenitud
de su gracia celestial;
es la fuente de salud
para el infeliz mortal.

2. Del pecado abrumador
él nos vino a libertar;
nos ofrece salvación,
y nos llama sin cesar.
Ya podemos recorrer
el camino terrenal
sin temor hasta obtener
nuestra herencia celestial.

3. Y entretanto que el Señor
nos reciba donde está,
entonemos el loor
que bondoso acogerá.
Mientras huelle nuestro pie
este mundo pecador,
ofrezcámosle con fe
nuestro canto, nuestro amor.

G. A. Sherwell

23
Oh Padre, eterno Dios

1. Oh Padre, eterno Dios,
   alzamos nuestra voz
   en gratitud
   por lo que tú nos das
   con sin igual amor,
   y hallamos dulce paz
   en ti, Señor.

2. Bendito Salvador,
   te damos con amor
   el corazón;
   acepta, oh Señor,
   lo que en tu altar
   venimos a ofrendar
   cual vivo don.

3. Espíritu de Dios,
   escucha nuestra voz,
   y en tu bondad
   derrama en nuestro ser
   divina claridad,
   copiosa bendición
   y santidad.

V. Mendoza

24
¡Oh Dios, mi soberano Rey!

1. ¡Oh Dios, mi soberano Rey!,
   a ti daré loor;
   tu nombre yo exaltaré,
   santísimo Señor.

2. Tus obras evidencia son
   de infinito amor
   y cantan con alegre voz
   las glorias del Señor.

3. Aquel que busca salvación,
   en Cristo la hallará;
   a su ferviente petición
   él pronto atenderá.

4. Eternamente durará
   el reino del Señor;
   mas ¡ay de aquellos que hoy aquí
   rechazan su amor!

25
Ven a las aguas vivas, ven

1. Ven a las aguas vivas, ven.
   Te llama tu Hacedor:
   oh peregrino, vuelve a mí;
   de gracia doy mi amor,
   de gracia doy mi amor.

2. A cambio nada me darás:
   deja tu posesión.
   Mi paz en Cristo encontrarás;
   recibe el santo don,
   recibe el santo don.

3. Tan libre es toda mi bondad
   y cuanto prometí.
   Ven, prueba el néctar de mi amor,
   deleita tu alma en mí,
   deleita tu alma en mí.

E. L. Maxwell

26
Señor Jesús, supremo Rey

1. Señor Jesús, supremo Rey,
   te alaba hoy tu humilde grey.
   Acepta el himno de loor
   que ofrece en prueba de su amor.

2. Que el culto nuestro dado a ti
   alianza nueva sea aquí,
   de gracia, amor y santidad,
   uniéndonos en tu verdad.

3. Que tus mercedes, buen Jesús,
   al alma llenen de tu luz;
   jamás le lleguen a faltar
   mientras aquí haya de estar.

4. Que cada día pueda estar
   más cerca de Jesús y andar
   creciendo en gozo, fe y amor
   hasta llegar a ti, Señor.

Isaac Watts, trad.

27

¡Oh Pastor divino, escucha!

1. ¡Oh Pastor divino!, escucha a
   los que en este buen lugar,
   como ovejas, congregados
   te venimos a buscar.
   Ven, oh Cristo; ven, oh Cristo,
   tu rebaño a apacentar.

2. Al perdido en el pecado,
   su peligro harás sentir;
   llama al pobre seducido,
   déjale tu voz oír.
   Al enfermo, al enfermo,
   pronto dígnate acudir.

3. Guía al triste y fatigado
   al aprisco del Señor;
   cría al tierno corderito
   a tu lado, buen Pastor,
   con los pastos, con los pastos
   de celeste y dulce amor.

4. ¡Oh Jesús!, escucha el ruego
   y esta humilde petición.
   Ven a henchir a tu rebaño
   de sincera devoción.
   Cantaremos, cantaremos
   tu benigna protección.

28

Tu pueblo jubiloso

1. Tu pueblo jubiloso
   se acerca a ti, Señor,
   y con triunfantes voces
   hoy canta tu loor;
   por todas tus bondades
   que das en plenitud,
   tu pueblo humildemente
   te expresa gratitud.

2. Aunque el humano nunca
   te pueda aquí palpar,
   tú siempre con los tuyos
   has prometido estar;
   los cielos te revelan,
   Rey nuestro y Creador,

sentimos tu presencia
en nuestro ser, Señor.

3. ¡Oh Cristo!, te adoramos,
   te damos nuestro amor;
   ¡oh! llena nuestras vidas
   de fuerza, fe y valor;
   impártanos tu gracia
   la vida celestial;
   que siempre te rindamos
   adoración leal.

J. P. Simmonds

29

Ven, oh Todopoderoso

1. Ven, oh Todopoderoso,
   adorable Creador;
   Padre santo, cariñoso,
   manifiéstanos tu amor.

2. Ven, oh Redentor divino,
   Dios de nuestra salvación;
   en nosotros haz morada,
   vive en nuestro corazón.

3. Ven, Espíritu divino,
   del Señor precioso don;
   Dios Consolador, inspira
   paz en todo corazón.

H. G. Jackson

30

Imploramos tu presencia

1. Imploramos tu presencia,
   Santo Espíritu de Dios;
   nos avive tu influencia,
   fe y amor auméntanos.

2. Da a las mentes luz divina
   y tu gracia al corazón.
   Nuestro pecho a Dios inclina
   en sincera devoción.

3. Que del Dios bendito tenga
   nuestro culto aceptación,
   y que sobre todos venga
   en raudales bendición.

J. B. Cabrera

31

Del culto el tiempo llega

1. Del culto el tiempo llega,
   comienza la oración,
   el alma a Dios se entrega,
   ¡silencio y atención!
   Si al santo Dios la mente
   queremos elevar,
   silencio reverente
   habremos de guardar.

2. Mil coros celestiales
   a Dios cantando están.
   Con ellos los mortales
   sus voces unirán.
   Alcemos pues el alma
   en santa devoción,
   gozando en dulce calma
   de Dios la comunión.

3. La Biblia bendecida,
   de Dios revelación,
   a meditar convida
   en nuestra condición.
   ¡Silencio!, que ha llegado
   del culto la ocasión;
   Dios se halla a nuestro lado,
   ¡silencio y devoción!

32

Despide hoy tu grey

1. Despide hoy tu grey
   en paz y bendición,
   y las palabras de tu ley
   conserve el corazón.

2. Enséñanos, Señor,
   tu ley a meditar,
   vivir unidos en amor,
   y en él por siempre andar.

   Ramón Bon

33

Oh, Padre de la humanidad

1. Oh, Padre de la humanidad,
   escucha nuestra voz;
   perdona todo nuestro errar,
   renueva el ser, y hazle adorar
   con reverencia, oh Dios.

2. Con fe sencilla tu llamar
   queremos percibir,
   y como aquéllos junto al mar,
   tu voz de gracia al escuchar,
   en pos de ti seguir.

3. Oh, danos tu perfecta paz,
   bendito Salvador;
   oh, llénanos de tu solaz
   y de la calma que tú das,
   en prueba de tu amor.

4. Tu gracia en nuestras almas pon;
   y quita el mal pensar;
   del alma quita la opresión,
   que nuestras vidas confesión
   así hagan de tu paz.

5. Haz en nosotros reposar
   tu santa unción, Señor,
   y así podremos escuchar
   en firmamento, tierra y mar
   tu dulce voz de amor.

   S. L. Hernández

Credit line on page 206.

34

Oh Señor, ven a bendecirnos

1. Oh Señor, ven a bendecirnos,
   ya nos vamos a retirar;
   acompáñenos tu gracia
   al salir de tu lugar;
   danos gozo y reposo
   en el diario laborar.

2. Oh Señor, te agradecemos
   por tu santa bendición,
   por el bello Evangelio
   de eterna salvación:
   es la historia de victoria
   que nos da consolación.

3. Oh Señor, te imploramos,
   danos tu felicidad;
   con fervor hoy te rogamos:
   guárdanos en tu verdad.
   Nuestro anhelo es ir al cielo
   y morar en tu Ciudad.

   J. Marrón

35

Después, Señor

1. Después, Señor, de haber tenido aquí
   de tu Palabra la bendita luz,
   a nuestro hogar condúcenos y allí
   de todos cuida, buen Pastor, Jesús.

2. En nuestras almas grabe con poder
   tu fiel Palabra cada exhortación;
   y que tu ley, pudiendo comprender,
   contigo estemos en mayor unión.

3. Al terminar, Señor, mi vida aquí,
   mis ojos pueda sin temor cerrar,
   y en mi glorioso despertar que en ti
   de paz eterna pueda disfrutar.

   V. Mendoza

36

Dios os guarde

1. Dios os guarde en su divino amor,
   hasta el día en que lleguemos
   a la patria do estaremos
   para siempre con el Salvador.

Coro

   Al venir Jesús nos veremos
   a los pies de nuestro Rey;
   reunidos todos seremos,
   un redil habrá y sólo una grey.

2. Dios os guarde en su divino amor;
   en la senda peligrosa
   de esta vida tormentosa
   os conserve en paz y sin temor.

3. Dios os guarde en su divino amor,
   os conduzca su bandera,
   y os conceda en gran manera
   de su Espíritu consolador.

4. Dios os guarde en su divino amor,
   con su gracia os sostenga
   hasta cuando Cristo venga
   en su reino con gran esplendor.

   J. E. Rankin, trad.

37

Todos juntos tributemos

1. Todos juntos tributemos
   gracias al buen Salvador;
   grande ha sido su paciencia
   y precioso su amor.
   ¡Aleluya! ¡Aleluya!
   Proclamemos su loor.

2. Nuestro Rey divino, eterno,
   nos rodea con favor;
   fortalece a los cansados
   y perdona al pecador.
   ¡Aleluya! ¡Aleluya!
   Proclamemos su loor.

3. Mantengamos la confianza
   en el santo Redentor;
   y en la gloria, redimidos,
   cantaremos su amor.
   ¡Aleluya! ¡Aleluya!
   Proclamemos su loor.

   F. M. Fernández

38
Por la mañana

1. Por la mañana, ¡oh Señor!,
   elevo a ti mi voz;
   a tu buen nombre doy loor
   con gratitud, mi Dios.

2. El sol brillante ya salió,
   camino en su luz;
   del Salvador es símbolo,
   del magno Rey, Jesús.

3. Los cielos cuentan al que cree
   la gloria del Señor;
   la llama avivan de la fe
   y alientan el amor.

4. En la mañana eterna, pues,
   contigo cuando esté,
   yo del Cordero y de Moisés
   el himno entonaré.

Francisco H. Westphal

39
Del alba al despuntar

1. Del alba al despuntar,
   oh alma, al despertar
   bendice al buen Jesús.
   Y luego al arrostrar
   el arduo batallar
   bendice al buen Jesús.

2. Oh alma, en dulce paz,
   en plácido solaz
   bendice al buen Jesús.
   Y en tiempo de aflicción,
   en ruda tentación
   bendice al buen Jesús.

3. Marchando de él en pos
   hacia el Edén de Dios
   bendigo al buen Jesús.
   En la eternal mansión
   con alma y corazón
   bendeciré a Jesús.

E. Caswell, trad.

40
Dulce es la canción

1. Dulce es la canción
   de la hora matinal:
   alivia cargas y aflicción;
   me trae paz divinal.

2. Como la bella flor
   busca del sol la luz,
   mi alma así con gran ardor
   te busca, oh buen Jesús.

3. Horas de luz me son
   dadas, Señor, a mí,
   y es mi sincera aspiración
   usarlas para ti.

4. Esta mañana, oh Dios,
   oye mi petición:
   elevo a ti, Señor, mi voz
   en matinal canción.

W. Pardo G.

41
Las faenas terminadas

1. Las faenas terminadas,
   con el nocturnal telón
   que de los celestes atrios
   ya desciende en bendición,
   viene el sábado glorioso,
   de lo alto el rico don.

2. Depongamos toda carga,
toda cuita, todo afán;
y pidamos ante el Padre,
do sus hijos hoy están,
en el sábado glorioso,
el divino y vivo pan.

3. Padre, tu favor concede;
por la noche guárdanos;
que sintamos tu presencia;
con la luz despiértanos
en el sábado bendito,
tu preciado día, oh Dios.

E. L. Maxwell

42

Condúceme, Maestro

1. Condúceme, Maestro, por tu bondad,
y así jamás me falte seguridad;
no puedo un solo paso sin ti andar;
oh, mi Jesús, sé siempre mi Luminar.

2. En tu amor envuelve mi corazón,
y dale paz y calma en la aflicción;
que halle en ti reposo allá en la cruz,
que siempre me halle cerca de ti,
Jesús.

3. Y cuando fuerte azote la tempestad,
y al alma desanime la adversidad,
condúceme, Maestro, por tu bondad,
y así jamás me falte seguridad.

W. Pardo G.

43

Oh Dios, si he ofendido un corazón

1. Oh Dios, si he ofendido un corazón,
si he sido causa de su perdición,
si hoy he andado yo sin discreción
te imploro perdón.

2. Si he proferido voces de maldad,
faltando en demostrar la caridad,
oh santo Dios, buscándote en verdad
te imploro perdón.

3. Si he sido perezoso en trabajar,
o si he deseado yo contigo estar
en vez de hacer tu celestial mandar,
te imploro perdón.

4. Tú, del contrito, fiel perdonador,
que atiendes al clamor del pecador,
dame perdón y guárdame en tu amor,
por Cristo. Amén.

C. M. Battersby
Trad. por *J. P. Simmonds*

Credit line on page 206.

44

Cristo, ya la noche cierra

1. Cristo, ya la noche cierra;
al turbado da solaz;
nuestro error te confesamos;
da reposo, calma y paz.

2. Cuando el enemigo asalte
y ande en torno destrucción,
que tus ángeles, oh Padre,
den amparo y protección.

3. Aunque lóbrega la noche,
siempre vernos tú podrás
vigilante, sin cansarte,
a tu pueblo guardarás.

4. Si la muerte nos alcanza
en el lecho nuestro aquí,
que Jesús en su gran día
nos despierte en gloria allí.

E. L. Maxwell

45

Baja el sol

1. Baja el sol tras las montañas,
y la tarde ya llegó;
calma y quieta cae la noche;
otro día terminó;
ya se fue con sus problemas,
viene otro anochecer;
mas cercano está el día
cuando a Cristo he de ver.

Coro
Más cerca estoy,
más cerca estoy de mi hogar,
mi hogar celestial;
más cerca del Edén
adonde muy pronto iré,
donde el gozo es eternal.

2. Muy cansado el peregrino
ve el fin del día llegar,
porque del trabajo arduo
otra vez va a descansar.
Tal la vida en este mundo,
que me toca afrontar,
y las sombras de la noche
sé que pronto he de probar.

3. Otro día en el viaje
a mi hogar, el celestial;
ya más cerca está el río
claro como el cristal;
ya el cielo se aclara,
puedo ver su áurea luz;
cada día más me acerco
a la patria de Jesús.

Juan Marrón

46

Guárdanos, oh Cristo

1. Guárdanos, oh Cristo,
al anochecer
con tu dulce calma
hasta amanecer.

2. Brisas agradables
vienen sobre nos
cual amor sublime,
desde nuestro Dios.

3. Vienen las tinieblas,
viene oscuridad,
mas hay luz perfecta
en tu claridad.

Juan Marrón

47

Nuestro sol se pone ya

1. Nuestro sol se pone ya,
todo en calma quedará;
la plegaria levantad
que bendiga la bondad
de nuestro Dios.

Coro
¡Santo, santo, santo, Señor Jehová!
Cielo y tierra de tu amor
llenos hoy están, Señor,
¡loor a ti!

2. ¡Oh Señor!, tu protección
dale ahora al corazón;
dale aquella dulce paz
que a los tuyos siempre das
con plenitud.

3. ¡Oh Señor!, que al descansar
pueda en ti seguro estar,
y mañana, mi deber
pueda alegre y fiel hacer
en tu loor.

V. Mendoza

48

Señor Jesús, el día ya se fue

1. Señor Jesús, el día ya se fue;
la noche cierra, oh, conmigo sé;
al desvalido, por tu compasión
dale tu amparo y consolación.

22

2. Veloz el día nuestro huyendo va,
su gloria, sus ensueños pasan ya;
mudanza y muerte veo en redor;
no mudas tú: conmigo sé, Señor.

3. Tu gracia en todo el día he menester.
¿Quién otro puede al tentador vencer?
¿Qué otro amante guía encontraré?
En sombra o sol, Señor, conmigo sé.

4. Que vea al fin en mi postrer visión
de luz la senda que me lleve a Sion,
do alegre cantaré al triunfar la fe:
"Jesús conmigo en vida y muerte fue".

49

En el curso de este día

1. En el curso de este día
nos cercó tu dulce amor;
tu poder nos protegía,
y con cantos de loor
te adoramos, te adoramos,
¡oh, divino Redentor!

2. Danos plácido reposo.
Este ruego ven a oír:
cuídanos, Señor bondoso;
vela tú nuestro dormir;
de peligro y asechanzas
tú nos puedes hoy cubrir.

50

Oyeme, Jesús divino

1. Oyeme, Jesús divino,
pídote tu bendición;
en la noche tan oscura,
dame paz y protección.

2. Tú has sido hoy mi guía,
gracias doy por tu amor;
todas mis necesidades
has suplido, oh Señor.

3. Guíame en el camino,
limpia hoy mi corazón;
cuando de los cielos vuelvas
llévame a tu mansión.

51

Despídenos con tu bendición

Despídenos con tu bendición
al retirarnos de este lugar;
que la merced de la reunión
en nuestras almas pueda quedar.
Amén.

Credit line on page 206.

52

¡Oh, Dios, que oyes cada oración!

¡Oh, Dios, que oyes cada oración,
escucha nuestra humilde petición!
Tú, que eres vida, gozo y solaz;
danos tu gracia y tu dulce paz.
Amén.

53

Padre, reunidos

1. Padre, reunidos todos aquí
te damos gracias por tu bondad,
por tu cuidado paternal,
por la abundante luz matinal.

2. Haz que gozosos estemos hoy;
que trabajemos llenos de afán;
préstanos, Padre, tu protección;
a todos danos tu bendición.

Rebeca J. Weston

54

Gloria demos al Padre

Gloria demos al Padre,
al Hijo y al Santo Espíritu.
Como eran al principio,
son hoy y habrán de ser
eternamente. Amén.

55

A Dios, el Padre celestial

A Dios, el Padre celestial;
al Hijo, nuestro Redentor;
al eterno Consolador,
unidos, todos alabad.
Amén.

56

Gloria sea al Padre

Gloria sea al Padre
y al Hijo Dios
y al Santo Espíritu.
Como eran al principio,
son hoy y serán por siempre.
¡Gloria sin fin! Amén, amén.

57

Jehová está en su santo templo

Jehová está en su santo templo,
Jehová está en su santo templo;
seamos reverentes,
seamos reverentes
ante el Señor.
¡Silencio!, ¡silencio!,
ante el Señor. Amén.

58

Jehová te bendiga

Jehová te bendiga,
te guarde y brille sobre ti su faz,
y te dé paz, y te dé paz;
te dé su gracia y su misericordia,
y alce a ti, y alce a ti su rostro;
ponga en ti gracia, y en ti haya paz.
Amén.

Arr. de *Números* 6:24-26

Credit line on page 206.

59

Jehová en el alto cielo

Jehová en el alto cielo,
Jehová en esta tierra,
Jehová en su santo templo
es digno de alabanza.
Venid y adoradle,
y dadle todo honor.
Silencio ante el Señor.
Silencio ante el Señor.
Amén.

60

¡Hosanna!

¡Hosanna! ¡Hosanna! ¡Hosanna!
En cielo y tierra,
es del Señor la gloria y potestad,
y nos circunda con su amor
la excelsa Trinidad.
Alzad, pues, himnos de loor,
que es grato al sumo Bien,
y a Dios rindamos todo honor
ahora y siempre, amén.
¡A Dios rindamos todo honor,
todo honor, todo honor!
¡A Dios rindamos todo honor,
ahora y siempre!
Amén.

61

Grande es el amor divino

1. Grande es el amor divino,
   es más amplio que el mar.
   ¡Qué bondad en su justicia!
   Vino el mundo a libertar.

Coro

El nos llama con amor;
¡oh, sigamos al Señor!

2. En la sangre del Maestro
hay poder de salvación,
sanidad hay para el alma,
y del mal hay protección.

3. Mas, oh cuánto limitamos
por la débil comprensión
su poder, su magna gracia,
despreciando su gran don.

4. Respondamos prestamente
al llamado de Jesús;
redimiónos ampliamente
por su muerte en la cruz.

J. Marrón

62

¡Oh amor de Dios!

1. ¡Oh amor de Dios! tu inmensidad,
el hombre no podrá contar,
ni comprender la gran verdad:
que Dios al hombre pudo amar.
Cuando el pecar entró al hogar
de Adán y Eva en Edén,
Dios los sacó, mas prometió
un Salvador también.

Coro
¡Oh amor de Dios! brotando estás,
inmensurable, eternal,
por las edades durarás
inagotable raudal.

2. Si fuera tinta todo el mar,
y todo el cielo un gran papel,
y todo hombre un escritor,
y cada hoja un pincel,
para escribir de su existir,
no bastarían jamás.
El me salvó, y me lavó
y me da el cielo además.

3. Y cuando el mundo pasará,
con cada trama y plan carnal,
y todo reino caerá,
con cada trono mundanal,
el gran amor del Redentor

por siempre durará;
la gran canción de salvación
su pueblo entonará.

F. M. L., trad. por *W. R. Adell*

Credit line on page 206.

63

Mi Dios me ama

1. Mi Dios me ama, él me ha salvado;
mi Dios me ama, él me ama a mí.

Coro
Y lo repetiré:
Mi Dios me ama, mi Dios me ama,
él me ama a mí.

2. Cautivo estuve en el pecado;
cautivo estuve, sin Salvador.

3. Envió a Cristo para librarme;
envió a Cristo y me libró.

4. Me ha invitado por su Palabra;
me ha invitado con tierno amor.

E. W. Thomann

64

Hay anchura en su clemencia

1. Hay anchura en su clemencia,
cual la anchura de la mar;
hay bondad en su justicia;
se complace en perdonar.

2. Bienvenida al penitente,
y aun más gracia al justo da;
Cristo es Salvador clemente;
al enfermo sanará.

3. El amor de Dios es ancho,
más que humana comprensión;
admirablemente manso
su paterno corazón.

4. Le creeríamos si fuera
más sencillo nuestro amor;
se vería en nuestra vida
la dulzura del Señor.

E. L. Maxwell

65

Dios de luz y gloria excelsa

1. Dios de luz y gloria excelsa,
   aunque débil nuestro amor,
   que tu Espíritu enternezca
   todo corazón, Señor.

2. No te abarca el ancho cielo,
   de tu faz la tierra huirá;
   y aunque apénate el pecado,
   tu piedad perdonará.

3. Gratitud dará mi lengua,
   bajo gracia o corrección;
   toma el don que humilde ofrezco:
   mente, fuerza y corazón.

4. Al ganar la gran victoria,
   libre de egoísmo aquí;
   puedo proclamar la gloria
   de quien se entregó por mí.

E. L. Maxwell

66

Omnisapiente Dios

1. Omnisapiente Dios, Rey que ordenas
   el universo por tu potestad,
   muestra tu amor desde el cielo,
      donde reinas,
   danos tu paz, Dios de eterna bondad.

2. Piadoso eres tú, y aunque este mundo
   te ha rechazado y desprecia tu grey,
   tienes paciencia con el errabundo;
   haz que también obedezca tu ley.

3. ¡Justo eres tú, Señor! Perdón pediste
   por los que dábante muerte muy cruel.
   Hoy te rogamos por los que redimiste:
   óigante y lleguen al santo vergel.

4. Te agradecemos hoy; te alabamos,
   pues nos libraste de la maldición.
   Por todo el mundo tus glorias
      cantamos:
   ¡tuyo el poder, Rey de la creación!

J. Marrón

67

Señor, mi Dios

1. Señor, mi Dios, al contemplar los cielos
   y astros mil girando en derredor,
   y al oírte en retumbantes truenos,
   y al contemplar el sol en su esplendor,

Coro

   Te amo y proclamo por tu gran poder:
   cuán grande eres, ¡oh Jehová!
   Te exalto a ti con toda mi alma y ser:
   ¡grande eres tú!
   ¡grande eres tú!

2. Al contemplar arroyos y florestas,
   los pajarillos oigo en su cantar,
   y alrededor percibo mil bellezas,
   y brisa suave viene a refrescar.

3. Y cuando pienso en ti, Señor querido,
   quien por mis culpas en penosa cruz
   dolor sufriste que hombre no ha
      sufrido,
   ¡cuánto te quiero, amado y buen Jesús!

4. Y cuando vengas en brillante gloria
   me llevarás con gozo a mi hogar.
   Te alabaré por darme la victoria:
   tu gran poder y gloria he de cantar.

W. Pardo G.

Credit line on page 206.

68

Mi Creador, mi Rey

1. Mi Creador, mi Rey,
   te debo lo que soy;
   de amor la fuente es tu ley
   y en ti contento estoy;
   de amor la fuente es tu ley
   y en ti contento estoy.

2. Tu criatura soy,
   mi vida está en ti;
   el don que me entregas hoy
   más vale que el rubí;
   el don que me entregas hoy
   más vale que el rubí.

3. Señor, ¿qué puedo dar?
   ¡Los cielos tuyos son!
   Tu amor demanda sin cesar
   un grato corazón,
   tu amor demanda sin cesar
   un grato corazón.

4. Inspira mi alma, oh Dios,
   con celo y virtud,
   y alzaré a ti mi voz
   en santa gratitud;
   y alzaré a ti mi voz
   en santa gratitud.

                    W. Pardo G.

69

Al Rey adorad

1. Al Rey adorad, grandioso Señor,
   y con gratitud cantad de su amor.
   Anciano de días, y gran Defensor,
   de gloria vestido, te damos loor.

2. Load su amor, su gracia cantad;
   vestido de luz y de majestad.
   Su carro de fuego en las nubes mirad,
   refulgen sus huellas en la tempestad.

3. ¿Quién puede tu providencia contar?
   Pues me das el aire para respirar,
   en valles y en montes alumbra tu luz,
   y con gran dulzura me cuidas, Jesús.

4. Muy frágiles son los hombres aquí,
   mas por tu bondad confiamos en ti.
   Tu misericordia aceptamos, Señor,
   Creador nuestro, Amigo fiel y
        Redentor.

                    S. L. Hernández

70

Santo, Santo, Santo

1. Santo, Santo, Santo;
   Dios Omnipotente;
   canto de mañana
   tu excelsa majestad;
   Santo, Santo, Santo,
   fuerte y clemente,
   Dios sobre todo,
   Rey de eternidad.

2. Santo, Santo, Santo;
   ángeles te adoran;
   echan sus coronas
   del trono en derredor;
   miles y millones'
   ante ti se postran;
   tú que eras, y eres,
   y has de ser, Señor.

3. Santo, Santo, Santo;
   aunque estés velado,
   aunque el ojo humano
   tu faz no pueda ver;
   sólo tú eres santo,
   como tú no hay otro;
   puro es tu amor,
   perfecto es tu poder.

                    E. L. Maxwell

71

Load al Padre

1. Load al Padre por su omnipotencia;
   load al Padre, proclamad su gracia.
   Voz de alabanza alce toda alma.
   ¡Load al Padre!

2. Gloria al Padre por su gran ternura;
   gloria al Padre, sea siempre el canto.
   Por su grandeza alabadle todos.
   ¡Gloria al Padre!

3. Honrad al Padre, el Señor benigno;
   honrad al Padre, quien os da la vida.
   ¡Huestes del cielo, pueblos de la tierra,
   honrad al Padre!

                    Juan Marrón

72

Eterno Dios, mi Creador

1. Eterno Dios, mi Creador,
   mi amparo en aflicción,
   tú has sido mi Consolador
   en toda ocasión.

2. Mis años a tu vista son
   cual brisas del ayer;
   cual hierba es mi condición,
   que cae al tardecer.

3. Mi vida bajo tu ala está,
   seguro habitaré;
   tu Espíritu me ayudará
   y en calma andaré.

4. Eterno Dios, mi Redentor,
   confío sólo en ti;
   sé tú mi Guía, oh Señor,
   en mi camino aquí.

W. Pardo G.

73

Padre, oh Padre, ven a guiarnos

1. Padre, oh Padre, ven a guiarnos
   por el tempestuoso mar;
   Padre, oh Padre, ven ahora
   a guardarnos del pecar.
   Eres tú confianza nuestra;
   ven a guiarnos a tu hogar.

2. Salvador, tú nos conoces.
   ¡Ven y ayúdanos, Señor!
   Tú sufriste tentaciones
   y saliste vencedor;
   frente al Padre intercedes
   por el hombre pecador.

3. Santo Espíritu divino,
   Paracleto sin igual,
   tú revelas el camino,
   alumbrando cual fanal.
   Trino Dios, ven a llevarnos
   a la Patria celestial.

J. Marrón

74

A ti, glorioso Dios

1. A ti, glorioso Dios,
   cantámoste alabanzas;
   rendímoste honor
   por todas tus grandezas.
   Nos das tu bendición
   en nuestra senda aquí;
   nos guiarás, Señor,
   a tu mansión allí.

2. Ven siempre, oh gran Dios,
   muy cerca de nosotros;
   con celo y con fervor
   queremos ir a otros.
   Tu brazo protector
   del mal nos guardará;
   en lucha y aflicción
   consuelo nos será.

3. Oh Padre, eterno Dios,
   cantámoste loores,
   y al Hijo Redentor,
   Señor de los señores,
   y al Santo Espíritu,
   el gran Consolador:
   al grande, trino Dios
   cantamos con fervor.

W. Pardo G.

75

Oh Dios eterno

1. Oh Dios eterno, tu poder
   se muestra por doquier
   con maravillas de tu amor
   en nuestro pobre ser.

2. Tu mano siempre llevará
   a la humanidad,
   y a tus fieles guardará
   en sendas de verdad.

3. El santo nunca temerá
   la negra tempestad,
   porque tu gracia brillará
   aun en la oscuridad.

W. C. John

76

¡Cuán grande es Dios!

1. ¡Cuán grande es Dios! ¡Mortales,
      temblad!
   Oímos su voz en la tempestad;
   brocado de estrellas es su pabellón,
   y vientos y rayos sus ángeles son.

2. Tu inmensa bondad, ¿qué lengua dirá?
   O ¿quién tu verdad jamás sondeará?
   Con suma larqueza tus manos proveen
   y es fiel tu promesa a los que en ti
      creen.

3. El frágil varón que triste está,
   su consolación en ti hallará.
   Tu misericordia no puede faltar:
   a tu eterna gloria le has de llevar.

4. ¡Tremendo poder!, ¡ilímite amor!,
   ¡misterioso ser!, te damos loor.
   ¡Cuán maravillosa tu gran creación!
   Mas, ¡oh qué asombrosa es tu
      redención!

5. ¡Load al gran Rey; su gloria ensalzad!
   Su amor a su grey con gracia cantad.
   Es nuestro escudo, baluarte y sostén,
   el Omnipotente por siglos. Amén.

H. C. Bright

77

Yo canto el poder de Dios

1. Yo canto el poder de Dios,
      del Creador, Jesús;
      habló con su potente voz
      y apareció la luz.
   Yo canto el poder de Aquel
      que en alto puso el sol,
      en la pradera el clavel,
      en playa el caracol.

2. Yo canto la bondad
      de quien los árboles plantó,
      el mar mantiene en su nivel,

los pájaros creó.
La maravilla de su amor
   la observo por doquier,
   ya mire al cielo en su esplendor
   o al oscurecer.

3. Tus glorias proclamadas son
      por cuanto aquí se ve:
      la flor, el viento y el gorrión,
      la risa del bebé.
   Bien sé que en tu presencia estoy,
      que tú conmigo vas,
      y si al confín del mundo voy,
      tú, Dios, allí estás.

J. Marrón

78

El mundo es de mi Dios

1. El mundo es de mi Dios;
      su eterna posesión.
   Eleva a Dios su dulce voz
      la entera creación.
   El mundo es de mi Dios;
      conforta así pensar.
   El hizo el sol y el arrebol,
      la tierra, cielo y mar.

2. El mundo es de mi Dios;
      escucho alegre son
   del ruiseñor, que al Creador
      eleva su canción.
   El mundo es de mi Dios;
      y en todo mi redor
   las flores mil con voz sutil
      declaran fiel su amor.

3. El mundo es de mi Dios;
      jamás lo olvidaré.
   Y aunque infernal parezca el mal,
      mi Padre Dios es Rey.
   El mundo es de mi Dios;
      y al Salvador Jesús
   hará vencer, por su poder,
      con la obra de la cruz.

J. Pablo Simón

Credit line on page 206.

79

Mirando al cielo

Mirando al cielo cuajado de estrellas
se turba el alma con su esplendor.
Su voz solemne el misterio impone
y siente a Dios el corazón.
La nube lenta que cruza el espacio,
y el mar que eleva su clamor,
la flor y el agua y el monte soberbio
le cantan himnos a su Dios;
le cantan himnos a su Dios.

80

¿Sabes cuántos?

1. ¿Sabes cuántos claros astros
   dan al cielo su fulgor?
   ¿Sabes cuántas nubes bellas
   van del mundo alrededor?
   Sólo Dios los ha contado
   y ninguno le ha faltado.
   Entre todos ¿cuántos son?
   Entre todos ¿cuántos son?

2. ¿Sabes cuántas mariposas
   jugueteando al sol están?
   ¿Sabes cuántos pececitos
   en el agua saltos dan?
   Dios a todos ha creado,
   de la vida el gozo ha dado,
   para disfrutar su don,
   para disfrutar su don.

3. ¿Sabes cuántos tiernos niños
   con el sol despertarán?
   ¿Sabes cuántas son las madres
   que su sueño velarán?
   Dios, que a todos ha otorgado
   su placer y buen agrado,
   te conoce y te ama a ti,
   te conoce y te ama a ti.

81

¡Señor, yo te conozco!

1. ¡Señor, yo te conozco!
   La noche azul, serena,
   me dice desde lejos:
   "Tu Dios se esconde allí".
   Pero la noche oscura,
   la de nublados llena,
   me dice más pujante:
   "Tu Dios se acerca a ti".

2. Te acercas, sí; conozco
   las orlas de tu manto
   en esa ardiente nube
   con que ceñido estás;
   el resplandor conozco
   de tu semblante santo
   cuando al cruzar el éter,
   relampagueando vas.

3. Conozco de tus pasos
   las invisibles huellas
   del repentino trueno
   en el crujiente son;
   las chispas de tu carro
   conozco en las centellas,
   tu aliento en el rugido
   del rápido aquilón.

4. ¿Quién ante ti parece?
   ¿Quién es en tu presencia
   más que una arista seca
   que el aire va a romper?
   Tus ojos son el día;
   tu soplo es la existencia;
   tu alfombra el firmamento;
   la eternidad tu ser.

5. ¡Señor!, yo te conozco;
   mi corazón te adora;
   mi espíritu de hinojos
   ante tus pies está;
   pero mi lengua calla,
   porque mi mente ignora
   los cánticos que llegan
   al grande y buen Jehová.

   José Zorrilla

82

Los heraldos celestiales

1. Los heraldos celestiales
cantan con sonora voz:
¡gloria al Rey recién nacido
que del cielo descendió!
Paz, misericordia plena,
franca reconciliación
entre el Padre, agraviado,
y el mortal, que le ofendió.

2. ¡Salve!, Príncipe glorioso
de la paz y del perdón.
¡Salve a ti!, que de justicia
eres el divino Sol.
Luz y vida resplandecen
a tu grata aparición,
y en tus blancas alas traes
la salud al pecador.

3. Nace manso, despojado
de su gloria y esplendor,
porque no muramos todos
en fatal condenación.
Nace, sí, para que el hombre
tenga plena redención,
nace para que renazca
a la vida el pecador.

T. Castro

83

¡Al mundo paz!

1. ¡Al mundo paz, nació Jesús,
nació ya nuestro Rey!
El corazón ya tiene luz,
y paz su santa grey,
y paz su santa grey,
y paz, y paz, su santa grey.

2. ¡Al mundo paz; el Salvador,
supremo reinará!
Ya es feliz el pecador:

Jesús perdón le da,
Jesús perdón le da,
Jesús, Jesús perdón le da.

3. Al mundo él gobernará
con gracia y con poder;
y a toda nación demostrará
su amor y su poder,
su amor y su poder,
su amor, su amor y su poder.

84

Se oye un canto en alta esfera

1. Se oye un canto en alta esfera.
"En los cielos gloria a Dios;
al mortal paz en la tierra",
canta la celeste voz.
Con los cielos alabemos
al eterno Rey, cantemos
a Jesús, a nuestro bien,
con el coro de Belén.
Canta la celeste voz:
¡"En los cielos gloria a Dios!"

2. El Señor de los señores,
el Ungido celestial,
a salvar los pecadores
vino al seno virginal.
¡Gloria al Verbo encarnado,
en humanidad velado!
¡Gloria al Santo de Israel,
cuyo nombre es Emmanuel!
Canta la celeste voz:
"¡En los cielos gloria a Dios!"

3. Príncipe de paz eterna,
¡gloria a ti, Señor Jesús!
Entregando el alma tierna
tú nos traes vida y luz.
Has tu majestad dejado,
y buscarnos te has dignado;
para darnos el vivir
a la muerte quieres ir.
Canta la celeste voz:
"¡En los cielos gloria a Dios!"

85

Venid, pastorcillos

1. Venid, pastorcillos,
venid a adorar
al Rey de los cielos
nacido en Judá;
sin ricas ofrendas
podemos llegar,
que el Niño prefiere
la fe y la bondad.

2. Un rústico techo
abrigo le da,
por cuna un pesebre,
por templo un portal;
en lecho de pajas
incógnito está
quien quiso a los astros
su gloria prestar.

3. Hermoso lucero
le vino a anunciar,
y magos de oriente
buscándole van;
delante se postran
del Rey de Judá;
de incienso, oro y mirra,
tributo le dan.

F. Martínez de la Rosa

86

Venid, pequeñuelos

1. Venid, pequeñuelos,
venid sin tardar;
venid al pesebre,
venid a admirar
del Padre en los cielos
el Don sin igual.
¡A él sea gloria,
y paz al mortal!

2. Mirad en pesebre
de pobre portal,
lindísimo niño
en blanco pañal.
Un rayo ilumina
su rostro infantil;
en vez de la púrpura
sirve heno vil.

3. Mirad en su cuna,
niñitos, la paz;
José con María
contemplan su faz;
devotos pastores
orando en redor;
en lo alto mil ángeles
cantan loor.

4. Vosotros con ellos,
oh niños, cantad;
con ellos dad gracias,
las manos alzad.
Al coro celeste
las voces unid;
del Padre y del Hijo
el amor bendecid.

87

Noche de paz

1. Noche de paz, noche de amor.
Todo duerme en derredor.
Entre los astros que esparcen su luz,
bella anunciando al niñito Jesús,
brilla la estrella de paz,
brilla la estrella de paz.

2. Noche de paz, noche de amor.
Oye humilde, fiel pastor:
coros celestes proclaman salud,
gracias y glorias en gran plenitud,
por nuestro buen Redentor,
por nuestro buen Redentor.

3. Noche de paz, noche de amor.
Ved qué bello resplandor
luce en el rostro del niño Jesús,
en el pesebre, del mundo la Luz;
astro de eterno fulgor,
astro de eterno fulgor.

88

¿Qué significa ese rumor?

1. ¿Qué significa ese rumor?
¿Qué significa ese tropel?
¿Quién puede un día y otro así
la muchedumbre conmover?
Responde el pueblo en alta voz:
"Pasa Jesús de Nazaret".
Responde el pueblo en alta voz:
"Pasa Jesús de Nazaret".

2. ¿Quién es, decid, aquel Jesús
que manifiesta tal poder?
¿Por qué a su paso la ciudad
se agolpa ansiosa en torno de él?
Lo dice el pueblo, oíd su voz:
"Pasa Jesús de Nazaret".
Lo dice el pueblo, oíd su voz:
"Pasa Jesús de Nazaret".

3. Jesús, quien vino acá a sufrir
angustia, afán, cansancio y sed;
y dio consuelo, paz, salud,
a cuantos viera padecer.
Por eso alegre el ciego oyó:
"Pasa Jesús de Nazaret".
Por eso alegre el ciego oyó:
"Pasa Jesús de Nazaret".

4. Aun hoy se acerca el buen Jesús,
dispuesto a hacernos mucho bien,
y amante llama a nuestro hogar
y quiere en él permanecer.
Se acerca, sí, ¿no oís su voz?
"Pasa Jesús de Nazaret".
Se acerca, sí, ¿no oís su voz?
"Pasa Jesús de Nazaret".

Credit line on page 206.   *J. B. Cabrera*

89

Los tiernos años

1. Los tiernos años que Jesús
viviera en Nazaret,
¡cuán bellos son: cual manantial
que fluye en secadal!
Los límpidos reflejos de
la noche oriental

repiten el insondable amor
del Padre celestial.

2. Los tiernos años que Jesús
viviera en Nazaret
están abiertos ante Dios,
cual sol primaveral;
también al hombre cuando ve
en su divina faz
sincero anhelo de triunfar,
sincero bienhacer.

3. Los tiernos años que Jesús
viviera en Nazaret,
pletóricos de amor están
para la raza mortal.
¡Escoge, joven, tú también
entre el bien y el mal!
¡Y vive por Dios y la verdad,
y por la humanidad!

Carlos R. Taylor

Credit line on page 206.

90

Hubo Uno que quiso

1. Hubo Uno que quiso por mí padecer
y morir, por mi alma salvar;
el camino crüento a la cruz recorrer,
para así mis pecados lavar.

Coro

¡En la cruz, en la cruz
mis pecados clavó!
¡Cuánto quiso por mí padecer!
Con angustia a la cruz
fue el benigno Jesús,
y en su cuerpo mis culpas llevó.

2. El es todo ternura y amor para mí,
mi alma impura su sangre lavó;
ya no hay condenación, libre soy,
yo lo sé;
mi pecado en la cruz él clavó.

3. Me atendré al Maestro, jamás dejaré
el sendero que él mismo trazó,
y mis labios y mi alma alzarán su
canción,
pues él todas mis culpas quitó.

Elisa Pérez

33

91

Al contemplar la excelsa cruz

1. Al contemplar la excelsa cruz
   do el Rey de gloria sucumbió,
   tesoros mil que ven la luz
   con gran desdén contemplo yo.

2. No me permitas, Dios, gloriar,
   más que en la muerte del Señor;
   lo que más pueda ambicionar
   lo doy gozoso por su amor.

3. Si la riqueza terrenal
   pudiera yo a mis plantas ver,
   pequeña ofrenda mundanal
   sería el írsela a ceder.

4. Aquel dolor tan grande y cruel
   que así sufrió mi Salvador
   demanda que consagre a él
   mi ser, mi vida y mi amor.

   Isaac Watts, trad.

92

Jamás podrá alguien separarnos

1. Jamás podrá alguien separarnos
   de Cristo nuestro Redentor
   ni cosa alguna arrebatarnos
   el gozo de su tierno amor:
   ni luchas, pruebas o dolores,
   ni amenazas o aflicción;
   ni aun este mundo y sus honores,
   su pompa, gloria y tentación.

2. Con furia loca lo azotaron,
   y así humillaron al Señor,
   y sin piedad atravesaron
   las manos de mi Salvador.
   A esos pies que caminaron
   para sanar y bendecir,
   horribles clavos traspasaron,
   la suerte humana al compartir.

3. Qué horror que por mi vil pecado
   el Salvador así sufrió,
   que por mis culpas fue azotado
   y burlas crueles recibió.
   ¿Ingratos hemos de alejarnos
   de Aquel que tanto nos amó,
   y con anhelo de salvarnos
   su propia vida entregó?

   N. Samojluk

93

Sangró mi soberano Dios

1. Sangró mi soberano Dios,
   murió mi Salvador.
   Su vida quiso entregar
   por mí, tan pecador.

Coro
   ¡Oh, Salvador, ayúdame;
   que sea fiel a ti;
   y cuando en gloria reines tú,
   acuérdate de mí!

2. Por mis pecados y maldad
   él en la cruz gimió:
   ¡Qué amor, qué gracia, qué piedad
   sin par así mostró!

3. Debió ocultar el sol su faz
   cuando el Señor Jesús,
   por la criatura en rebelión,
   humilde fue a la cruz.

4. Y yo también, al ver su cruz,
   el rostro encubriré;
   con lágrimas de gratitud
   mi alma inundaré.

5. Mas no con llanto pagaré
   la deuda de su amor.
   Mi ser entero dóitelo:
   ¡No puedo más, Señor!

   E. L. Maxwell

94
Un día

1. Un día que el cielo sus glorias cantaba,
   un día que el mal imperaba más cruel,
   Jesús descendió y al nacer de una
       virgen
   nos dio por su vida un ejemplo tan fiel.

Coro

  Vivo, me amaba; muerto, salvóme;
  y en el sepulcro mi mal enterró;
  resucitado, él es mi justicia;
  un día él viene, pues lo prometió.

2. Un día lleváronle al monte Calvario,
   un día enclaváronle sobre una cruz;
   sufriendo dolores y pena de muerte,
   expiando el pecado, salvóme Jesús.

3. Un día dejaron su cuerpo en el huerto:
   tres días en paz reposó de dolor;
   velaban los ángeles sobre el sepulcro
   de mi única eterna esperanza, el Señor.

4. Un día la tumba ocultarle no pudo,
   un día el ángel la piedra quitó;
   habiendo Jesús ya a la muerte vencido,
   a estar con su Padre en su trono,
       ascendió.
   J. Wilbur Chapman
Trad. por J. P. Simmonds

Credit line on page 206.

95
Rostro divino

1. Rostro divino, ensangrentado;
   cuerpo llagado por nuestro bien,
   calma, benigno, justos enojos,
   lloren los ojos que así te ven.

2. Manos preciosas, tan laceradas,
   por mí clavadas en una cruz.
   En este valle sean mi guía,
   mi alegría, fiel norte y luz.

3. Tus pies heridos, Cristo paciente,
   yo indiferente los taladré.
   Mas penitente, hoy que te adoro,
   tu gracia imploro: Señor, pequé.

4. Crucificado en un madero,
   manso Cordero, mueres por mí.
   Por eso el alma triste y llorosa
   suspira ansiosa, Señor, por ti.
   M. Mavillard

96
En el monte Calvario

1. En el monte Calvario estaba una cruz,
   emblema de afrenta y dolor,
   y yo amo esa cruz do murió mi Jesús
   por salvar al más vil pecador.

Coro

  ¡Oh! yo siempre amaré a esa cruz,
  en sus triunfos mi gloria será;
  y algún día en vez de una cruz,
  mi corona Jesús me dará.

2. Y aunque el mundo desprecie la cruz
       de Jesús,
   para mí tiene suma atracción,
   pues en ella llevó el Cordero de Dios
   de mi alma la condenación.

3. En la cruz de Jesús do su sangre vertió,
   hermosura contemplo sin par;
   pues en ella triunfante a la muerte
       venció,
   y mi ser puede santificar.

4. Yo seré siempre fiel a la cruz de Jesús,
   su oprobio con él llevaré,
   y algún día feliz con los santos en luz
   para siempre su gloria veré.
   J. Bennard
Trad. por S. D. Athans

Credit line on page 206.

97

Por fe contemplo al buen Jesús

1. Por fe contemplo al buen Jesús,
el Príncipe benigno,
por mí muriendo en la cruz,
por mí, tan vil e indigno.

Coro
De amor la prueba hela aquí:
el Salvador murió por mí.
Por mí, por mí,
Jesús murió por mí.

2. El sol el rostro se cubrió
al ver su agonía;
la dura peña se partió;
¿lo oyes, alma mía?

3. Y yo también, al ver la cruz,
por ella soy vencido;
mi corazón te doy, Jesús,
a tu amor rendido.

98

Ved al divino Salvador

1. Ved al divino Salvador
en la cruz, en la cruz,
morir en vez del pecador
en la cruz, en la cruz.
Gimiendo triste clama así:
"Elí, ¿lama sabactaní?"
¡Oh, ved cómo agoniza allí
en la cruz, en la cruz!

2. La gran batalla peleó
en la cruz, en la cruz.
Victoria plena conquistó
en la cruz, en la cruz.
Del hondo abismo cerca ya,
exclama: "Consumado está",
y al Padre Dios su vida da
en la cruz, en la cruz.

3. La santa historia cantaré
de la cruz, de la cruz.
Tan sólo ya me gloriaré
en la cruz, en la cruz.

Perdón y paz alcanzo yo
allí do Cristo padeció.
Allí por mí la vida dio
en la cruz, en la cruz.

T. M. Westrup

99

¡Dulces momentos!

1. ¡Dulces momentos consoladores
los que me paso junto a la cruz!
Allí sufriendo crueles dolores
veo al Cordero, Cristo Jesús.

2. De sus heridas, la viva fuente
de pura sangre veo manar,
que, salpicando mi impura frente,
la infame culpa logra borrar.

3. Veo su angustia ya terminada,
hecha la ofrenda de la expiación;
su noble frente, mustia, inclinada,
y consumada mi redención.

4. ¡Dulces momentos, ricos en dones,
de paz y gracia, de vida y luz!
Sólo hay consuelo y bendiciones,
cerca de Cristo, junto a la cruz.

J. B. Cabrera

100

Jesús resucitado

1. Jesús resucitado está en el mundo hoy.
Los hombres no lo creen, mas yo
    seguro estoy.
Su tierna mano siento y puedo oír
    su voz,
y encuentro dondequiera a mi
    Salvador.

Coro
Jesús, Jesús mi Cristo vive hoy.
Hablándome, mirándome,
conmigo va el Señor.

Jesús, Jesús, imparte salvación.
Contento voy, pues suyo soy:
ganó mi corazón.

2. Por dondequiera miro, lo puedo
   contemplar.
   Y si la angustia llena mi alma de pesar,
   yo sé que Cristo vive y al fin me
        llevará
   a la mansión del cielo, donde él está.

3. ¡Alégrate, cristiano! Tu voz levanta ya
   y canta aleluya al Padre celestial.
   Nos trajo esperanza de eterna
        salvación,
   pues en su Hijo amado hay redención.

G. Bustamante

Credit line on page 206.

101

El Señor resucitó

1. El Señor resucitó. ¡Aleluya!
   Muerte y tumba ya venció. ¡Aleluya!
   Por su fuerza y su virtud
   cautivó la esclavitud
   y nos dio su plenitud. ¡Aleluya!

2. Hasta el polvo se humilló. ¡Aleluya!
   Vencedor se levantó. ¡Aleluya!
   Cante, pues, la cristiandad
   su gloriosa majestad
   y proclame su bondad. ¡Aleluya!

3. El que tanto así sufrió, ¡aleluya!,
   y al sepulcro descendió, ¡aleluya!,
   hoy en gloria celestial
   entre el coro angelical
   reina vivo e inmortal. ¡Aleluya!

4. Cristo, nuestro Salvador, ¡aleluya!,
   de la muerte vencedor, ¡aleluya!,
   en ti haznos esperar
   y contigo al fin morar
   do cantemos sin cesar: ¡aleluya!

J. B. Cabrera

102

La tumba le encerró

1. La tumba le encerró. ¡Cristo bendito!
   El alba allí esperó Cristo el Señor.

Coro
   Cristo la tumba venció;
   y con gran poder resucitó;
   ha vencido ya la muerte y el dolor;
   vive para siempre nuestro Salvador.
   ¡Gloria a Dios! ¡Gloria a Dios!
   El Señor resucitó.

2. De guardas escapó. ¡Cristo bendito!
   El sello destruyó Cristo el Señor.

3. La muerte dominó. ¡Cristo bendito!
   Y su poder venció Cristo el Señor.

J. P. Simmonds

103

Jesús por mí su vida dio

1. Jesús por mí su vida dio.
   ¡Cuánto amo al Maestro!
   Del vil pecado me limpió.
   ¡Cuánto amo al Maestro!

Coro
   ¡Cuánto amo al Maestro,
   a Cristo, el Señor!
   ¡Cuánto amo al Maestro,
   mi buen Salvador!

2. Castigo cruel por mí sufrió.
   ¡Cuánto amo al Maestro!
   En cruenta cruz por mí murió.
   ¡Cuánto amo al Maestro!

3. Victoria me concederá.
   ¡Cuánto amo al Maestro!
   Al cielo al fin me llevará.
   ¡Cuánto amo al Maestro!

4. Mi corazón le entrego a él.
   ¡Cuánto amo al Maestro!
   Prometo serle siempre fiel.
   ¡Cuánto amo al Maestro!

J. Marrón

104

Cristo ha resucitado

1. Cristo ha resucitado, ¡aleluya!,
ya la muerte ha vencido, ¡aleluya!
Con poder y con virtud, ¡aleluya!,
cautivó la esclavitud. ¡Aleluya!

2. Hasta el polvo se humilló, ¡aleluya!,
vencedor se levantó, ¡aleluya!
Hoy cantamos en verdad, ¡aleluya!,
su gloriosa majestad. ¡Aleluya!

3. A la muerte se entregó, ¡aleluya!,
el que así nos redimió, ¡aleluya!
Hoy en gloria celestial, ¡aleluya!,
reina en vida triunfal. ¡Aleluya!

4. Cristo, nuestro Salvador, ¡aleluya!,
de la muerte vencedor, ¡aleluya!,
todos te hemos de cantar, ¡aleluya!,
alabanzas sin cesar. ¡Aleluya!

105

¿Le importará a Jesús?

1. ¿Le importará a Jesús
que esté doliente mi corazón?
Si ando en senda oscura de aflicción
¿puede darme consolación?

Coro
Le importa, sí;
su corazón comparte ya mi dolor.
Sí, mis días tristes, mis noches negras
le importan al Señor.

2. ¿Le importará que en oscuridad
camine con gran temor?
Al anochecer, en la lobreguez,
¿me acompañará el Salvador?

3. ¿Le importará si mi voluntad
faltare en la prueba atroz;
si he cedido al mal, a la tentación,
y el llanto ahoga mi voz?

4. ¿Le importará cuando diga "adiós"
al amigo más caro y fiel,
y mi corazón lleno de aflicción
haya de apurar la hiel?

E. L. Maxwell

106

¿Hay aquí quien nos ayude?

1. ¿Hay aquí quien nos ayude,
quien comprenda nuestro ser,
cuando el alma está transida de dolor?
¿Hay quien sienta simpatía,
nuestra condición al ver,
y nos dé lo que deseamos con amor?

Coro
Uno hay, Uno hay,
en Cristo el Bendito, Uno hay.
Cuando viene aflicción
a nuestro corazón,
un amigo hay en Cristo,
Uno hay.

2. ¿Hay aquí quien nos ayude
nuestros males a llevar,
por pesada que esa carga pueda ser?
¿Hay quien quiera con ternura
al caído levantar
y en sus brazos amorosos recoger?

3. ¿Hay aquí quien nos ayude,
quien nos dé tranquilidad
cuando estamos bajo el peso del dolor?
¿Quien al pecador ofrezca
el perdón de su maldad
y por él se sacrifique por amor?

4. ¿Hay aquí quien nos ayude
y nos libre del temor,
del Jordán las olas frías al pasar?
¿Quien alumbre nuestra senda,
de su luz con el fulgor,
y nos dé sus bendiciones sin cesar?

Pedro Grado

107

Amor que no me dejarás

1. Amor que no me dejarás,
   descansa mi alma siempre en ti;
   es tuya y tú la guardarás,
   y en tu regazo acogedor
   la paz encontrará.

2. ¡Oh Luz que en mi sendero vas!,
   mi antorcha débil rindo a ti;
   su luz apaga el corazón,
   seguro de encontrar en ti
   más bello resplandor.

3. ¡Oh tú el Gozo!, que por mí
   sufriste aquí mortal dolor;
   tras la tormenta el arco vi,
   y la mañana, yo lo sé,
   sin lágrimas será.

4. ¡Oh Cruz que miro sin cesar!,
   mi orgullo, gloria y vanidad,
   al polvo dejo por hallar
   la vida que en su sangre dio
   Jesús, mi Salvador.

V. Mendoza

108

¡Oh, cuán dulce es la promesa!

1. ¡Oh, cuán dulce es la promesa
   del Señor Jesús, mi Rey!
   Al confiarle el ser me dice:
   "Hijo, no te dejaré".

   Coro
   ¡Ya no temas!   ¡Ya no temas,
   pues contigo siempre estaré!
   ¡Ya no temas!   ¡Ya no temas,
   porque nunca te dejaré!

2. Soy tu Dios y para librarte,
   de ti cerca estaré;
   oh, no temas, pues seguro
   por la mano te guiaré.

3. Por tu vida di mi sangre.
   Por tu nombre te llamé.

Eres mío, mucho te amo,
nunca, nunca te dejaré.

4. Aunque eras muy rebelde,
   con amor yo te busqué,
   y ahora te prometo:
   "Refugio siempre te daré".

J. Marrón

109

Amigo fiel es Cristo

1. Amigo fiel es Cristo,
   alivio él me da;
   me ama con un tierno amor
   que siempre durará.
   Sin él vivir no puedo ya;
   cercano siempre está.
   Así moramos juntos
   Jesús y yo.

2. Mis faltas no ignora.
   Mis males puede ver.
   Anhela que me apoye en él:
   me puede sostener.
   El guía mi alma a la luz,
   me indica mi deber.
   Así andamos juntos
   Jesús y yo.

3. Confíole mis penas,
   le digo mi gozar.
   Con él no siento ya temor,
   y alegre puedo andar.
   Me dice lo que debo hacer,
   me impulsa a progresar.
   Así hablamos juntos
   Jesús y yo.

4. El sabe cuánto anhelo
   salvar a un pecador;
   me ruega ir a pregonar
   cuán grande es su amor,
   que anuncie eterna redención
   con fe y con fervor.
   Así obramos juntos
   Jesús y yo.

D. J. Thomann

110

Ama el Pastor sus ovejas

1. Ama el Pastor sus ovejas
   con un amor paternal;
   ama el Pastor su rebaño
   con un amor sin igual.
   Ama el Pastor a las otras
   que descarriadas están,
   y conmovido las busca
   por dondequiera que van.

Coro
   Por el desierto errabundas
   velas sufrir penas mil,
   y en sus brazos las lleva,
   tierno, de vuelta al redil.

2. Ama el Pastor sus corderos;
   ama muy tierno el Pastor
   a los que errantes, heridos,
   se oye gemir de dolor.
   Ved al Pastor conmovido
   por los collados vagar,
   y los corderos en hombros
   vedlo llevando al hogar.

3. Ama las noventa y nueve
   que en el aprisco guardó;
   ama las que descarriadas
   por el desierto dejó.
   "¡Oh mis ovejas perdidas!",
   clama doliente el Pastor.
   "¿Quiénes vendrán en mi ayuda
   para mostrarles mi amor?"

4. Son delicados tus pastos,
   tranquilas tus aguas son;
   henos aquí, ¡oh Maestro!,
   danos hoy tu bendición.
   Haz que seamos fervientes,
   llénanos de santo amor
   por las ovejas perdidas
   de tu redil, buen Pastor.

   E. Velasco

111

Ni en la tierra

1. Ni en la tierra ni en el cielo
   nombre hay como el de Jesús;
   sobre todo solo reina,
   él es solo eterna luz.

2. Es Jesús mi gran riqueza,
   hallo en él mi solo bien;
   valen más que todo el oro
   los tesoros de su Edén.

3. Es Jesús mi gran sustento,
   pan divino y celestial;
   de mis dichas y mi gozo
   es el rico manantial.

4. Infinita es su ternura.
   ¿Quién la puede sondear?
   Con los ángeles hoy quiero
   su grandeza pregonar.

112

Dime la antigua historia

1. Dime la antigua historia
   del celestial favor;
   de Cristo y de su gloria,
   de Cristo y de su amor.
   Dímela con llaneza,
   con toda candidez,
   porque es mi mente flaca
   y anhela sencillez.

Coro
   Dime la antigua historia,
   cántame la victoria,
   háblame de la gloria
   de Cristo y de su amor.

2. Dime tan dulce historia
   con tono claro y fiel:
   "Murió Jesús, y salvo
   tú puedes ser por él".
   Dime la historia cuando
   me oprima la aflicción
   y quieras tú a mi alma
   brindar consolación.

3. Dime la misma historia
   cuando a tu parecer
   me cieguen de este mundo
   el brillo y el placer.
   Y cuando ya vislumbre
   del día final la luz
   repíteme la historia:
   "Quien sálvate es Jesús".

   J. B. Cabrera

113

Como ovejas disfrutamos

1. Como ovejas disfrutamos,
   oh Jesús, tu grande amor,
   ya que errantes, descarriados,
   anduvimos en error,
   de tus pastos abundantes
   alejados, buen Pastor.

2. Por los montes afanoso
   nos buscaste con fervor,
   y al buen prado en que pacemos
   nos trajiste con amor;
   para ser de tu rebaño
   nos tomaste, buen Pastor.

3. Tu Palabra conocemos
   si nos llamas, oh Pastor;
   tú nos das el pasto sano
   y nos guardas con valor;
   en tu seno reclinados
   reposamos, buen Pastor.

4. Las ovejas en tu mano
   nada temen, buen Pastor;
   en tu aprisco reunidos
   nos contemplas con amor;
   sólo en ti nos refugiamos,
   ¡Jesucristo, buen Pastor!

114

Un buen amigo tengo yo

1. Un buen amigo tengo yo,
   su amor salvó mi vida;
   y por su muerte gozo hoy
   tal gracia inmerecida.
   Y con el lazo de este amor,
   que nunca se ha cortado,
   seguro puedo siempre andar,
   a él estoy ligado.

2. Un buen amigo tengo yo,
   el ser me dio al crearme,
   y a sí mismo se entregó
   a fin de rescatarme.
   Pues, cuanto tengo es todo de él,
   él mismo me lo ha dado;
   mi vida, fuerza y corazón,
   a él le he entregado.

3. Un buen amigo tengo yo,
   el Todopoderoso,
   que quiere al fin llevarme a mí
   a su hogar glorioso.
   Para animar mi vida aquí,
   me deja ver su gloria,
   y con la ayuda que me da
   yo gano la victoria.

4. Un buen amigo tengo yo,
   tan fiel y tan amante;
   mi sabio consejero es,
   mi protector constante.
   De quien al mundo tanto amó,
   jamás podrá apartarme
   ni el mundo, ni la muerte,
   pues soy suyo para siempre.

115

Hay un lugar do quiero estar

1. Hay un lugar do quiero estar
   muy cerca de mi Redentor;
   allí podré yo descansar
   al fiel amparo de su amor.

Coro
   Muy cerca de mi Redentor
   seguro asilo encontraré;
   me guardará del tentador,
   y ya de nada temeré.

2. Quitarme el mundo no podrá
   la paz que halló mi corazón;
   Jesús amante me dará
   la más segura protección.

3. Ni dudas ni temor tendré
   estando cerca de Jesús;
   rodeado siempre me veré
   con los fulgores de su luz.

   V. Mendoza

116

Hay quien vela

1. Hay quien vela mis pisadas
   en la sombra y en la luz;
   por las sendas escarpadas
   me acompañará Jesús.
   Por los valles, por los montes,
   do me lleva su bondad,
   miro yo los horizontes
   de una nueva claridad.

Coro
   Hay quien vela mis pisadas
   y mi senda trazará.
   A las célicas moradas
   es Jesús quien me guiará.

2. Hay contacto que me explica
   la presencia del Señor;
   él mis penas santifica
   y me libra del temor.
   Cristo con su mano herida

protección me puede dar
cuando cruzo de la vida
el inquieto y fiero mar.

3. Un Amigo hay, fiel y amante,
   de infinita compasión,
   que confiere paz constante
   al contrito corazón.
   En su amor hay eficacia,
   es amigo siempre fiel,
   hay en él verdad y gracia,
   es mi escudo y mi broquel.

   J. N. de los Santos

117

Aunque sean como grana

1. Aunque sean como grana,
   tus pecados lavaré.
   Aunque sean como grana,
   como nieve los haré.
   Sí, aunque sean como grana,
   yo los lavaré.
   Aunque sean como grana,
   aunque sean como grana,
   tus pecados lavaré,
   tus pecados lavaré.

2. Oye voz que te suplica:
   "Vuelve, vuelve a tu Señor".
   Oye voz que te suplica:
   "Vuelve, vuelve a tu Señor".
   Bueno es tu Dios, es compasivo
   y de tierno amor.
   Oye voz que te suplica,
   oye voz que te suplica:
   "Vuelve, vuelve a tu Señor,
   vuelve, vuelve a tu Señor".

3. El aleja tus pecados
   y su consecuencia atroz.
   El aleja tus pecados
   y su consecuencia atroz.
   "Venid a mí, pues, y sed salvos",
   dice nuestro Dios.
   El aleja tus pecados,
   él aleja tus pecados
   y su consecuencia atroz,
   y su consecuencia atroz.

   Francisca J. Crosby, trad.

42

118

Dios tu tristeza entiende

Dios tu tristeza entiende,
tu lloro intenso ve;
él te consuela y dice:
"Contigo yo estaré".

> *Osvaldo J. Smith*
> Trad. por *J. P. Simmonds*

Credit line on page 206.

119

Cristo es el mejor amigo

1. Cristo es el mejor amigo
cuando triste o tentado estés;
colmará de bendición
tu afligido corazón.

Coro
Cristo es el mejor amigo.
Cristo es el mejor amigo,
Cristo es el mejor amigo.
El tus súplicas oirá
y tu carga llevará.
¡Oh, es Cristo el mejor amigo!

2. En Jesús fiel amigo encuentro;
paz perfecta y plena a mi alma da.
Apoyado en él estoy,
mi confianza a él le doy.

3. Aunque ande en algún peligro,
o en el valle de la muerte esté,
ningún mal me alcanzará,
pues Jesús me amparará.

4. Cuando estemos al fin reunidos
con los redimidos más allá,
cantaremos con fervor
en presencia del Señor:

120

Fija tus ojos en Cristo

Fija tus ojos en Cristo,
tan lleno de gracia y amor,
y lo terrenal sin valor será
a la luz del glorioso Señor.

121

Por sobre el goce terrenal

1. Por sobre el goce terrenal
te amo, oh Salvador,
pues me has colmado de tu paz,
del gozo de tu amor.

Coro
Jamás se ha dicho la mitad
de tan profundo amor;
de quien su sangre derramó,
Jesús, mi Salvador.

2. Que a todos mis amigos más
te quiero a ti, Señor,
y gozo siempre al meditar
en tu infinito amor.

3. La inmensa paz que tú me das
es prueba de tu amor;
tu sangre lava mi maldad,
por ti soy vencedor.

4. Jesús bendito, ¡qué será
estar contigo allí,
si un gozo tal, corona ya
mi andar contigo aquí!

> *F. R. Havergal*, trad.

122

Amoroso Salvador

1. Amoroso Salvador,
sin igual es tu bondad;
eres tú mi Mediador,
mi perfecta Santidad.

2. Mi contrito corazón
te confiesa su maldad;
pide al Padre el perdón
por tu santa caridad.

3. Te contemplo sin cesar
en tu trono desde aquí;
¡oh cuán grato es meditar
que intercedes tú por mí!

4. Fuente tú de compasión,
siempre a ti daré loor;
y le es grato al corazón
ensalzarte, ¡mi Señor!

123

Me dice el Salvador

1. Me dice el Salvador:
"Es poco tu poder;
hijo débil, halla en mí
todo cuanto has menester".

Coro
Todo debo a él,
pues ya lo pagó;
de las manchas del pecar
cual nieve me lavó.

2. Señor, hallado he
que sólo tu poder
a mi duro corazón
es capaz de enternecer.

3. Nada bueno hay en mí:
tu gracia buscaré,
y en la sangre de Jesús
mis pecados lavaré.

4. Cuando ante el trono, allá,
completo en él esté,
a los pies de mi Jesús
mis trofeos echaré.

E. L. Maxwell

124

La tierna voz del Salvador

1. La tierna voz del Salvador
nos habla conmovida.
Oíd al Médico de amor,
que da a los muertos vida.

Coro
Nunca los hombres cantarán,
nunca los ángeles en luz,
nota más dulce entonarán
que el nombre de Jesús.

2. Cordero manso, ¡gloria a ti!
Por Salvador te aclamo.
Tu dulce nombre es para mí
la joya que más amo.

3. "Borradas ya tus culpas son",
su voz hoy te pregona;
acepta, pues, la salvación,
y espera la corona.

4. Y cuando al cielo del Señor
con él nos elevemos,
arrebatados en su amor,
su gloria cantaremos.

P. Castro

125

Abrigadas y salvas en el redil

1. Abrigadas y salvas en el redil
las noventa y nueve están;
pero allá en el bosque perdida va
una pobre rendida de afán,
por el monte escabroso y aterrador,
muy lejos vagando del Pastor,
muy lejos vagando del Pastor.

2. "¿Del rebaño no bastan, tierno Pastor,
las noventa y nueve aquí?"
Mas responde el Pastor: "Una oveja
hoy
descarriada va lejos de mí.
Y en la sierra escarpada ya voy a
entrar,
mi pobre oveja a rescatar,
mi pobre oveja a rescatar".

44

3. No sabrá el mortal del río veloz
   que el Pastor tuvo que cruzar;
   ni cuán negra la noche fue en que
      él salió
   su oveja perdida a buscar.
   Sus gemidos y quejas podía oír;
   enferma estaba y por morir,
   enferma estaba y por morir.

4. "Estas huellas sangrientas, ¿quién
      las dejó?
   ¿No lo puedes decir, Señor?"
   "Cuando fue a buscar la que se
      extravió,
   las dejó vuestro amante Pastor".
   "Y tus manos, Señor, ¿quién las
      laceró?"
   "El áspero bosque las hirió,
   el áspero bosque las hirió".

5. Una grande algazara luego se oyó,
   por doquier retumbando fue,
   a la célica puerta la voz llegó:
   "Alegraos, que mi oveja encontré".
   Y cantaban los ángeles en redor:
   "¡Lo suyo rescata el buen Pastor,
   lo suyo rescata el buen Pastor!"

126
Ven a Cristo

1. Ven a Cristo, ven ahora,
   ven así cual estás,
   y de él sin demora
   el perdón obtendrás.

2. Si confías que en su muerte
   el perdón tú tendrás,
   gozoso en tu senda
   sin temor andarás.

3. Ven a Cristo sin recelo;
   es inmenso su amor,
   él nunca rechaza
   al más vil pecador.

4. ¡Cuánto anhela concederte
   su divino perdón,
   y abrirte las puertas
   de su eterna mansión!

P. Castro

127
Como Jesús no hay otro amigo

1. Como Jesús no hay otro amigo.
   Ni uno hay, ni uno hay;
   que lleve nuestro dolor consigo,
   ni uno hay, ni uno hay.

Coro
   Nuestras luchas conoce todas;
   nos guiará hasta el mismo fin.
   Como Jesús no hay otro amigo;
   ni uno hay, ni uno hay.

2. No hay amigo tan noble y digno,
   ni uno hay, ni uno hay;
   que es a la vez justo y benigno,
   ni uno hay, ni uno hay.

3. ¿Hay santo que haya desamparado?
   Ni uno hay, ni uno hay.
   ¿O pecador que haya rechazado?
   Ni uno hay, ni uno hay.

J. Oatman, trad.

128
Huye cual ave

1. Huye cual ave a tu monte,
   alma abrumada del mal;
   allí en Jesús, clara fuente,
   lava tu lepra mortal.
   Huye del mal vergonzoso,
   clame tu ser, temeroso;
   Cristo te ofrece reposo,
   ¡oh! alma abrumada del mal;
   ¡oh! alma abrumada del mal.

2. Quiere el Maestro salvarte,
   tu llanto enjugará;
   promete nunca dejarte,
   defensa fiel te será.
   Ven, pues, va el día volando;
   no andes más suspirando
   ni te detengas llorando:
   tus males Jesús quitará;
   tus males Jesús quitará.

J. P. Simmonds

45

129

Canto el gran amor

1. Canto el gran amor de Aquel
   que primero a mí me amó,
   pues dejó la gloria allá
   y en el Gólgota murió.

Coro
   Tal amor ensalzaré,
   alabando al que murió
   inmolado para que
   vida eterna tenga yo.

2. Antes que llorara yo,
   ya por mí lloraba él;
   y antes que supiera orar,
   él por mí gustó la hiel.

3. Este mundo nunca vio
   tan profundo y santo amor,
   que el pecado me quitó
   aliviando mi dolor.

4. Nada bueno se halla en mí.
   ¿Cómo puedes tanto amar?
   Yo, Señor, me rindo a ti;
   hazme, pues, mi amor mostrar.

   F. E. Belden, trad.

130

Para mí, tan pecador

1. Para mí, tan pecador,
   ¿puede haber, oh Dios, perdón?
   El consuelo de tu amor,
   ¿puede hallar mi corazón?

2. Cuando miro en derredor
   en mi negra soledad,
   veo abismo aterrador
   do me arroja mi maldad.

3. Mucho tiempo resistí,
   y tu gracia desprecié.
   ¿Aún podré hallar en ti
   ese amor que rechacé?

4. Mientras tenga que vivir,
   sea mi resolución
   sólo a ti, Señor, servir
   con sincera devoción.

   Carlos Wesley, trad.

131

En Cristo hallo amigo

1. En Cristo hallo amigo y amante
      Salvador;
   contaré, pues, cuanto ha hecho él
      por mí.
   Hallándome perdido e indigno
      pecador,
   rescatóme y hoy me guarda para sí.
   Me salva del pecado, me guarda de
      Satán,
   promete estar conmigo siempre aquí;
   consuela mi tristeza, me quita todo
      afán;
   grandes cosas Cristo ha hecho ya
      por mí.

2. Jesús jamás me falta, jamás me dejará;
   es mi fuerte y poderoso protector.
   Del mundo hoy me aparto, de toda
      vanidad,
   para consagrar la vida a mi Señor.
   Si el mundo me persigue, si sufro
      tentación,
   confiando en él podré vencer aquí;
   segura es la victoria, y elevo mi
      canción:
   grandes cosas Cristo ha hecho ya
      por mí.

3. Bien sé que Cristo en gloria muy
      pronto volverá,
   y entretanto me prepara un bello
      hogar.
   En la casa de mi Padre, mansión de
      luz y paz,
   el creyente fiel con él ha de morar.
   Y entrado en su gloria, pesar no
      sentiré,

pues contemplaré su rostro siempre
   allí;
con los santos redimidos gozoso
   cantaré:
grandes cosas Cristo ha hecho ya
   por mí.

132

Las maravillas del amor

1. Las maravillas del amor
   ¿quién las puede entender?
   Pues Dios el Hijo descendió,
   pues Dios el Hijo descendió
   dispuesto a padecer.

2. En santo sacrificio él
   su cuerpo ofreció.
   Por nos gustó la amarga hiel,
   por nos gustó la amarga hiel,
   por nos su vida dio.

3. Y ante el Padre con fervor
   él hace intercesión,
   por cuantos, fiados en su amor,
   por cuantos, fiados en su amor,
   anhelan salvación.

4. Conoce la debilidad
   de nuestro humano ser.
   Siendo hombre nuestro Mediador,
   siendo hombre nuestro Mediador
   nos puede sostener.

5. Su amor no se satisfará
   hasta que, al final,
   contemple a los que redimió,
   contemple a los que redimió,
   ya en gloria celestial.

Edgar Brooks

133

Cuando estés cansado y abatido

1. Cuando estés cansado y abatido,
   dilo a Cristo, dilo a Cristo;
   angustiado por el gozo huido,
   dilo a Cristo, el Señor.

Coro

Dilo a Cristo, dilo a Cristo,
él es tu amigo mejor;
otro no hay como él amante hermano;
dilo a Cristo, el Señor.

2. Si en ti sientes grande amargura,
   dilo a Cristo, dilo a Cristo;
   si en tu vida hay faltas ocultadas,
   dilo a Cristo, el Señor.

3. Si el nublado de tristeza temes,
   dilo a Cristo, dilo a Cristo;
   si saber de tu mañana quieres,
   dilo a Cristo, el Señor.

4. ¿Te perturba el contemplar la muerte?
   Dilo a Cristo, dilo a Cristo.
   ¿En el reino anhelas pronto verte?
   Dilo a Cristo, el Señor.

E. L. Maxwell

134

Dios tanto amó al mundo

1. Dios tanto amó al mundo perdido
   que a su Hijo único él entregó;
   justicia y gracia en él se han unido.
   ¡Incomparable amor reveló!

2. Cristo Jesús al mundo en pecado
   ha demostrado su eterno amor;
   por nuestras faltas fue condenado
   e inocente expiró el Creador.

3. Hoy el Espíritu nos revela
   ese insondable y profundo amor:
   que al que cree, su falta cancela
   el sacrificio del buen Redentor.

4. Es ese amor que da la victoria
   y que ofrece la vida eternal.
   Al trino Dios cantemos la gloria
   por el santísimo amor celestial.

Walter Moreno

135

Es Jesucristo la vida, la luz

1. Es Jesucristo la vida, la luz;
   nos trae del cielo la eterna verdad;
   mártir divino que muere en la cruz
   por darnos libertad.

Coro

   Cristo es Pastor, Enviado,
   divino Emmanuel.
   El me conduce por sendas de paz
   como a su oveja fiel.

2. Quita del alma la negra maldad,
   limpia benigno el infiel corazón;
   es su carácter de suma bondad,
   la misma compasión.

3. Fuente preciosa de gracia y salud,
   agua que limpia de toda maldad.
   Quiere llenarnos de su plenitud
   y de su santidad.

   P. Grado

136

Al fin conocí más de cerca a Jesús

1. Al fin conocí más de cerca a Jesús,
   mas no con teorías de humano saber:
   la gracia me puso en el alma la luz
   con que al Salvador pude ver.

Coro

   La gloria miré de Emmanuel
   con ojos ungidos de fe.
   ¡Qué imagen sublime del Gólgota y él,
   con alma contrita se ve!

2. Sentí aligerarse mi culpa y baldón
   y al cielo elegí por supremo ideal.
   ¡Cuán pronto quitóme, al brindarme
          perdón,
   el lastre terrestre del mal!

3. Llenóse mi pecho de paz interior.
   ¿Qué más en la vida pudiera querer?
   He ahí por qué adoro y me rindo al
          Señor;
   por eso le ofrendo mi ser.

4. Después de mirar bien de cerca a
          Jesús,
   ¡con cuánta emoción serle fiel resolví!
   ¡Qué gloria irradiaba su rostro en la
          cruz,
   de donde pendía por mí!

   Héctor Pereyra S.

137

Cual mirra fragante

1. Cual mirra fragante que exhala su olor
   y ricos perfumes esparce al redor,
   tu nombre, ¡oh Amado!, a mi corazón
   lo llena de gozo, transpórtalo a Sion.

Coro

   Aleluya, aleluya
   al Cordero de Dios;
   aleluya al Amado,
   al bendito Jesús.

2. Cual voz amigable que al triste viador
   en bosque perdido le inspira valor,
   tu nombre me anima y me hace saber
   que ofreces, piadoso, rescate a mi ser.

3. Cual luz que, brillando del alto fanal,
   al nauta en la noche señala el canal,
   tu nombre, esparciendo benéfica luz,
   al cielo me lleva, bendito Jesús.

   H. M.

138

Dominará Jesús

1. Dominará Jesús, el Rey,
   doquier miremos en redor;
   su amor, justicia y santa ley
   asiento son de su esplendor.

2. Los pueblos traerán su don,
   delante de él se postrarán;
   mas los que aún rebeldes son
   la muerte eterna sufrirán.

3. Con gratitud exaltarán
   los redimidos al Señor;
   gozosos siempre cantarán
   a Jesucristo, el Redentor.

   T. M. Westrup, adaptado

139

No hay un nombre en esta tierra

1. No hay un nombre en esta tierra
   cual el nombre de Jesús;
   símbolo es para el cristiano
   de perdón, justicia y luz.

Coro

   Jesús, Jesús,
   cual Jesús no hay otro nombre;
   Jesús, Jesús,
   cual Jesús no hay otro nombre.

2. Mi esperanza es ver su gloria
   cuando vuelva vencedor,
   y ensalzar tan digno nombre
   es mi tema inspirador.

3. Si en su dilatada viña
   quiere que trabaje yo,
   bastará ir en su nombre
   para hacer lo que mandó.

4. Si la mano de la muerte
   con su frío siento en mí,
   al oír su santo nombre
   nada temeré allí.

   E. L. Maxwell

140

Venid, cantad a nuestro Señor

1. Venid, cantad a nuestro Señor
   uniendo al angélico coro la voz.
   A Cristo, el Rey, rindamos honor:
   ¡Digno eres tú, Cordero de Dios!

2. En el Calvario el buen Jesús
   sufrió por nosotros muerte atroz.
   Nos gloriaremos en esa cruz:
   ¡Digno eres tú, Cordero de Dios!

3. Victoria se pudo al fin proclamar,
   y huestes de él ascienden en pos.
   Se escucha en todo el cielo el cantar:
   ¡Digno eres tú, Cordero de Dios!

4. Por toda la eternidad
   y en esta existencia hoy tan veloz
   anunciaremos su majestad:
   ¡Digno eres tú, Cordero de Dios!

   Juan Marrón

141

A Dios sea gloria

1. A Dios sea gloria, es el Creador,
   y amó tanto al mundo que a su
        Hijo dio,
   quien puso su vida muriendo en
        la cruz
   y abrió los portales de gloria y luz.

Coro

   ¡Exaltad a Jesús! Es el Rey y Señor.
   ¡Alabad a Jesús! Es el buen Salvador.
   Load sobre todos su nombre inmortal.
   El salva a sus hijos del yugo del mal.

2. Cantad a su gloria, pues Hijo es de
        Dios.
   Su amor inefable a todos nos dio.
   Contad hoy la historia de la redención;
   que todos los pueblos entonen canción.

3. Ya sea en el canto o en dulce oración,
   load al sublime y fiel Redentor.
   Que joven y anciano proclamen su
        amor;
   que sordos y mudos le rindan loor.

   L. F. Moore y G. Bustamante

142

Si acaso te dejo, Jesús

1. Si acaso te dejo, Jesús, ¿a quién voy?
   Después de haber visto tu faz,
   de oírte y hablarte, ser íntimos hoy,
   me invade cual nunca tu paz.

2. Me siento feliz en tu gracia, Señor,
   y anhelo seguir siempre así.
   He visto encenderse en mi alma el
      amor
   que el cielo profesa por ti.

3. Ansío vivir a tu lado no más,
   y juntos así recorrer
   tú y yo los caminos: los tuyos de paz,
   y éstos de afán y deber.

4. Se extasia mi espíritu en la comunión
   que goza en tu fiel amistad.
   ¡Oh Cristo, Dios mío, ya en mi
   corazón
   hiciste nacer la piedad!

   Héctor Pereyra S.

143

Desde el glorioso trono

1. Desde el glorioso trono,
   brillando cual cristal
   salen las aguas vivas
   del santo manantial.

   Coro
   Río santo, siempre canto
   mi amor a ti.
   Fuente de la vida eterna
   eres para mí.

2. Río de dicha y gozo,
   fuente de plenitud,
   quien llegue a tus riberas
   encontrará salud.

3. Río de Dios, te amo;
   que estás cercano sé,
   y en tus tranquilas aguas
   el alma limpiaré.

4. Eres, Jesús, la fuente
   llena de esplendor;
   fuente de aguas vivas,
   fuente de puro amor.

   Horacio Bonar, trad.

144

Te quiero, te quiero

1. Te quiero, te quiero, te quiero, Señor;
   te quiero, Dios mío, mi fiel Salvador:
   a ti y a tu iglesia, tu casa, tu altar;
   mas cuánto, mis obras te lo han de
      mostrar.

2. Placer indecible, profundo, eternal;
   me encuentro en la cumbre de gozo
      inmortal;
   contemplo, arrobado, su gloria sin par,
   y anhelo a Cristo y al cielo volar.

3. Concédeme, oh Cristo, tu fuerza y
      virtud,
   tu gozo, tu vida, reposo y salud.
   Tu gracia, de mi alma es la
      inspiración;
   tu amor y tu nombre, mi santa
      canción.

4. Oh Cristo, ¿a quién como tú puedo
      hallar?
   Tu voz me consuela, me ayuda a
      cantar.
   Tú ligas a mi alma con cuerdas de
      amor.
   Te cantan mis labios con todo fervor.

   E. L. Maxwell

145

De Jesús el nombre invoca

1. De Jesús el nombre invoca,
   heredero del dolor,
   dulce hará tu amarga copa
   con el néctar de su amor.

Coro
   Suave luz, manantial
   de esperanza, fe y amor;
   sumo bien celestial
   es Jesús, el Salvador.

2. De Jesús el nombre estima,
   que te sirva de broquel;
   alma débil, combatida,
   hallarás asilo en él.

3. De Jesús el nombre ensalza,
   cuyo sin igual poder
   del sepulcro nos levanta,
   renovando nuestro ser.

   T. M. Westrup

146

Junto a la cruz

1. Junto a la cruz do Jesús murió,
   do por su gracia clamaba yo,
   mis manchas su sangre allí quitó:
   ¡a su nombre gloria!

Coro
   ¡A su nombre gloria!
   ¡A su nombre gloria!
   Cristo Jesús es mi Salvador:
   ¡a su nombre gloria!

2. Cuando por fe en la cruz lo vi,
   de mis pecados salvado fui,
   y hoy él me guarda y mora en mí:
   ¡a su nombre gloria!

3. ¡Fuente preciosa de salvación!
   Gozo en ti halla mi corazón;
   en ti, Jesús salva y da perdón:
   ¡a su nombre gloria!

4. ¡Ven a esta fuente, oh pecador!
   Ponte a los pies de tu Salvador;
   te colmará de su santo amor:
   ¡a su nombre gloria!

   E. A. Hoffman, trad.

147

¡Oh qué Salvador!

1. ¡Oh qué Salvador es Jesús, el Señor!
   ¡Bendito Señor para mí!
   El salva al más malo de su iniquidad
   y dale socorro aquí.

Coro
   Me escondo en la Roca que es Cristo,
      el Señor,
   y allí nada ya temeré;
   me escondo en la Roca que es mi
      Salvador,
   y en él siempre confiaré,
   y siempre con él viviré.

2. Veré a los amados a quienes dejé;
   con ellos por siempre estaré.
   Más quiero aún al amado Jesús:
   sus glorias yo entonaré.

3. Y cuando esta vida termine aquí,
   la lucha al fin dejaré;
   entonces a Cristo podré contemplar;
   loor a su nombre daré.

4. Y cuando en las nubes descienda Jesús,
   glorioso en el mundo a reinar,
   su gran salvación y perfecto amor,
   por siglos yo he de cantar.

   Fanny J. Crosby, trad.

148

Digno eres, oh Jesús

1. Digno eres, oh Jesús,
   digno eres, oh Jesús,
   digno eres, oh Jesús
   que moriste en la cruz.

Coro

   ¡Gloria, aleluya!
   ¡Dadle alabanza!
   ¡Gloria, aleluya!
   ¡Digno Jesús!

2. Venga en gloria celestial
   tu gran reino eternal
   con el gozo angelical,
   digno Jesús.

3. Que te honremos, oh Señor,
   con servicio y con valor;
   guárdanos por tu amor,
   digno Jesús.

                    W. Pardo G.

149

A Cristo doy mi canto

1. A Cristo doy mi canto:
   él salva el alma mía,
   me libra del quebranto
   y con amor me guía.

Coro

   Ensalce pues mi canto
   su sacrosanta historia.
   Es hoy mi anhelo santo
   mirar, Jesús, tu gloria.

2. Jamás dolor ni agravios
   enlutarán mi mente;
   refréscanse mis labios
   con aguas de su fuente.

3. Su amor me ha bendecido
   y alegra el alma mía;
   su nombre es en mi oído
   dulcísima armonía.

4. Me gozo en alabarle;
   y cuando deje el suelo,
   por siempre he de exaltarle
   con ángeles del cielo.

150

Cristo, si gozo al pecho da

1. Cristo, si gozo al pecho da
   el sólo en ti pensar,
   ¿cuánto más ver tu faz dará,
   y en tu presencia estar?

2. Mente no habrá que saque a luz,
   ni ensalzará cantor
   nombre mayor que el de Jesús,
   del hombre el Salvador.

3. Luz del contrito corazón,
   gozo del manso aquí,
   tú al caído das perdón
   y nueva vida en ti.

                    E. L. Maxwell

151

¡Cuán dulce el nombre de Jesús!

1. ¡Cuán dulce el nombre de Jesús
   es para el hombre fiel!
   Consuelo, paz, vigor, salud,
   encuentra siempre en él.

2. Tan dulce nombre es para mí,
   de dones plenitud;
   raudal que nunca exhausto vi
   de gracia y de salud.

3. Jesús, mi amigo y mi sostén,
   bendito Salvador;
   mi vida y luz, mi eterno bien,
   acepta mi loor.

4. Si es pobre ahora mi cantar,
   cuando en la gloria esté
   y allá te pueda contemplar,
   mejor te alabaré.

   J. B. Cabrera

152

Hay una fuente sin igual

1. Hay una fuente sin igual,
   la sangre de Emmanuel,
   en donde lava cada cual
   las manchas que hay en él,
   las manchas que hay en él,
   las manchas que hay en él;
   en donde lava cada cual
   las manchas que hay en él.

2. El malhechor se convirtió
   muriendo en una cruz,
   al ver la sangre que vertió
   sin culpa el buen Jesús,
   sin culpa el buen Jesús,
   sin culpa el buen Jesús;
   al ver la sangre que vertió
   sin culpa el buen Jesús.

3. Y yo también, cuan malo soy,
   lavarme allí podré;
   y en tanto que en el mundo estoy
   su gloria cantaré,
   su gloria cantaré,
   su gloria cantaré;
   y en tanto que en el mundo estoy
   su gloria cantaré.

4. Tu sangre nunca perderá,
   oh Cristo, su poder,
   y sólo en ella así podrá
   tu iglesia salva ser,
   tu iglesia salva ser,
   tu iglesia salva ser;
   y sólo en ella así podrá
   tu iglesia salva ser.

5. Desde que aquella fuente vi,
   mi tema sólo fue
   tu compasivo amor,
   y así cantando moriré,
   cantando moriré,
   cantando moriré;
   tu compasivo amor,
   y así cantando moriré.

6. Y cuando del sepulcro ya
   resucitado esté,
   canción más noble y dulce allá
   en gloria entonaré,
   en gloria entonaré,
   en gloria entonaré;
   canción más noble y dulce allá
   en gloria entonaré.

153

Oh buen Señor, velada está

1. Oh buen Señor, velada está
   tu santa forma aquí,
   pues el pecado, oh Jehová,
   te esconde hoy de mí.

2. Aunque no te distingo hoy,
   sé que conmigo estás;
   y si en afán o lucha estoy,
   tu auxilio me darás.

3. Como un sueño nocturnal,
   dorada ensoñación,
   es tu presencia sin igual
   la más feliz visión.

4. Tu forma puedo percibir
   en alas de la fe;
   con tu influencia en mi vivir,
   confiado andaré.

   W. Pardo G.

154

Con acentos de alegría

1. Con acentos de alegría
   hoy loamos al Señor,
   que en este grato día
   nos constriñe con su amor.
   Adoremos al que quiso
   congregarnos otra vez
   como miembros de su iglesia,
   todos de una misma fe.

Coro
   Con fervor, con fervor,
   a nuestro Rey cantemos,
   y su amor, y su amor,
   nos guarde en santa unión.

2. Gloria a nuestro Rey amante
   que nos da su santa paz,
   que en su gracia desbordante,
   para todos da solaz.
   Levantemos nuestras voces
   y digamos con fervor:
   ¡Gloria al Hijo bondadoso!
   ¡Gloria a nuestro Redentor!

3. ¡Oh, Señor!, hoy te adoramos
   con fervor y gratitud,
   y anhelosos te pedimos
   que nos brindes tu salud.
   Que unidos como hermanos
   te adoremos sin cesar,
   y en tu gracia bienhechora
   procuremos siempre estar.
   Mercedes P. de Bernal

155

Cristo, eres justo Rey

1. Cristo, eres justo Rey
   desde siempre y desde Edén.
   Guardan los cielos tu santa ley,
   pues reina allá el bien.
   Quiero en tu humilde grey
   cumplir tu ley de amor también.

2. Cielos y tierra y mar
   riges desde eternidad.
   Ruégote quieras mi vida guiar;
   toma mi volutad
   y haz que en querer y obrar
   acate yo tu autoridad.

3. Oigase nuestra voz
   hasta en celestial confín:
   Gloria a ti, Verbo eterno y Dios;
   gloria, loor sin fin;
   gloria, aleluya, oh Dios.
   Loor a ti, loor sin fin.
   Héctor Pereyra S.

156

Venid, cantad de gozo en plenitud

1. Venid, cantad, de gozo en plenitud,
   y dad loor al que su sangre dio.
   En ella luego nos lavó,
   de nuestra lepra nos limpió,
   y así librónos de la esclavitud.

Coro
   El nos libró de culpabilidad,
   y redimiónos por la eternidad;
   con ángeles del cielo nos igualó;
   precioso Salvador el que por nos
      murió.

2. El Dios de amor, que vino acá a
      sufrir
   llevando en sí por nos la maldición,
   en vez de eterna perdición,
   nos proporciona salvación,
   que sin él nadie puede conseguir.

3. Honor y gloria en todo su esplendor
   serán el fin de quien siga a Jesús.
   Si toma en pos de él su cruz
   y es guiado siempre por su luz,
   tendrá el sello de su Salvador.
   T. M. Westrup

157

Jesús bendito, Salvador

1. Jesús bendito, Salvador,
   los pueblos te verán;
   y por tu gloria y tu poder
   los orbes temblarán,
   los orbes temblarán.

2. Miradle, cielos, bendecid
   la procesión triunfal;
   al Rey de gloria recibid
   que vuelve inmortal,
   que vuelve inmortal.

3. De horrible muerte es vencedor;
   regresa a su mansión;
   es nuestro Rey y el santo autor
   de nuestra salvación,
   de nuestra salvación.

4. El Hijo amado, su amor,
   muriendo demostró;
   y, Dios humano, vencedor
   al cielo ascendió,
   al cielo ascendió.

158

Dad gloria al Cordero Rey

1. Dad gloria al Cordero Rey,
   suprema potestad;
   de su divino amor la ley
   postrados aceptad,
   de su divino amor la ley
   postrados aceptad.

2. Vosotros, hijos de Israel,
   residuo de su grey,
   loores dad a Emmanuel
   y proclamadle Rey,
   loores dad a Emmanuel
   y proclamadle Rey.

3. Naciones todas, escuchad
   y obedeced su ley
   de gracia, amor y santidad,
   y proclamadle Rey,
   de gracia, amor y santidad,
   y proclamadle Rey.

4. Dios quiera que con los que están
   del trono en derredor,
   con cantos por la eternidad
   a Cristo demos honor,
   con cantos por la eternidad
   a Cristo demos honor.

   T. M. Westrup

159

¡Oh si pudiera yo contar!

1. ¡Oh si pudiera yo contar
   la gloria y el amor sin par
   de Cristo, mi Señor;
   volar al cielo con Gabriel,
   mi voz a unir con la de aquel
   seráfico cantor,
   seráfico cantor.

2. La sangre que en la cruz vertió,
   la cual a mi alma rescató
   de eterna perdición;
   su fiel justicia y santo amor,
   los que me visten de esplendor,
   serían mi canción,
   serían mi canción.

3. Todo el carácter de mi Rey:
   su multiforme amor, su ley,
   su gracia, su poder,
   su gloria y sempiterno honor,
   en altos himnos de loor
   daría a conocer,
   daría a conocer.

4. Aquel dichoso día vendrá
   cuando Jesús me llevará,
   y así su faz veré.
   Será mi Amigo y Salvador
   con quien, por gracia vencedor,
   por siempre viviré,
   por siempre viviré.

   E. L. Maxwell

160

Tiempo es de que en gloria venga Cristo

1. "Tiempo es de que en gloria venga
   Cristo",
   se oye al pueblo decir;
   la oscuridad ya se disipa;
   muy pronto el Maestro ha de venir.

Coro
   Muy pronto el día nacerá,
   muy pronto el día nacerá.
   La noche ya se va,
   el día viene ya;
   muy pronto el día nacerá.

2. El sol, la luna y las estrellas,
   a un mundo envuelto en la maldad,
   señales fueron que anunciaron
   que pronto el Rey Jesús vendrá.

3. Tiempo es de que la iglesia toda
   despierte y salga a trabajar,
   a los perdidos anunciando
   que pronto el día ha de rayar.

                              W. Pardo G.

161

Amanece ya la mañana de oro

1. Amanece ya la mañana de oro,
   pronto el Rey vendrá;
   y su pueblo a la mansión del cielo
   Cristo llevará.

Coro
   Amanece ya la mañana de oro
   tras la noche terrenal,
   cuando surgirá del sepulcro abierto
   vida inmortal.

2. En aquel gran día los separados
   se encontrarán,
   y las lágrimas de los afligidos
   se enjugarán.

3. Con sus ángeles de esplendente
   aspecto
   Cristo, el Juez, vendrá,
   a llevar su iglesia a donde en gloria
   siempre morará.

4. Cuando llegue a todos el Evangelio
   anunciando el fin,
   cesará el tardar del Esposo entonces,
   sonará el clarín.

                              E. L. Maxwell

162

Viene otra vez nuestro Salvador

1. Viene otra vez nuestro Salvador,
   ¡oh si ya fuera hoy!,
   para reinar con poder y amor,
   ¡oh si ya fuera hoy!
   Su fiel iglesia ataviada está
   con vestiduras de esplendor,
   y en busca del Esposo va.
   ¡Oh si ya fuera hoy!

Coro
   ¡Gloria!, ¡gloria!
   Gozo sin fin traerá.
   ¡Gloria!, ¡gloria!
   al coronarle Rey.
   ¡Gloria!, ¡gloria!
   La senda preparad.
   ¡Gloria!, ¡gloria!
   Cristo viene otra vez.

2. Acabará el poder de Satán,
   ¡oh si ya fuera hoy!
   Negras tristezas no se verán,
   ¡oh si ya fuera hoy!
   Todos los justos con Cristo irán,

arrebatados por su Señor.
¿Cuándo estas glorias llegarán?
¡Oh si ya fuera hoy!

3. Fieles a él nos debiera hallar
si regresara hoy;
todos velando con gozo y paz
si regresara hoy.
Multiplicadas señales hay;
en el oriente se ve el albor,
ya más cercano el tiempo está.
¡Oh si ya fuera hoy!

Anónimo

Credit line on page 206.

163

¡Oh! cuán gratas las nuevas

1. ¡Oh! cuán gratas las nuevas al
   peregrino aquí,
   en destierro obligado a vagar:
   "He aquí, pronto en gloria tu
   Salvador vendrá,
   y podrás en su reino entrar".

Coro
Sí, viene, viene, viene, esto sé;
a la tierra Jesús vendrá;
y los peregrinos a la gloria irán,
a su reino el Señor los guiará.

2. Los sepulcros de cuantos en Cristo
   duermen ya,
   otra vez todos se han de abrir;
   los millones también que en el mar
   profundo están
   volverán otra vez a vivir.

3. Nos veremos allá en el nuevo Edén
   feliz;
   el "adiós" no diremos jamás;
   pues del norte y del sur los salvados
   llegarán,
   a morar en el reino de paz.

E. L. Maxwell

164

Abre tu corazón

1. Abre tu corazón, abre tu corazón.
   Jesús entrará, y él te salvará
   si abres tu corazón.

2. Abro mi corazón, abro mi corazón.
   Ven, entra, Jesús; dame gozo y luz;
   te abro mi corazón.

D. H. Baasch

Credit line on page 206.

165

En presencia estar de Cristo

1. En presencia estar de Cristo,
   ver su rostro, ¿qué será,
   cuando al fin, en pleno gozo,
   mi alma le contemplará?

Coro
Cara a cara espero verle
cuando venga en gloria y luz;
cara a cara allá en el cielo
he de ver a mi Jesús.

2. Sólo tras oscuro velo
   hoy lo puedo aquí mirar,
   pero pronto viene el día
   que su gloria ha de mostrar.

3. ¡Cuánto gozo habrá con Cristo
   cuando no haya más dolor,
   cuando cesen los peligros
   al abrigo de su amor!

4. Cara a cara, ¡cuán glorioso
   ha de ser así vivir,
   ver el rostro de quien quiso
   nuestras almas redimir!

V. Mendoza

166

Hijo del reino

1. Hijo del reino, ¿por qué estás
durmiendo,
cuando a la vista se halla tu hogar?
Presto levántate, ciñe tus armas;
en el conflicto tendrás que luchar.

2. Hijo del reino, ¿por qué tardas tanto,
cuando delante el premio se ve?
Alzate, vístete, Cristo se acerca;
sal a su encuentro, recibe a tu Rey.

3. Grandes naciones en lucha furiosa,
despavoridas hundiéndose van;
es el estruendo del carro triunfante
del divinal, vencedor Capitán.

4. No sigas más tras placeres mundanos:
ves que su encanto pasando se va;
rompe los lazos con que estás atado;
a Cristo acude, que te amparará.

5. Fija tu vista constante en el cielo;
pasa la noche de tribulación;
sobre las cúspides ya rompe el alba;
¡hijo del reino, prorrumpe en canción!

167

Guarda, dinos si la noche

1. Guarda, dinos si la noche
negra pronto pasará.
¿El lucero va saliendo?
¿Pronto amanecerá?
A tu vista ¿aparece el alba ya?
A tu vista ¿aparece el alba ya?

2. Alborea, rompe el día,
levantemos el clamor;
el lucero ha salido
en su matinal fulgor.
Alegraos, ya se acerca el Redentor,
Alegraos, ya se acerca el Redentor.

3. Carta y brújula demuestran
que la tierra cerca está.
¡Adelante, presurosos!
Pronto el puerto se verá.
De alegría canten vuestras voces ya,
de alegría canten vuestras voces ya.

E. L. Maxwell

168

El amanecer del día

1. El amanecer del día
sus albores va anunciando;
viene el tiempo de alegría,
y la eterna paz de Dios.

Coro
Venga, sí, día eterno;
negra noche, ¡oh, cese ya!
¡Venga ya, sempiterno
de placer y eterna paz!

2. Por los montes va brillando
refulgente luz del cielo;
el clarín está anunciando
la venida del Señor.

3. Muerte y llanto olvidaremos
cuando en gloria venga Cristo.
Para siempre gozaremos
la presencia del Señor.

J. Marrón

169

Cristo viene

1. Cristo viene, esto es cierto,
porque lo ha dejado escrito;
siempre fiel a su promesa,
por los suyos ya regresa.
¡Vedle ya, ved al Señor!
Tráelos de la tumba triste,
de inmortalidad los viste.
¡Sí, vendrá! ¡Oh, sí, vendrá!

2. El que en Gólgota muriendo
dio su vida bendiciendo,
viene ya resplandeciente,
en las nubes, imponente.
¡Vedle ya, ved al Señor!
Vedle ya venir en gloria,
coronado de victoria.
¡Sí, vendrá! ¡Oh, sí, vendrá!

3. Las espinas, de despecho
rayos rojos se han hecho,
y la caña se ha vuelto
regio cetro de su imperio.
¡Vedle ya, ved al Señor!
Síguenle ángeles gloriosos,
escuadrones majestuosos.
¡Sí, vendrá! ¡Oh, sí, vendrá!

4. ¡Ay! de aquel que no haya ido
a Jesús ni recibido
ropa santa, regalada,
para bodas adornada.
¡Vedle ya, ved al Señor!
¡Al encuentro del Esposo!
Es el día más dichoso.
¡Sí, vendrá! ¡Oh, sí, vendrá!

170
Jesús pronto volverá

1. Jesús pronto volverá
al mundo con gran poder.
Promesa nos dio; y la cumplirá;
su rostro podremos ver.
En gloria y majestad vendrá
nuestro Salvador,
pues señales por doquier
anuncian al Señor.

2. Muy pronto el Señor vendrá,
y el pueblo que le esperó,
del vil tentador librado será,
por Cristo, quien lo salvó.
Sus hijos disfrutarán
de Cristo la comunión,
y por siempre gozarán
su eterna salvación.

3. Del norte y del sur vendrán
trofeos del Redentor.
Las islas del mar sus joyas darán
que adornen al Salvador.
Los santos con él irán
las bodas a celebrar,
y por siempre gozarán
en su feliz hogar.

4. Muy pronto Jesús vendrá
y el mal llegará a su fin:
con gran majestad su voz sonará
gloriosa por el confín.
Los ángeles tocarán
trompeta de salvación
y los santos vivirán
su eterna redención.

H. C. Ball

Credit line on page 206.

171
Yo espero la mañana

1. Yo espero la mañana
del gran día sin igual,
del cual dicha eterna emana
y deleite perennal.

Coro
Esperando, esperando
otra vida sin dolor
y la grata bienvenida
de Jesús, mi amante Salvador.

2. Yo espero la victoria,
de la muerte al fin triunfar,
recibir la eterna gloria
y mis sienes coronar.

3. Yo espero ir al cielo,
donde reina eterno amor;
peregrino soy y anhelo
las moradas del Señor.

4. Pronto espero unir mi canto
al triunfante y celestial,
y cambiar mi amargo llanto
por el himno angelical.

P. Grado

172

El Rey que viene

1. El Rey que viene cerca está,
   el mismo que en la cruz murió;
   mas sólo viene esta vez
   por los que rescató.

Coro
   Cerca está, cerca está,
   a las puertas mismas llega ya;
   viene presto, viene presto;
   a las puertas llega ya.

2. De su venida vemos ya
   señales muchas por doquier,
   y pronto el alba eternal
   podrán los pueblos ver.

3. Pues no contéis con gozo y paz:
   aquí las luchas seguirán;
   mas cuando vuelva el Salvador,
   eterno fin tendrán.

4. Entonces nuestro hogar será
   la tierra nueva, eternal;
   la muerte nunca entrará,
   pues todo es inmortal.

                        E. L. Maxwell

173

¡Vendrá el Señor!

1. ¡Vendrá el Señor! Nadie sabe la hora;
   del día anhelado se ve la aurora.
   ¡Oh, siervos de Dios!, anunciad sin
       demora
   que muy pronto vendrá.

Coro
   ¡El vendrá! ¡Esperad y velad, pues
       él vendrá!
   ¡Aleluya! ¡Aleluya!;
   en las nubes vendrá
   con sus huestes gloriosas;
   sí, muy pronto vendrá.

2. En cielo y tierra se anuncia el
       portento
   de Cristo en su glorioso advenimiento.
   ¡Oh, pueblo de Dios!, es solemne el
       momento,
   pues muy pronto vendrá.

3. Velad y orad con la vista alzada;
   salid y luchad con la santa espada;
   oh, id, trabajad con la fe reanimada,
   pues muy pronto vendrá.

                        J. Marrón

174

Siervos de Dios, la trompeta tocad

1. Siervos de Dios, la trompeta tocad:
   ¡Cristo muy pronto vendrá!
   A todo el mundo las nuevas llevad:
   ¡Cristo muy pronto vendrá!

Coro
   ¡Pronto vendrá! ¡Pronto vendrá!
   ¡Cristo muy pronto vendrá!

2. Fieles de Cristo, doquier anunciad:
   ¡Cristo muy pronto vendrá!
   Siempre alegres, contentos, cantad:
   ¡Cristo muy pronto vendrá!

3. Montes y valles, canción entonad:
   ¡Cristo muy pronto vendrá!
   Ondas del mar vuestras voces alzad:
   ¡Cristo muy pronto vendrá!

                        Jessie E. Strout

175

¿Quién en deslumbrante gloria?

1. ¿Quién en deslumbrante gloria
   con sus huestes está?
   ¿Quién con célica armadura
   delante de ellos va?

Coro
   ¡Ve adelante, Señor, supremo Rey!,
   en gloria sublime y santa majestad.
   ¡Ve adelante, a la victoria, ve!,
   que cielo y tierra tuyos son,
   Señor, supremo Rey.

2. Canta, pueblo remanente,
   presto salvo serás;
   pronto fin tendrán tus pruebas
   si con el Rey estás.

3. Ya la noche ha pasado,
   ve del día la luz;
   ve las huestes avanzando
   guiadas por Jesús.

4. Oh, ven pronto, santo día
   de esplendor sin igual,
   cuando en hermosura vuelva
   Jesús, Rey eternal.

   Mercedes P. de Bernal

176

Cuando suene la trompeta

1. Cuando suene la trompeta en el día
   del Señor,
   su esplendor y eterna claridad veré;
   cuando lleguen los salvados ante el
   magno Redentor,
   y se pase lista, yo responderé.

Coro
   Cuando allá se pase lista,
   cuando allá se pase lista,
   cuando allá se pase lista
   y mi nombre llamen, yo responderé.

2. Resucitarán gloriosos los que duermen
   en Jesús,
   las delicias celestiales a gozar;
   y triunfantes entrarán en las
   mansiones de la luz;
   para mí también habrá un dulce
   hogar.

3. Trabajemos, pues, por Cristo,
   pregonando su amor,
   mientras dure nuestra vida terrenal;
   y al fin de la jornada, con los santos
   del Señor
   entraremos en la patria celestial.

   Jaime M. Black, trad.

177

Se pone el fulgurante sol

1. Se pone el fulgurante sol.
   Por la tranquilidad rural
   la queda suave oímos dar:
   ¡Hermano, esta hora es la final!

2. Es la hora del ocaso, en que
   la obra de siglos se ha de hacer,
   llevando el Nombre salvador
   a los perdidos, por doquier.

3. Perdido has mucho cuando allí
   ocioso estabas sin llevar
   precioso trigo al alfolí;
   por eso debes hoy llorar.

4. Los pasos de él sentimos ya.
   ¡A trabajar! Pues su eternal
   amor y fuerzas hoy nos da.
   ¡Hermano, esta hora es la final!

   Clara Thwaites, trad.

178

La segunda venida de Cristo

1. La segunda venida de Cristo
   un suceso imponente será,
   tan grandioso cual nunca fue visto;
   más glorioso jamás se verá.
   De los cielos el Hijo del hombre
   en la gloria del Padre vendrá;
   "Verdadero y Fiel" es su nombre,
   y el cetro del reino tendrá,
   "Verdadero y Fiel" es su nombre,
   y el cetro del reino tendrá.

2. Cual relámpago, luce del este
   una nube con luz de crisol,
   cuyo brillo, que alcanza al oeste,
   sobrepuja los rayos del sol;
   es la hueste de ángeles santos,
   refulgentes de gloria y luz,
   que escoltan y loan con cantos
   al invicto y glorioso Jesús,
   que escoltan y loan con cantos
   al invicto y glorioso Jesús.

3. Los impíos de miedo se espantan
   y perecen al ver al Señor;
   mas los justos las manos levantan
   hacia Cristo, su buen Redentor.
   Contemplando sus gratos fulgores,
   le aclaman con férvida voz:
   "Rey de reyes, Señor de señores;
   mil hosannas al Hijo de Dios",
   "Rey de reyes, Señor de señores;
   mil hosannas al Hijo de Dios".

4. Del sepulcro los lazos quebranta
   que ataban al pobre mortal;
   a sus santos Jesús los levanta
   revestidos de luz inmortal.
   Y los lleva consigo al cielo,
   los corona y palmas les da,
   y entonces disfrutan sin velo
   la presencia del Dios Jehová,
   y entonces disfrutan sin velo
   la presencia del Dios Jehová.

   E. W. Thomann

179

¿Has oído el mensaje?

1. ¿Has oído el mensaje del regreso del
   Señor?
   La trompeta a medianoche sonará;
   a sus fieles todos llamará sin
   olvidarte a ti,
   si con Cristo te alistas a vivir.

Coro

El viene, él viene, mirad;
cercano, cercano él está.
Las perlinas puertas ya
ábrense de par en par
y los salvos entrarán en el Edén;
y sus voces jubilosas con los ángeles
se oirán,
pues allí habitaremos con Jesús.

2. A los cielos subiremos con los
   ángeles de luz;
   los amados separados se unirán
   con nosotros para siempre; nunca
   se apartarán,
   cuando allí habitaremos con Jesús.

3. Andaremos por los mundos do el
   pecado no entró;
   del amor les hablaremos de Jesús,
   que a buscarnos vino para darnos
   vida eternal,
   pues allí habitaremos con Jesús.

4. Pasarán los siglos uno tras el otro
   sin cesar,
   y el vigor perenne no se perderá
   de esa juventud eterna, primavera
   sin menguar,
   pues allí habitaremos con Jesús.

   Enrique E. Baasch

180

¿Será al albor?

1. ¿Será al albor, cuando el día
   despierta
   y el sol cada sombra nocturna
   ahuyenta?

¿Será al albor cuando en toda
	su gloria
volverá a la tierra Jesús?

Coro
	¿Cuánto aún faltará, Señor,
	hasta que cante así:
	"Cristo vuelve, ¡aleluya! ¡aleluya!
	Amén.
	¡Aleluya! Amén".

2. Trompeta triunfal todos pronto
	oiremos;
	su escolta de ángeles santos veremos;
	su sien coronada de luz miraremos
	cuando venga en gloria Jesús.

3. ¡Qué gozo habrá cuando acabe la
	muerte!
	Vivir sin dolor tocarános en suerte;
	las penas y el mal quitará el Dios
	fuerte
	cuando venga en gloria Jesús.
A. E. Thomann

181

Estando a orillas del Jordán

1. Estando a orillas del Jordán
	ansioso miro allá
	a Canaán, la celestial,
	do el justo morará.

Coro
	A la tierra feliz y hermosa voy,
	sus delicias sin fin a gozar,
	de Moisés y el Cordero a entonar
	la canción
	y siempre con Cristo a morar.

2. Sobre esos anchos llanos
	amanece eterna luz,
	y por fin la noche acabará,
	pues es cual sol Jesús.

3. ¿Cuándo he de entrar en el país
	bendito y ver la faz
	de Aquel con quien iré a morar
	en sempiterna paz?
E. L. Maxwell

182

Cantaré, cantaré

1. Cantaré, cantaré del glorioso país,
	con su incomparable jardín;
	que ha de ser de los salvos la
		patria feliz
	mientras corran los siglos sin fin,
	mientras corran los siglos sin fin;
	que ha de ser de los salvos la
		patria feliz
	mientras corran los siglos sin fin.

2. Es del alma el hogar; por visiones
	de fe
	sus muros de jaspe se ven,
	y parece que un velo delgado,
		no más,
	hoy me oculta ese reino del bien,
	hoy me oculta ese reino del bien;
	y parece que un velo delgado,
		no más,
	hoy me oculta ese reino del bien.

3. Ese hogar ha de ser para ti y para mí;
	su príncipe es Cristo Jesús;
	es el Rey de los reyes por siempre
		jamás,
	y pondrános coronas de luz,
	y pondrános coronas de luz;
	es el Rey de los reyes por siempre
		jamás,
	y pondrános coronas de luz.

4. En el bello país, ¡oh! cuán dulce será,
	librados de pena y dolor,
	congregados, cantarle con arpa y
		con voz
	alabanzas a nuestro Señor,
	alabanzas a nuestro Señor;
	congregados, cantarle con arpa y
		con voz
	alabanzas a nuestro Señor.
Elena H. Gates, trad.

183

Promesa dulce

1. Promesa dulce: "Yo vendré,
   y a los que sufren salvaré".
   Responde mi alma: "Presto ven;
   ansioso esperaré".

Coro

   ¡Ven, Señor, mi Redentor!
   ¡Ven, Señor, mi Redentor!
   Responde mi alma: "¡Presto ven,
   Señor, mi Redentor!"

2. Los santos vuelven a vivir,
   al cielo todos subirán;
   y en tierra atado años mil
   ha de quedar Satán.

3. Desciende entonces la ciudad,
   los malos levantados son
   a oír el fallo de su Juez:
   "Eterna perdición".

4. El nuevo Edén florecerá
   en hermosura celestial;
   jamás la muerte turbará
   la playa inmortal.

   E. L. Maxwell

184

Por mil arpas

1. Por mil arpas y mil voces
   se alcen notas de loor.
   Cristo reina, el cielo goza,
   Cristo reina, el Dios de amor.
   Ved, su trono ocupa ya;
   solo, el mundo regirá.

Coro

   ¡Aleluya!, ¡aleluya!,
   ¡aleluya! Amén.

2. Rey de gloria, reine siempre
   tu divina potestad;
   nadie arranque de tu mano

los que son tu propiedad.
Dicha tiene aquel que está
destinado a ver tu faz.

3. Apresura tu venida
   en las nubes, ¡oh Señor!
   Nuevos cielos, nueva tierra
   danos, Cristo, por tu amor.
   Aureas arpas de tu grey,
   "Gloria" entonen a su Rey.

185

Hay un mundo feliz más allá

1. Hay un mundo feliz más allá,
   donde cantan los santos en luz
   tributando eterno loor
   al invicto, glorioso Jesús.

Coro

   En el mundo feliz
   reinaremos con nuestro Señor,
   en el mundo feliz
   reinaremos con nuestro Señor.

2. Cantaremos con gozo a Jesús,
   al Cordero que nos rescató,
   que con sangre vertida en la cruz
   los pecados del mundo quitó.

3. Para siempre en el mundo feliz
   con los santos daremos honor
   al invicto, glorioso Jesús,
   a Jesús, nuestro Rey y Señor.

   T. M. Westrup

186

Bellas canciones perennes

1. Bellas canciones perennes,
   voces de gratitud
   digan con suaves murmullos:
   "Dios ya nos da salud".
   Hasta los tiempos postreros,
   cantos de paz y amor
   y gloria a Dios en lo alto
   tributa la multitud.

2. Célico alcázar construye
de eterna majestad;
bajo sus bóvedas reinan
misericordia y paz.
Pacto que mira a su electo
siervo David, el fiel,
de cuya Posteridad santa
el reino sin fin será.

3. Pueblo feliz el que escucha
de su venida el son;
y que prepara su alma
para encontrarse en Sion.
Eres, Señor, de los tuyos
el refulgente sol,
de fe, sacratísimo centro,
el óptimo galardón.

T. M. Westrup

187

Santo Espíritu de Cristo

1. Santo Espíritu de Cristo,
mora en este corazón,
lléname de tu presencia,
cólmame de bendición.

Coro
¡Cólmame! ¡Cólmame!
¡Ven ahora y cólmame!
¡Cólmame de tu presencia!
¡Ven, oh ven y cólmame!

2. Santo Espíritu, lo puedes,
aunque cómo, no lo sé;
mas si tú mis ruegos oyes,
sé que puro yo seré.

3. Débil soy, flaqueza todo,
mas me postro a tus pies,
para que tu amor eterno,
fuerte, puro y fiel me des.

4. Lávame, bendice y salva
cuerpo, alma, espíritu;
ya me salvas, me consuelas,
de bondad me colmas tú.

E. L. Maxwell

188

La nueva proclamad

1. La nueva proclamad
doquier que el hombre esté,
doquier haya aflicción,
miserias y dolor;
cristianos, anunciad
que el Padre nos envió
el fiel Consolador.

Coro
Al mundo vino ya
el fiel Consolador
que Dios nos prometió,
la prenda de su amor;
doquier que el hombre esté,
decid que descendió
el fiel Consolador.

2. La noche ya pasó;
brillando está la luz
que habrá de disipar
las sombras del terror;
es para el pecador
la aurora celestial
el fiel Consolador.

3. Es él quien da salud
y plena libertad
a los que encadenó
el fiero tentador;
los rotos hierros hoy
dirán que vino ya
el fiel Consolador.

4. Mi lengua mueve tú,
que sepa hablar aquí
del don que recibí,
oh grande Dios de amor,
al renovar en mí
la imagen celestial
el fiel Consolador.

F. Bottome, trad.

189
Danos el fuego

1. Danos el fuego que ardió
en hombres tales cual Daniel,
que en rudas pruebas lo guardó
y lo mantuvo siempre fiel.

2. Danos la llama que animó
la fe potente de Abrahán,
que a Pablo un gran valor le dio,
y amor profundo al joven Juan.

3. Danos del cielo la virtud,
la que a Elías dio poder.
Danos tu divinal salud,
tu fe y tu gracia a conocer.

4. Pronto en las nubes volverás;
necesitamos más fervor;
y te imploramos además:
Danos tu Espíritu, Señor.

J. Marrón

190
Dios nos ha dado promesa

1. Dios nos ha dado promesa:
"Lluvias de gracia enviaré,
dones que os den fortaleza,
gran bendición os daré".

Coro
Lluvias de gracia,
lluvias pedimos, Señor;
mándanos lluvias copiosas,
lluvias del Consolador.

2. Cristo nos dio la promesa
del Santo Consolador;
paz y perdón y pureza,
para su gloria y honor.

3. Dios nuestro, a todo creyente
muestra tu amor y poder;
tú eres de gracia la fuente,
llenas de paz nuestro ser.

4. Obra en tus siervos piadosos
celo, virtud y valor;
del tentador victoriosos
salgan contigo, Señor.

El. Nathan, trad.

191
Ven, Espíritu eterno

1. Ven, Espíritu eterno,
muéstranos la excelsitud
de ese mérito vicario
que nos trajo la salud.
Grande fue el sacrificio
para nuestra redención.
¡Oh, renueva la memoria;
danos fe en el corazón!

2. Ven, testigo de su muerte;
ven, divino Inspirador;
que sintamos tu potencia
y apreciemos tu valor.
Ven, aplícanos la sangre
del divino Redentor,
y que Cristo en nosotros
sea siempre morador.

3. Que imitemos sus gemidos,
suspirando en oración,
y apreciemos las heridas
que recuerdan su aflicción.
Al que hemos traspasado,
que miremos con dolor,
y la sangre asperjada
recibamos con amor.

192
Abre mis ojos a la luz

1. Abre mis ojos a la luz;
tu rostro quiero ver, Jesús.
Pon en mi corazón tu bondad,
y dame paz y santidad.
Humildemente acudo a ti,
porque tu tierna voz oí.
Mi guía sé, Espíritu consolador.

2. Abre mi oído a tu verdad;
   yo quiero oír con claridad
   bellas palabras de dulce amor,
   ¡oh mi bendito Salvador!
   Consagro a ti mi frágil ser;
   tu voluntad yo quiero hacer.
   Llena mi ser, Espíritu consolador.

3. Abre mis labios para hablar
   y a todo el mundo proclamar
   que tú viniste a rescatar
   al más indigno pecador.
   La mies es mucha, ¡oh, Señor!;
   obreros faltan de valor.
   Heme aquí, Espíritu consolador.

4. Abre mi mente para ver
   más de tu amor y gran poder.
   Haz que en la lucha pueda triunfar
   y en tus caminos fiel andar.
   De mi alma escudo siempre sé
   y aumenta mi valor y fe.
   Mi mano ten, Espíritu consolador.

5. Abre las puertas de tu hogar;
   en tu palacio ansío estar.
   Quiero tu dulce faz contemplar
   por toda la eternidad.
   Y cuando en tu presencia esté,
   tu santo nombre alabaré.
   Mora en mí, Espíritu consolador.

                              S. D. Athans

193
Alumbrante Espíritu

1. Alumbrante Espíritu,
   brilla tú en mi corazón;
   vuelve en día la oscuridad
   de mi noche de aflicción.

2. Poderoso Espíritu,
   limpia este corazón,
   porque sobre mi alma el mal
   ejerció cruel opresión.

3. Oh divino Espíritu,
   mora tú en mi corazón.
   Rompe todo ídolo,
   reina en plena posesión.

                              E. L. Maxwell

194
Desciende, Espíritu de amor

1. Desciende, Espíritu de amor,
   Paloma celestial,
   promesa fiel del Salvador,
   de gracia manantial.

2. Aviva nuestra escasa fe,
   concédenos salud;
   benigno, guía nuestro pie
   por sendas de virtud.

3. Consuela nuestro corazón
   y habita siempre en él;
   concédele el precioso don
   de serte siempre fiel.

4. A nuestro Padre, celestial;
   al Hijo, autor del bien,
   y al Santo Espíritu eternal,
   sea la gloria. Amén.

                              J. B. Cabrera

195
Ven a nuestras almas

1. Ven a nuestras almas,
   Paracleto Santo,
   tráenos del cielo,
   de tu luz un rayo.

2. Fuente de consuelo,
   dulce y soberano;
   huésped de las almas;
   celestial regalo.

3. Ven, divina llama,
   prende en el cristiano,
   y su pecho llena
   del amor sagrado.

4. Dales de tu gracia
   el favor preclaro,
   la salud eterna,
   gozo continuado.

                              *Roberto II de
                              Francia*, trad.

196

¡Cuán firme cimiento!

1. ¡Cuán firme cimiento ha puesto a la fe
el Padre en su eterna Palabra de amor!
¿Qué más a su pueblo pudiera añadir
de lo que en su Libro ha dicho el
Señor,
de lo que en su Libro ha dicho el
Señor?

2. "No tengas temor, pues contigo yo
estoy.
Sí, yo soy tu Dios, y te socorreré.
Apoyo, sostén, fortaleza y poder.
Con mi diestra justa yo te salvaré,
con mi diestra justa yo te salvaré.

3. "Las aguas profundas no te
anegarán,
ni aun cuando cruzares el mar de
aflicción;
pues siempre contigo en tu
angustia andaré,
trocando tus penas en gran bendición,
trocando tus penas en gran bendición.

4. "Si te hallas probado en ardiente
crisol
mi gracia potente tu fe sostendrá;
tan sólo la escoria deseo quemar,
y el oro de tu alma más puro saldrá,
y el oro de tu alma más puro saldrá.

5. "Al alma que busca reposo en Jesús,
jamás en sus luchas la abandonaré;
aun cuando Satán la quisiere prender,
yo nunca, no, nunca la traicionaré,
yo nunca, no, nunca la traicionaré".

Jorge Keith

197

Dadme la Biblia

1. Dadme la Biblia, reluciente estrella,
norte del nauta en tormentoso mar;
nunca el nublado esconderá su brillo,
pues las tinieblas puede disipar.

Coro
Dadme la Biblia, santa y clara nueva,
luz del camino angosto y celestial;
regla y promesa, ley y amor unidos
hasta que rompa el alba eternal.

2. Dadme la Biblia, en mi desaliento,
cuando el pecado cáuseme temor;
dadme los fieles dichos del Maestro;
siempre me encuentre junto al
Salvador.

3. Dadme la Biblia, antorcha a mis
pisadas
en la insegura senda terrenal;
única luz constante en las tinieblas;
prenda de paz y amparo celestial.

4. Dadme la Biblia, luz de vida eterna;
junto al sepulcro su esplendor alzad;
sobre el Jordán destáquense las
puertas
fúlgidas de la célica ciudad.

E. L. Maxwell

198

¡Santa Biblia!

1. ¡Santa Biblia!, para mí
eres un tesoro aquí.
Tú contienes con verdad
la divina voluntad;
tú me dices lo que soy,
de quién vine y a quién voy.

2. Tú reprendes mi dudar;
tú me exhortas sin cesar.
Eres faro que a mi pie
va guiando, por la fe,
a las fuentes del amor
del benigno Salvador.

3. Eres la infalible voz
del Espíritu de Dios,
que vigor al alma da
cuando en aflicción está.
Tú me enseñas a triunfar
de la muerte y el pecar.

4. Por tu santa letra sé
que con Cristo reinaré.
Yo, que tan indigno soy,
por tu luz al cielo voy.
¡Santa Biblia!, para mí
eres un tesoro aquí.

P. Castro

199

Oh, cantádmelas otra vez

1. Oh, cantádmelas otra vez,
bellas palabras de vida;
hallo en ellas mi gozo y luz,
bellas palabras de vida.
Sí, de luz y vida;
son sostén y guía.

Coro
¡Qué bellas son! ¡Qué bellas son!
Bellas palabras de vida.
¡Qué bellas son! ¡Qué bellas son!
Bellas palabras de vida.

2. Jesucristo a todos da
bellas palabras de vida;
hoy escúchalas, pecador,
bellas palabras de vida.
Bondadoso te salva,
y al cielo te llama.

3. Grato el cántico sonará:
bellas palabras de vida;
tus pecados perdonará,
bellas palabras de vida.
Sí, de luz y vida;
son sostén y guía.

J. B. Cabrera

200

Padre, tu Palabra es mi delicia

1. Padre, tu Palabra es
mi delicia y mi solaz,
guía siempre aquí mis pies
y a mi pecho trae la paz.
Es tu santa ley, Señor,
faro eterno, celestial,
que en perenne resplandor
norte y guía es al mortal.

2. Cuando obedecí tu voz
en tu gracia fuerza hallé,
y con firme pie, y veloz,
por tus sendas caminé.
Tu verdad es mi sostén
contra duda y tentación,
y destila calma y bien
cuando asalta la aflicción.

3. Son tus dichos para mí
prendas fieles de salud.
Dame, pues, que te oiga a ti
con filial solicitud.
Es mi ciencia, mi saber,
tu divina voluntad;
y por siempre lo ha de ser
en la grande eternidad.

J. B. Cabrera

201

La Biblia nos habla de Cristo

1. La Biblia nos habla de Cristo
y de su muerte en la cruz.
Su santa Palabra ha dicho
que él pronto vuelve en luz.

Coro
¿Te hallas listo a encontrar al Señor?
¿Lo haces todo con fe, con amor?
¿Has peleado por fe la batalla del
bien?
¿Pueden otros a Cristo en ti ver?
¿Eres fiel por doquiera que vas?
¿Puedes tú contemplarlo en su faz
y triunfante decir:
"Este es mi Dios"?
¿Puedes tú encontrar al Señor?

2. No anheles el bien de esta vida,
pues ella se pasará.
Entrégate a él sin medida,
que hoy llamando está.

3. No dejes que pase más tiempo
sin entregarte a Jesús.
Alístate, pues el Maestro
muy pronto vuelve en luz.

G. Bustamante

Credit line on page 206.

69

202

En el mundo turbulento

1. En el mundo turbulento
   Cristo llama con amor,
   suplicando cada día:
   "Ven a mí, oh pecador".

2. Sea en gozo o en tristeza,
   alegría o aflicción,
   en deberes o placeres,
   él me ofrece protección.

3. Cristo siempre me protege
   del maligno engañador,
   y me pide que le rinda
   fiel servicio de amor.

4. ¡Oh, Señor, ven a ayudarme!
   Oigo tu invitación.
   Hoy te entrego sin reserva
   mente, alma y corazón.

   W. Pardo G.

Credit line on page 206.

203

Hoy llega a mis oídos

1. Hoy llega a mis oídos
   muy tierna invitación,
   promesa y cumplimiento
   que alegra el corazón.
   Jesús con voz amante
   me llama hoy así:
   "Esclavo del pecado,
   no tardes, ven a mí".

Coro

   ¡Ven, oh ven a mí!
   ¡Ven, oh ven a mí!
   Triste y cargado,
   ¡ven, oh ven a mí!
   ¡Ven, oh ven a mí!
   ¡Ven, oh ven a mí!
   Triste y cargado,
   ¡ven, oh ven a mí!

2. ¿Por qué vivir tan lejos
   de nuestro buen Jesús
   y andar en las tinieblas
   pudiendo andar en luz?
   De vida sin provecho,
   de culpa y aflicción
   salgamos a la senda
   de eterna salvación.

3. En tiempos de amargura,
   desánimo y dolor,
   o cuando nos persiga
   crüel el tentador,
   Jesús con voz benigna
   atráenos a sí,
   y disipando el miedo
   susurra: "Ven a mí".

4. En todo y para siempre
   oigamos al Señor,
   hallando grato alivio
   en su profundo amor.
   Así conoceremos
   el gozo y la virtud
   que infunde en el creyente
   el "Ven" del buen Jesús.

   J. Marrón

204

Ven, pródigo perdido, ven

1. Ven, pródigo perdido, ven;
   acepta el perdón;
   escucha la benigna voz
   de amor paterno; ven.

2. Ven, pródigo perdido, ven;
   que Dios te escuchará;
   por ti el Salvador allá
   aboga siempre; ven.

3. Ven, pródigo perdido, ven;
   Jesús por ti sufrió,
   y por tu iniquidad murió:
   confiado ahora, ven.

205

A tu puerta Cristo está

1. A tu puerta Cristo está.
   Ábrele.
   Si le abres entrará.
   Ábrele.
   Tu pecado quitará,
   luz y paz derramará,
   su perdón te otorgará.
   Ábrele.

2. Ábrele, oh pecador.
   Ábrele.
   Al amante Salvador
   ábrele.
   Hoy te ofrece salvación,
   del pecado el perdón;
   saciará tu corazón.
   Ábrele.

3. No le hagas esperar.
   Ábrele.
   No le obligues a marchar.
   Ábrele.
   ¡Qué dolor después tendrás,
   cuando en vano clamarás
   y perdido te hallarás!
   Ábrele.

J. B. Atchinson, trad.

206

Tierno y amante, Jesús nos invita

1. Tierno y amante, Jesús nos invita.
   Llámate a ti, y a mí.
   Mírale allá en la puerta esperando;
   aguarda a ti y a mí.

Coro

¡Venid, venid, tristes, cansados, venid!
Tierno y amante Jesús nos invita:
¡Oh pecadores, venid!

2. Sigue llamando; ¿por qué dilatamos?
   Llámate a ti, y a mí.
   ¿Tantas mercedes en poco tendremos?
   Ámate a ti y a mí.

3. ¡Oh, maravilla de amor prometido
   tanto a ti como a mí!
   Ven y recibe el perdón ofrecido,
   dado de gracia a ti.

E. L. Maxwell

207

Cristo, el Pastor divino

1. Cristo, el Pastor divino, llámate sin
       cesar:
   "Entra al redil seguro, donde podrás
       reposar";
   ven cuando tienes la fuerza, ven en
       tu juventud;
   entra al seguro regazo, donde hallarás
       la salud.

Coro

Con tierno amor te invita el Señor:
"Ven, peregrino, oh ven sin temor";
ven, que aguarda al más vil pecador
Cristo, el divino Pastor.

2. Cristo, el Pastor divino, quiso morir
       por ti.
   Llámate con ternura: "Ven, alma
       errante, a mí.
   Ven, pues es grande el peligro, ven",
       dice el buen Pastor;
   "ven al seguro regazo, donde hallarás
       el amor".

3. Grande es el peligro, pues cual león
       feroz
   busca el enemigo darte una muerte
       atroz.
   Cristo, el divino Maestro, llámate sin
       cesar:
   "Entra al seguro regazo, donde podrás
       reposar".

W. Pardo G.

208

¿Te sientes casi resuelto?

1. ¿Te sientes casi resuelto ya?
   ¿Te falta poco para creer?
   ¿Por qué, pues, dices tú
   a Cristo el Salvador:
   "Hoy no, mañana te seguiré"?

2. ¿Te sientes casi resuelto ya?
   Pues vence el "casi", a Cristo ven.
   ¡Haz hoy tu decisión!
   ¡No la postergues ya!
   "Mañana" puede ser tarde tal vez.

3. El "casi", hermano, es sin valor
   frente al gran Juez que te juzgará.
   ¡Ay del que muere aquí
   casi creyendo!
   Completamente perdido está.

   E. L. Maxwell

209

Mientras Jesús te llama

1. Mientras Jesús te llama,
   ven, pecador.
   Mientras por ti oramos,
   ven, pecador.
   Hoy es el día acepto.
   Ven, pecador.
   Hoy puedes conocerle.
   Ven, pecador.

2. ¿Andas de mal cargado?
   Ven, pecador.
   Hay en Jesús alivio.
   Ven, pecador.
   No quiere él engañarte.
   Ven, pecador.
   Hoy quiere rescatarte.
   Ven, pecador.

3. Oye sus tiernos ruegos.
   Ven, pecador.
   Su bendición recibe.
   Ven, pecador.

Mientras Jesús te llama,
ven, pecador.
Mientras por ti oramos,
ven, pecador.

   E. L. Maxwell

210

Con voz benigna te llama Jesús

1. Con voz benigna te llama Jesús:
   invitación de puro amor.
   ¿Por qué le dejas en vano llamar?
   ¿Sordo serás, pecador?

Coro

   Llámate hoy, llámate hoy,
   hoy ven a Cristo y dile:
   "Mi alma te doy".

2. A los cansados invita Jesús;
   él ve su afán, siente el dolor.
   Tráele tu carga; te la quitará,
   te sostendrá tu Señor.

3. Siempre aguardándote mira Jesús.
   ¡Tanto esperar, con tanto amor!
   ¡Ven, oh cargado, trayendo a sus pies
   tu tentación, tu dolor!

   T. M. Westrup

211

Allá la puerta franca está

1. Allá la puerta franca está,
   su luz es refulgente.
   La cruz se mira más allá,
   señal de amor ferviente.

Coro

   ¡Oh, cuánto me ama Dios a mí!
   La puerta franca está por mí,
   por mí, por mí.
   Sí, quiero entrar allí.

2. Si tienes fe avanza tú;
   la puerta es franca ahora.
   Si quieres palma, ten la cruz,
   señal de eterna gloria.

3. Pasando el río, más allá,
   en celestial pradera,
   el premio de la cruz está:
   ¡Eterna primavera!

212

Francas las puertas encontrarán

1. Francas las puertas encontrarán,
   unos sí, otros no;
   de alguien las glorias sin fin serán.
   ¿Y tú?, ¿y yo? ¿Y tú?, ¿y yo?
   Calles de oro, mar de cristal,
   pleno reposo, perfecto amor.
   Unos tendrán celestial hogar:
   ¿Y tú?, ¿y yo? ¿Y tú?, ¿y yo?

2. Fieles discípulos de Jesús,
   unos sí, otros no,
   logran corona en vez de cruz.
   ¿Y tú?, ¿y yo? ¿Y tú?, ¿y yo?
   Mora el Rey en gloriosa luz,
   con él no puede haber dolor,
   de alguien es esta beatitud:
   ¿Y tú?, ¿y yo? ¿Y tú?, ¿y yo?

3. Llegan a tiempo pasando bien,
   unos sí, otros no;
   éstos las puertas cerradas ven.
   ¿Y tú?, ¿y yo? ¿Y tú?, ¿y yo?
   Ciegos y sordos hoy nada creen,
   tarde sabrán de su grande error,
   el que desdeñan será su Juez:
   ¿Y tú?, ¿y yo? ¿Y tú?, ¿y yo?

4. Son herederos del porvenir,
   unos sí, otros no;
   los que procuran por Dios vivir.
   ¿Y tú?, ¿y yo? ¿Y tú?, ¿y yo?
   Cuando concluya la dura lid,
   en compañía del Salvador
   alguien será sin cesar feliz:
   ¿Y tú?, ¿y yo? ¿Y tú?, ¿y yo?

   T. M. Westrup

213

Bienvenida da Jesús

1. Bienvenida da Jesús
   en los brazos de su amor
   al que en busca de la luz
   vague ciego y con temor.

   Coro
   Volveremos a cantar:
   "El recibe al pecador".
   Claro hacedlo resonar:
   "El recibe al pecador".

2. A sus pies descansarás;
   ejercita en él tu fe;
   de tus males sanarás;
   a Jesús, tu amigo, ve.

3. Recibirte prometió,
   date prisa en acudir;
   necesitas como yo
   vida que él te hará vivir.

   T. M. Westrup

214

A Jesucristo ven sin tardar

1. A Jesucristo ven sin tardar,
   que entre nosotros hoy él está;
   y te convida con dulce afán,
   tierno diciendo: "Ven".

   Coro
   ¡Oh cuán grata nuestra reunión,
   cuando allá, Señor, en tu mansión,
   contigo estemos en comunión
   gozando eterno bien!

2. Piensa que él sólo puede colmar
   tu triste pecho de gozo y paz;
   y porque anhela tu bienestar,
   vuelve a decirte: "Ven".

3. Su voz escucha sin vacilar,
   y grato acepta lo que hoy te da.
   Tal vez mañana no habrá lugar.
   No te detengas; ven.

   J. B. Cabrera

215

En el hogar do nunca habrá

1. En el hogar do nunca habrá
   tristeza, muerte ni dolor,
   eterno gozo existirá,
   es la promesa del Señor.

Coro
   Velad y esperad al Salvador;
   muy pronto vendrá el Redentor.
   ¡Velad y orad! Vendrá el Salvador.

2. Si vuestra senda angosta es,
   ¡seguid!, no os desaniméis;
   felicidad habrá después
   en el hogar donde estaréis.

3. Es tiempo de ir a trabajar
   y dar las nuevas de salud
   de Aquel que a todos ha de dar
   hogar de eterna juventud.

   W. Pardo G.

216

¿Temes que en la lucha?

1. ¿Temes que en la lucha
   no podrás vencer?,
   ¿que con las tinieblas
   has de contender?
   Abre pues la puerta de tu corazón,
   deja al Salvador entrar.

Coro
   Deja al Salvador entrar,
   deja al Salvador entrar;
   abre pues la puerta de tu corazón,
   y entrará el Salvador.

2. ¿Es tu fe muy débil en la oscuridad?
   ¿Son tus fuerzas pocas contra la
       maldad?
   Abre pues la puerta de tu corazón,
   deja al Salvador entrar.

3. ¿Quieres ir gozándote en la senda
       aquí?
   ¿Quieres que el Señor te utilice a ti?
   Abre pues la puerta de tu corazón,
   deja al Salvador entrar.

   Desconocido

217

Oí la voz del buen Jesús

1. Oí la voz del buen Jesús:
   "Sígueme, sígueme, sígueme.
   Te guiaré a eterna luz.
   Sígueme, sígueme, sígueme.
   Por ti la ley toda cumplí,
   por ti la amarga hiel bebí,
   por ti la muerte cruel sufrí.
   Sígueme, sígueme, sígueme".

2. "Oh, deja atrás el vil pecado.
   Sígueme, sígueme, sígueme.
   Hogar celeste he preparado.
   Sígueme, sígueme, sígueme.
   Oh, cuántas veces te llamé,
   y quebraste tú mi santa ley,
   mas fiador por ti quedé.
   Sígueme, sígueme, sígueme".

3. "En mí tú puedes descansar.
   Sígueme, sígueme, sígueme.
   Oh, ven tus penas a entregar.
   Sígueme, sígueme, sígueme.
   Yo soy tu Dios, tu Salvador;
   yo te amo mucho, oh pecador.
   Oh, deja todo tu temor.
   Sígueme, sígueme, sígueme".

4. Sí, mi Jesús, te seguiré.
   Seguiré, seguiré, seguiré.
   Por ti yo todo dejaré.
   Dejaré, dejaré, dejaré.
   Muy débil soy y sin valor;
   sin ti no puedo andar, Señor.
   Mas lléname de tu vigor.
   Seguiré, seguiré, seguiré.

   J. Marrón

218

Por mí intercede

1. Por mí intercede Jesús en los cielos,
Jesús, el amante y benigno Señor;
y vela mis pasos con tierno cuidado;
¿no quieres tu vida rendir a su amor?

Coro
Oramos por ti, sí, oramos por ti;
hoy por ti suplicamos, oramos por ti.

2. El Padre en los cielos daráme morada;
daráme la vida, sin fin, eternal.
¿Aceptas su amante y tierno llamado?
¿No quieres gozar de su amor
      paternal?

3. Ropaje lavado en la sangre de Cristo
habré de vestir en aquel bello hogar;
podrás tú tenerlo brillante y glorioso,
si hoy en la fuente te quieres lavar.

4. Paz tengo cual río que corre tranquilo,
la paz que este mundo no puede
      quitar;
Jesús la concede y a ti te la ofrece.
Su gracia divina, ¿querrás aceptar?
      Sra. Florence McCallum, adaptado.

219

Oí la voz del Salvador

1. Oí la voz del Salvador
decir con tierno amor:
"¡Oh ven a mí, descansarás,
cargado pecador!"
Tal como estaba, a mi Jesús,
cansado acudí,
y luego dulce alivio y paz
por fe de él recibí.

2. Oí la voz del Salvador
decir: "Venid, bebed;
yo soy la fuente de salud
que apaga toda sed".
Con sed de Dios, del vivo Dios,
busqué a Emmanuel;
lo hallé; mi sed él apagó,
y ahora vivo en él.

3. Oí su dulce voz decir:
"Del mundo soy la luz;
miradme a mí y salvos sed;
hay vida en mi cruz".
Mirando a Cristo, por la fe,
mi norte y sol hallé;
y en esa luz de vida, en él
por siempre viviré.
      Horacio Bonar, trad.

220

Del trono celestial

1. Del trono celestial
al mundo descendí,
sed y hambre padecí
cual mísero mortal.
Y todo fue por ti, por ti.
¿Qué has hecho tú por mí?
Y todo fue por ti, por ti.
¿Qué has hecho tú por mí?

2. Por darte la salud
sufrí, pené, morí;
tu sustituto fui
en dura esclavitud.
Y todo fue por ti, por ti.
¿Qué has hecho tú por mí?
Y todo fue por ti, por ti.
¿Qué has hecho tú por mí?

3. Del Padre celestial,
completa bendición,
eterna salvación,
delicia perennal
te doy de gracia a ti, a ti.
¿Y huyes tú de mí?
Te doy de gracia a ti, a ti.
¿Y huyes tú de mí?

4. Los lazos de Satán
quebranta, pecador,
y el néctar de mi amor
tus labios probarán.
No dudes, ven a mí, a mí.
¡Jesús, me rindo a ti!
No dudes, ven a mí, a mí.
¡Jesús, me rindo a ti!
      S. Cruellas

221

Dios al pródigo llama

1. Dios al pródigo llama que venga sin
   tardar.
   Oye pues su voz que hoy te llama a ti.
   Aunque lejos vagabas del paternal
   hogar,
   amoroso llámate aún.

Coro

    Llámate hoy a ti,
    cansado pródigo, ven;
    llámate hoy a ti,
    cansado pródigo, ven.

2. Tierno, amante, paciente, tu Padre
   implora aún.
   Oye pues su voz que hoy te llama
   a ti.
   Vuelve mientras abogue por ti el
   Espíritu;
   amoroso llámate aún.

3. Ven, recibe el abrazo del Padre
   celestial.
   Oye pues su voz que hoy te llama a ti.
   Entra alegre al banquete que brinda,
   sin igual;
   amoroso llámate aún.

                    C. H. G., trad.

222

Tan triste y tan lejos de Dios

1. Tan triste y tan lejos de Dios me sentí
   y sin el perdón de Jesús.
   Mas cuando su voz amorosa oí
   que dijo: "Oh, ven a la luz",

Coro

    Yo todo dejé para andar en la luz,
    no moro en tinieblas ya más;
    encuentro la paz en seguir a Jesús
    y vivo en la luz de su faz.

2. ¡Qué amigo tan dulce es el tierno
   Jesús!
   ¡Tan lleno de paz y de amor!
   De todo este mundo es la fúlgida luz
   el nombre del buen Salvador.

3. De mi alma el anhelo por siempre
   será
   más cerca vivir de la cruz,
   do santo poder y pureza me da
   la sangre de Cristo Jesús.

4. ¡Oh! ven a Jesús, infeliz pecador;
   no vagues a ciegas ya más.
   Sí, ven a Jesús, tu benigno Señor,
   que en él salvación hallarás.

223

En extraña tierra

1. En extraña tierra,
   pecador infiel,
   voz de amor te llama:
   ¡Ven, hijo, ven!

Coro

    Bienvenido vuelve,
    vuelve al hogar;
    basta, oh pródigo, de errar;
    ¡ven, hijo, ven!

2. De la estéril tierra
   llena de pavor,
   a mi amor paterno
   ¡ven, hijo, ven!

3. Ve la puerta abierta.
   Eres mi hijo aún.
   Con amor te miro.
   ¡Ven, hijo, ven!

4. Has errado lejos.
   ¿Quieres persistir?
   Todo te perdono.
   ¡Ven, hijo, ven!
                  Elisa Pérez

224

Preste oídos el humano

1. Preste oídos el humano
a la voz del Salvador,
regocíjese el que siente
el pecado abrumador.
Ya resuena el Evangelio
de la tierra en la ancha faz
y de gracia ofrece al hombre
el perdón, consuelo y paz.

2. Vengan cuantos se acongojan
por lograr con qué vivir,
y en su afán tan sólo rinden
servidumbre hasta el morir.
Hay vestido más precioso,
blanco, puro y eternal;
es Jesús quien da a las almas
ese manto celestial.

3. Vengan todos los que sufran,
los que sientan hambre y sed,
los que débiles se encuentren,
de este mundo a la merced.
En Jesús hay pronto auxilio,
hay hartura y bienestar;
hay salud y fortaleza
cual ninguno puede dar.

4. ¿Por qué en rumbo siempre incierto
vuestra vida recorréis?
A Jesús venid, mortales,
que muy cerca le tenéis.
El es vida en cielo y tierra,
y el exceso de su amor
os mejora la presente
y os reserva otra mejor.

J. B. Cabrera

225

Venid a mí los tristes

1. Venid a mí los tristes,
cansados de pecar;
refugio os ofrezco,
venid a descansar.

Coro
Venid, venid a mí,
cansados de pecar;
venid, venid a mí,
venid a descansar.

2. Venid a mí, cansados,
mi voz hoy escuchad,
y así seréis librados
de toda iniquidad.

3. Venid a mí, cansados,
os dice el Salvador;
por valles y montañas
os busca el buen Pastor.

4. Venid a mí, cansados.
¿Por qué queréis vagar?
A vuestro Padre amante
venid sin esperar.

Francisca J. Crosby, trad.

226

Yo escucho, buen Jesús

1. Yo escucho, buen Jesús,
tu dulce voz de amor,
que, desde el árbol de la cruz,
invita al pecador.
Yo soy pecador,
nada hay bueno en mí;
ser objeto de tu amor
deseo y vengo a ti.

2. Tú ofreces el perdón
de toda iniquidad,
si el llanto inunda el corazón
que acude a tu piedad.
Yo soy pecador,
ten de mí piedad;
ve mi llanto de dolor
y borra mi maldad.

3. Prometes aumentar
la fe del que creyó,
y gracia sobre gracia dar
a quien en ti confió.
Creo en ti, Señor,
sólo fío en ti;
dame tu infinito amor,
y basta para mí.

J. B. Cabrera

227

Ven a la fuente de vida

1. Ven a la fuente de vida,
   ven al amante Jesús;
   paz y perdón te ofrece.
   Ven, pues, al pie de la cruz.

Coro

   Ven a Jesús, ven a Jesús,
   ven a los pies de la cruz sin tardar;
   paz y perdón te ofrece.
   Ven, no le dejes pasar.

2. Ven al Señor, ven ahora:
   consuelo y paz hallarás;
   vida de gozo y de calma
   en tu Maestro tendrás.

3. Ven al Señor, ven ahora:
   tráele tu carga a él;
   oye su voz que te implora;
   Cristo Jesús siempre es fiel.

4. ¡Oh, cuán preciosa promesa
   te hace tu buen Salvador!
   Vida tendrás para siempre
   junto a tu Dios y Señor.

   A. H. Riffel

228

Un hombre llegóse de noche a Jesús

1. Un hombre llegóse de noche a Jesús,
   buscando la senda de vida y luz;
   mas Cristo le dijo: "Si a Dios
       quieres ver,
   tendrás que renacer".

Coro

   "Tendrás que renacer,
   tendrás que renacer;
   de cierto, de cierto te digo a ti:
   Tendrás que renacer".

2. Y tú, si en el cielo quisieres entrar
   y con los benditos allí descansar;
   si vida eterna quisieres tener,
   tendrás que renacer.

3. Amigo, no debes jamás desechar
   palabras que Cristo dignóse hablar;
   y si tú no quieres el alma perder,
   tendrás que renacer.

4. Hay quienes Jesús ha de resucitar,
   los cuales querrás aquel día encontrar;
   pues este mensaje hoy debes creer:
   Tendrás que renacer.

   J. C.

229

De Dios vagaba lejos yo

1. De Dios vagaba lejos yo,
   vuelvo hoy a ti;
   por sendas donde el mal reinó,
   vuelvo hoy a ti.

Coro

   Ya no más, oh Señor,
   voy errando así;
   a los brazos de tu amor,
   Cristo, vuelvo, oh sí.

2. Cansado del pecar estoy,
   vuelvo hoy a ti;
   en ti espero desde hoy,
   vuelvo hoy a ti.

3. Confío sólo en esto yo,
   vuelvo hoy a ti:
   en que Jesús por mí murió,
   vuelvo hoy a ti.

4. Que puedes tú limpiarme sé,
   vuelvo hoy a ti;
   pues en tu sangre, oh lávame,
   vuelvo hoy a ti.

   E. L. Maxwell

230

Cuando vengas

1. "Cuando vengas en tu reino,
   Cristo, acuérdate de mí",
   dijo el malhechor contrito,
   implorando ayuda así.

Coro
   Vano no fue, vano no fue
   nunca el ruego humilde de fe:
   "Cuando vengas en tu reino,
   Cristo, acuérdate de mí".

2. Cuando vengas en tu reino,
   mi abatido corazón,
   como el malhechor contrito
   hallará la salvación.

3. Cuando vengas en tu reino,
   santifícame, Señor;
   como el malhechor contrito
   yo te mostraré mi amor.

4. Cuando vengas en tu reino,
   y ya nada tenga aquí,
   como el malhechor contrito
   hallaré tesoro allí.

5. Cuando vengas en tu reino,
   a tu pueblo a rescatar,
   como el malhechor contrito
   yo contigo quiero estar.
   W. A. Ogden, trad.

231

Te ruego, oh Dios

1. Te ruego, oh Dios:
   ¡Escúchame a mí!,
   ¡ven, gran Libertador!,
   pues agobiado, anhelo ir a ti.
   ¡Ven, gran Libertador!

Coro
   Por frígidas montañas yo vagué,
   muy lejos de mi buen Pastor.
   ¡Oh, sálvame y llévame al redil,
   ven, gran Libertador!

2. No puedo abrigo en noche oscura
      hallar,
   ¡ven, gran Libertador!,
   mas luz y vida tú me puedes dar,
   ¡ven, gran Libertador!

3. Atormentado, sin descanso y paz,
   ¡ven, gran Libertador!,
   los ojos alzo a tu benigna faz,
   ¡ven, gran Libertador!

4. Mi voz contrita tú no desoirás,
   ¡ven, gran Libertador!,
   mi humilde ruego pronto atenderás,
   ¡ven, gran Libertador!
   Francisca J. Crosby, trad.

232

¡Oh mi Dios!

1. ¡Oh mi Dios!, yo soy un vil,
   miserable pecador,
   he faltado veces mil
   a tu santa ley, Señor;
   yo tus sendas olvidé
   y tu amor no aprecié.

2. En mi alma no hay verdad,
   y mi pobre corazón,
   por su grande iniquidad
   lleno está de confusión;
   he perdido mi vigor,
   desfallezco de dolor.

3. Ten, oh Dios, piedad de mí,
   que debilitado estoy.
   Dame, por amor de ti,
   la salud que busco hoy.
   No me dejes perecer;
   ven, mi cárcel a romper.

233

En todo recio vendaval

1. En todo recio vendaval,
   en todo amenazante mal,
   inexpugnable asilo es él,
   propiciatorio para el fiel.

2. Jesús su bálsamo de paz
   en el que busque allí su faz
   derrama, y gloríficale:
   propiciatorio para el fiel.

3. Para el humilde corazón
   que eleva al cielo su oración,
   son las bondades del Señor
   propiciatorio de su amor.

4. Los fieles todos uno son
   y están en dulce comunión;
   es el santuario el que la da:
   propiciatorio de Jehová.

T. M. Westrup

234

Yo confío en Jesús

1. Yo confío en Jesús
   y ya salvo soy.
   Por su muerte en la cruz
   a la gloria voy.

Coro
   Cristo dio por mí
   sangre carmesí,
   y por su muerte en la cruz
   la vida me dio Jesús.

2. Todo fue pagado ya,
   nada debo yo.
   Salvación perfecta da
   quien por mí murió.

3. Todo hizo mi Señor;
   me salvó ya él.
   Con ternura y amor
   él me guarda fiel.

4. Mi perfecta salvación
   eres, mi Jesús;
   mi completa redención,
   mi gloriosa luz.

235

Cuando sopla airada la tempestad

1. Cuando sopla airada la tempestad
   y la barca en grave peligro está,
   no se puede andar con seguridad
   sin tener un ancla que apoyará.

Coro
   Ancla tenemos que nos dará
   apoyo firme en la tempestad;
   en la Roca eterna fija está;
   sólo allí tendremos seguridad.

2. Arrecifes hay que marcando van
   el sendero triste de muerte cruel,
   donde vidas mil naufragando están
   sin tener un ancla ni timonel.

3. En las negras ondas de la ansiedad,
   cuando soplan vientos de destrucción,
   nuestra barca cruza la inmensidad,
   del Señor llevando la protección.

Vicente Mendoza

236

Roca de la eternidad

1. Roca de la eternidad,
   fuiste abierta para mí;
   sé mi escondedero fiel;
   sólo encuentro paz en ti,
   rico, limpio manantial
   en el cual lavado fui.

2. Aunque fuese siempre fiel,
   aunque llore sin cesar,
   del pecado no podré
   justificación lograr;
   sólo en ti teniendo fe,
   deuda tal podré pagar.

3. Mientras tenga que vivir
   en el mundo de maldad;
   cuando vaya a responder
   en tu augusto tribunal,
   sé mi escondedero fiel,
   Roca de la eternidad.

T. M. Westrup

237

Te quiero, mi Señor

1. Te quiero, mi Señor;
   habita en mí,
   y vencedor seré
   por fe en ti.

Coro
   Te quiero, sí, te quiero;
   siempre te anhelo;
   bendíceme, te ruego;
   acudo a ti.

2. Te quiero, ¡oh Jesús!,
   mi Salvador.
   ¡Oh!, hazme en verdad
   tu servidor.

3. Tu voluntad, Señor,
   enséñame;
   y de tu gran amor,
   ¡oh!, cólmame.

4. ¡Oh! mi gran Bienhechor,
   en tentación
   concédeme valor
   y protección.

   Anita Hawks, trad.

238

Al andar con Jesús

1. Al andar con Jesús
   en su fúlgida luz,
   en mi senda su gloria veré;
   y su voz he de oír,
   pues promete vivir
   con aquel que obedece por fe.

Coro
   Su santa ley
   obedezco por fe,
   y feliz para siempre
   con Jesús estaré.

2. Si trabajo y penar
   tengo aquí que cargar,
   rico pago en Jesús obtendré;
   pues alivia su amor
   mi afán, mi dolor,
   cuando ve que obedezco por fe.

3. Nunca pude saber
   de su amor el placer
   hasta que todo a Cristo entregué.
   Su bondad, su favor,
   su poder redentor
   goza aquel que obedece por fe.

4. Fiel amigo él es;
   sentaréme a sus pies,
   y a su lado el camino andaré.
   Si algo hay que cumplir,
   o si hay donde he de ir,
   sin temor obedezco por fe.

   J. H. Sammis, trad.

239

A cualquiera parte

1. A cualquiera parte sin temor iré
   si Jesús dirige mi inseguro pie.
   Sin su compañía todo es pavor,
   mas si él me guía no tendré temor.

Coro
   Con Jesús por doquier,
   sin temor iré;
   si Jesús me guía,
   nada temeré.

2. Con Jesús por guía adondequiera voy.
   Caminando en pos de él seguro estoy.
   Y aunque padre y madre puédenme
       faltar,
   Jesucristo nunca me abandonará.

3. Dondequiera pueda estar, en tierra
       y mar,
   quiero ser su fiel testigo sin cesar.
   Y si por desierto mi camino va,
   un seguro albergue mi Jesús será.

4. Dondequiera afrontaré la noche
       atroz,
   porque siempre oigo su benigna voz.
   El de día y noche a mi lado está;
   y en plena gloria me despertará.

   Jessie H. Brown, trad.
   C. M. Alexander, 2nd vs.

Credit line on page 206.

81

240

Mi fe contempla a ti

1. Mi fe contempla a ti,
   Cordero celestial,
   mi Salvador.
   Oye mi petición,
   quita mi transgresión,
   sea tu posesión
   desde hoy, Señor.

2. Al débil corazón
   tu gracia un celo dé,
   inspirador.
   Moriste tú por mí,
   sea mi amor a ti
   puro y ferviente así,
   cual vivo ardor.

3. Por senda oscura voy,
   no veo en derredor;
   mas me guiarás.
   Enjuga mi llorar,
   mi noche haz brillar
   y así no pueda errar
   de ti jamás.

   R. Palmer, trad.

241

Jesús es mi luz

1. Jesús es mi luz, jamás temeré;
   de día y de noche en luz andaré.
   En horas de llanto, de luto y dolor,
   consuelo y gozo me infunde el Señor.

Coro
   Jesús es mi luz, mi todo, mi bien;
   de día y de noche es mi sostén.
   Jesús es mi luz, mi todo, mi bien;
   de día y de noche él es mi sostén.

2. Jesús es mi luz; si en males estoy,
   al Padre benigno seguro yo voy.
   Allí está Cristo, mi fiel Mediador;
   sus méritos siempre pondrá a mi favor.

3. Jesús es mi luz, mi amparo y broquel;
   victoria obtendré; me mantiene muy
        fiel.
   Si débil estoy en mi ayuda vendrá;
   su brazo potente mi andar sostendrá.

4. Jesús es mi luz, mi todo, mi bien;
   le doy alma y cuerpo y mi mente
        también.
   Entono al Cordero alegre loor;
   con todos sus santos le rindo honor.

   A. Cecotto

242

Eterna Roca es mi Jesús

1. Eterna Roca es mi Jesús,
   refugio en la tempestad;
   confianza he puesto yo en él,
   refugio en la tempestad.

Coro
   Roca eterna, nuestra protección,
   nuestra fuerza, nuestro Salvador,
   nuestro auxilio en la tribulación,
   consolación en el dolor.

2. Es sombra en día de calor,
   refugio en la tempestad;
   defensa eterna es mi Señor,
   refugio en la tempestad.

3. ¡Oh!, Roca eterna, mi Jesús,
   refugio en la tempestad,
   sé tú mi guía y fuerza y luz,
   refugio en la tempestad.

   B. Pérez Marcio y *J. M.*

243

Confío en Jesucristo

1. Confío en Jesucristo,
   quien en la cruz murió.
   Por esa muerte invicto
   al cielo marcho yo.
   Con sangre tan preciosa
   mis culpas lava él:
   la derramó copiosa
   por mí ya Emmanuel.

2. Me cubre tu justicia
   de plena protección;
   tú eres mi delicia,
   mi eterna salvación.
   Jesús, en ti descanso;
   reposo tú me das;
   tranquilo, pues, avanzo
   al cielo, donde estás.

3. A disfrutar invitas.
   Acepto, mi Señor,
   delicias infinitas
   y celestial amor.
   Espero al fin mirarte,
   oír tu dulce voz;
   espero yo cantarte,
   mi Salvador, mi Dios.

244

Cuando te quiero

1. Cuando te quiero, cerca tú estás;
   de nada temo, buen Salvador;
   siempre bondoso me sostendrás,
   cuando te quiero más.

Coro
   Cuando te quiero más,
   cuando te quiero más,
   cerca tú estás, mi buen Salvador,
   cuando te quiero más.

2. Cuando te quiero, listo tú estás,
   y abandonarme nunca podrás;
   paz por tristeza siempre me das,
   cuando te quiero más.

3. Cuando te quiero, mi buen Jesús,
   hora tras hora tú me guiarás;
   tiernos cuidados tú me darás,
   cuando te quiero más.

4. Cuando te quiero, vienes, Jesús,
   y tu presencia muy dulce es;
   corren las aguas de salvación,
   cuando te quiero más.

H. C. Ball

Credit line on page 206.

245

¡Oh! salvo en la Roca

1. ¡Oh! salvo en la Roca más alta que yo,
   la Roca de vida que Cristo abrió,
   brindando a su pueblo las aguas de
       paz.
   Oh, Roca divina, serás mi solaz.

Coro
   Salvo en ti, salvo en ti,
   ¡oh Roca bendita,
   me escondo en ti!

2. Que vengan conflictos, tumultos, dolor:
   a Cristo, mi Roca, iré sin temor;
   recibo consuelo, consejos y luz:
   la Roca divina es mi amante Jesús.

3. Y cuando mi vida se acerque a su fin
   y oiga por fe el divino clarín,
   tus límpidas aguas trayendo virtud,
   oh Roca divina, serán mi salud.

4. El lóbrego valle no temo cruzar,
   pues tú me guiarás y me harás
       descansar;
   seguro en tu guarda, con paz dormiré:
   Jesús, el Eterno, es mi Roca, mi Rey.

W. O. Cushing, trad.

246

Señor, en ti confío

1. Señor, en ti confío
   y siempre confiaré;
   pues brilla en mi alma
   la antorcha de la fe.
   Al cielo, cuántas veces
   la vista en mi aflicción
   alcé, y consuelo dulce
   halló mi corazón.

2. Me es grato si yo sufro,
   en horas de ansiedad,
   saber que desde el cielo
   me miras con piedad;
   que sientes tú mis penas,
   conoces mi dolor,
   que escuchas tú mis ayes,
   me envías tu favor.

3. La fe que al hombre anima,
   tu más precioso don,
   es luz en las tinieblas,
   alivio en la aflicción,
   amparo al desvalido,
   al náufrago, salud,
   tesoro de alegría,
   cimiento de virtud.

4. Por eso te adoro,
   por eso creo en ti,
   de quien preciosos dones
   sin precio recibí.
   Confirma y acrecienta,
   Señor, mi humilde fe;
   y siendo tuyo ahora,
   por siempre lo seré.

   J. B. Cabrera

247

Cristo me ayuda por él a vivir

1. Cristo me ayuda por él a vivir,
   Cristo me ayuda por él a morir.
   Hasta que llegue su gloria a ver,
   cada momento le entrego mi ser.

Coro
Cada momento la vida me da;
cada momento conmigo él está.
Hasta que llegue su gloria a ver,
cada momento le entrego mi ser.

2. ¿Siento pesares? Muy cerca él está.
   ¿Siento dolores? Alivio me da.
   ¿Tengo aflicciones? Me muestra su
     amor;
   cada momento me guarda el Señor.

3. ¿Tengo amarguras? o ¿tengo temor?
   ¿Tengo tristezas? Me inspira valor.
   ¿Tengo conflictos o penas aquí?
   Cada momento se acuerda de mí.

4. ¿Tengo flaquezas? o ¿débil estoy?
   Cristo me dice: "Tu amparo yo soy".
   Cada momento, en sombra o en luz,
   siempre anda junto conmigo Jesús.

   M. González

248

Bajo sus alas

1. Bajo sus alas ¡seguro descanso!
   aunque anochece y amaga el turbión,
   en él confío, su brazo me guarda;
   hijo soy de su eternal redención.

Coro
Salvo en Jesús, salvo en Jesús,
¿quién de él podrá apartarme?
Bajo sus alas mi alma estará
salva y segura por siempre.

2. Bajo sus alas ¡eterno refugio!
   Tanto lo anhela este fiel corazón.
   Si para mí no hay remedio en la tierra,
   Cristo me sana y me da bendición.

3. Bajo sus alas, ¡placer indecible!
   Me escondo aquí mientras pase mi
     afán.
   Fiel protección de mi fiero enemigo,
   paz y salud me proporcionarán.

   W. O. Cushing, trad.

249

Todas las promesas

1. Todas las promesas del Señor Jesús
son apoyo poderoso de mi fe.
Mientras luche aquí buscando yo su
luz,
siempre en sus promesas confiaré.

Coro
Grandes, fieles,
todas las promesas que el Señor ha
dado;
grandes, fieles,
en ellas yo por siempre confiaré.

2. Todas sus promesas para el hombre
fiel,
el Señor, por su Palabra, cumplirá;
y confiado sé que para siempre en él
paz eterna mi alma gozará.

3. Todas las promesas del Señor serán
gozo y fuerza en nuestra vida terrenal;
ellas en la dura lid nos sostendrán,
y triunfar podremos sobre el mal.

V. Mendoza

250

¡Oh! tenga yo la ardiente fe

1. ¡Oh! tenga yo la ardiente fe
que ante enemigos mil
no temblará ni aun cuando esté,
ni aun cuando esté
en la miseria vil,
en la miseria vil.

2. Tal fe, que no se quejará
ni bajo corrección,
en hora amarga afirmará,

afirmará
en Dios el corazón,
en Dios el corazón.

3. Refulge más si hay tempestad
rugiendo en derredor,
y cruzará la oscuridad,
la oscuridad
sin dudas ni temor,
sin dudas ni temor.

4. Oh dame a mí, Señor, tal fe,
y, venga bien o mal,
estando aquí gustar podré,
gustar podré
la dicha celestial,
la dicha celestial.

E. L. Maxwell

251

Oh peregrino ignoto, ven

1. Oh peregrino ignoto, ven.
Me aferro a ti sin ver tu faz.
Mi compañía ya pasó,
mas tú conmigo quedarás.
Contigo yo me quedo aquí
luchando hasta el alba así.

2. Decir quién soy no es menester;
conoces toda mi maldad;
mi nombre lo sabías ya
desde antes que luchara aquí;
mas tú, tu nombre, dímelo;
saber quién eres quiero yo.

3. En vano intentas escapar;
jamás te soltaré, Señor.
¿Serás tú quien murió por mí?
Dime el secreto de tu amor,
pues sólo yo te soltaré
cuando tu bendición me des.

E. L. Maxwell

252

Cuando en la lucha

1. Cuando en la lucha me falte poder,
   alguien sabrá, alguien sabrá.
   ¿Quién a mis ayes fin puede poner?
   Alguien sabrá: es Cristo.

Coro

   Alguien sabrá, alguien sabrá;
   cuando me oprima y me tiente Satán,
   es quien me guardará siempre;
   alguien sabrá, es Cristo.

2. Olas de pruebas no las temeré;
   alguien sabrá, alguien sabrá;
   pues cuando mi alma en las sombras
         esté,
   alguien sabrá: es Cristo.

3. Débil, herido, abrumado del mal,
   alguien sabrá, alguien sabrá;
   miro con ansia al hogar celestial;
   alguien sabrá: es Cristo.
                  Alfredo H. Ackley, trad.

Credit line on page 206.

253

¿Qué me importan?

1. ¿Qué me importan del mundo las penas
   y doblada tener la cerviz?
   ¿Qué me importa sufrir en cadenas
   si me espera una patria feliz?
   Resignado, tranquilo y dichoso,
   de la aurora vislumbro la luz;
   mis prisiones las llevo gozoso
   por Jesús, quien venció en la cruz.

2. Aunque preso, las horas se vuelan
   en gratísimo y santo solaz:
   con la Biblia mis males se ausentan,
   pues de darme la dicha es capaz.
   ¡Libro santo!, mi estancia ilumina;
   nunca, nunca te apartes de mí;
   contemplando tu bella doctrina,
   no hay males ni penas aquí.

3. ¡Evangelio sublime, preciado!
   ¡Bello pacto de amor sin igual!
   Quiero siempre tenerte a mi lado,
   refulgiendo cual puro fanal.
   Aun en valle de muerte, oscuro,
   el que acude a los pies del Señor
   hallará su consuelo seguro
   en el bello Evangelio de amor.

254

¡Oh, cuán dulce es fiar en Cristo!

1. ¡Oh, cuán dulce es fiar en Cristo
   y entregarle todo a él,
   esperar en sus promesas,
   y en sus sendas serle fiel!

Coro

   ¡Cristo!, ¡Cristo!, ¡cuánto te amo!
   Tu poder probaste en mí.
   ¡Cristo!, ¡Cristo!, puro y santo,
   siempre quiero fiar en ti.

2. Es muy dulce fiar en Cristo
   y cumplir su voluntad,
   no dudando su palabra,
   siempre andando en la verdad.

3. Siempre quiero fiar en Cristo,
   mi precioso Salvador,
   que en la vida y en la muerte
   me sostiene con su amor.
                  V. Mendoza

255

Castillo fuerte es nuestro Dios

1. Castillo fuerte es nuestro Dios;
   defensa y buen escudo.
   Con su poder nos librará
   en este trance agudo.
   Con furia y con afán
   acósanos Satán.
   Por armas deja ver
   astucia y gran poder;
   cual él no hay en la tierra.

2. Luchar aquí sin el Señor,
cuán vano hubiera sido.
Mas por nosotros pugnará
de Dios el Escogido.
¿Sabéis quién es? Jesús,
el que venció en la cruz;
Señor de Sabaoth,
omnipotente Dios,
él triunfa en la batalla.

3. Aun cuando estén demonios mil
prontos a devorarnos,
no temeremos, porque Dios
vendrá a defendernos.
Que muestre su vigor
Satán, y su furor;
dañarnos no podrá,
pues condenado está
por la Palabra santa.

4. Sin destruir la dejará,
aunque mal de su grado:
es la Palabra del Señor
que lucha a nuestro lado.
Que lleven con furor
los bienes, vida, honor,
los hijos, la mujer,
todo ha de perecer;
de Dios el reino queda.

J. B. Cabrera

256

Por la justicia de Jesús

1. Por la justicia de Jesús,
la sangre que por mí vertió,
alcánzase perdón de Dios
y cuanto bien nos prometió;
que sólo él rescata sé;
segura base es de mi fe,
segura base es de mi fe.

2. Así, turbada no veré
mi paz, su incomparable don.
Aun cuando un tiempo oculto esté
me dejará su bendición.
En mí no puedo hallar jamás
la base firme de la paz,
la base firme de la paz.

3. En la tormenta es mi sostén
el pacto que juró y selló.
Su amor es mi supremo bien,
su amor que mi alma redimió.
Jesús, la Peña, me será
base única que durará,
base única que durará.

T. M. Westrup

257

Padre, yo vengo a ti

1. Padre, yo vengo a ti;
sólo hay en ti poder.
Protégeme, Señor,
mi ayudador.
Sombras tan sólo aquí,
más densas hoy que ayer,
me cercan, mas me harás
un vencedor.

Coro
Padre, yo vengo a ti,
oye mi voz;
confío sólo en ti,
dame tu amor.

2. Ampárame, Señor;
dame tu dulce amor.
Aleja el mal de mí,
dame tu paz.
¡Oh, Padre, líbrame
de todo cruel dolor,
y en el cielo al fin
vea tu faz!

3. Padre, yo vengo a ti;
dame tu bendición.
Confío en ti, Señor;
sé mi sostén.
Tu gracia y tu poder
llenen mi corazón.
Guíame por tu amor
al santo Edén.

B. Pérez Marcio

258

A la cruz de Cristo voy

1. A la cruz de Cristo voy.
   Débil, pobre y ciego soy.
   Mis riquezas nada son.
   Necesito salvación.

Coro

   Yo confío en ti, Señor,
   mi bendito Salvador,
   y me postro ante tu cruz.
   ¡Salva, oh sálvame, Jesús!

2. Suspirado he por ti,
   mas el mal reinaba en mí;
   hoy Jesús me dice fiel:
   "Tus pecados limpiaré".

3. Cristo, a ti mi todo doy.
   Tiempo, amigos, cuanto soy,
   cuerpo y alma, tuyos son
   en eterna posesión.

4. Tu promesa es mi salud.
   En tu sangre hallé virtud.
   Pecador me siento hoy,
   pero en Cristo salvo soy.

   E. L. Maxwell

259

Que mi vida entera esté

1. Que mi vida entera esté
   consagrada a ti, Señor;
   que a mis manos pueda guiar
   el impulso de tu amor.

Coro

   Lávame en la sangre del Señor,
   límpiame de toda mi maldad;
   ríndote mi vida; hazla pues, Señor,
   tuya por la eternidad.

2. Que mis pies tan sólo en pos
   de los santos puedan ir;
   y que a ti, Señor, mi voz
   se complazca en bendecir.

3. Que mis labios, al hablar,
   hablen sólo de tu amor;
   que mis bienes ocultar
   no los pueda a ti, Señor.

4. Que mi tiempo todo esté
   consagrado a tu loor,
   y mi mente y su poder
   pueda emplearlos en tu honor.

5. Toma, oh Dios, mi voluntad,
   y hazla tuya, nada más,
   y este pobre corazón;
   y tu trono en él tendrás.

   V. Mendoza

260

Cúmplase, oh Cristo, tu voluntad

1. Cúmplase, oh Cristo, tu voluntad.
   Sólo tú puedes mi alma salvar.
   Cual alfarero, para tu honor
   vasija útil hazme, Señor.

2. Cúmplase, oh Cristo, tu voluntad.
   Quita de mi alma toda maldad.
   Cual blanca nieve hazla fulgir,
   y fiel y humilde hazme vivir.

3. Cúmplase, oh Cristo, tu voluntad.
   Toda dolencia puedes sanar;
   cuitas, pesares, con tu poder
   quieres hacerlos desvanecer.

4. Cúmplase, oh Cristo, tu voluntad.
   Mora en mi alma, dale tu paz,
   para que el mundo vea tu amor,
   tu obra perfecta, oh buen Salvador.

   Adelaida A. Pollard,
   trad. por *V. E. Berry*

Credit line on page 206.

261

Tuyo quiero ser

1. Tuyo quiero ser, oh Salvador.
   Muéstrame qué hacer.
   Cuando asalte el fiero tentador,
   dame tu poder.

Coro

   Tuyo soy, tuyo soy,
   tuyo soy, ¡oh Salvador!
   Tuyo soy, tuyo soy,
   tuyo soy, ¡mi Redentor!

2. Los placeres que en el mundo vi
   no tendrán, nunca más,
   su poder antiguo sobre mí
   si conmigo vas.

3. Tuyo es, oh Cristo, cuanto soy.
   Nada es para mí.
   Mis talentos te consagro hoy:
   todo rindo a ti.

262

Tal como soy

1. Tal como soy de pecador,
   sin otra fianza que tu amor,
   a tu llamado vengo a ti,
   Cordero de Dios, heme aquí.

2. Tal como soy, buscando paz,
   en mi desgracia y mal tenaz,
   combate rudo siento en mí,
   Cordero de Dios, heme aquí.

3. Tal como soy, con mi maldad,
   miseria, pena y ceguedad,
   pues hay remedio pleno en ti,
   Cordero de Dios, heme aquí.

4. Tal como soy, me acogerás;
   perdón y alivio me darás,
   pues tu promesa ya creí,
   Cordero de Dios, heme aquí.

5. Tal como soy, tu compasión
   quitado ha toda oposición;
   yo pertenezco todo a ti,
   Cordero de Dios, heme aquí.

   H. G. J.

263

¿Deberá Jesús la cruz llevar?

1. ¿Deberá Jesús la cruz llevar
   y el hombre en cambio no?
   No, cada cual su cruz tendrá:
   la mía llevo yo.

2. La cruz sagrada llevaré
   sus huellas al seguir.
   Después al cielo volaré
   corona a recibir.

3. Y sobre el cristalino mar,
   gozoso la echaré
   a sus heridos pies, y allí
   su nombre ensalzaré.

   E. L. Maxwell

264

Padre, a tus pies me postro

1. Padre, a tus pies me postro;
   rompe mis prisiones duras;
   oh, responde mientras llamo;
   pon tu Espíritu en mí.

Coro

   Pon tu Espíritu en mi alma;
   hazme lo que ser debiera;
   hazme puro en todo,
   libre del pecado;
   pon tu Espíritu en mí.

2. Mientras Cristo intercede,
   mientras oro yo humilde,
   lo que necesito dame;
   pon tu Espíritu en mí.

3. No deseo ofenderte,
   viviré para agradarte
   y en el corazón guardarte;
   pon tu Espíritu en mí.

   J. Oatman, trad.

265

Yo te seguiré

1. Yo te seguiré, ¡oh Cristo!,
   dondequiera que estés;
   donde tú me guíes, sigo;
   sí, Señor, te seguiré.

Coro
   Yo te seguiré, ¡oh Cristo!
   Tú moriste para mí.
   Aunque todos te negaren,
   yo, Señor, te seguiré.

2. Aunque duro el camino,
   sin jalones y sin luz,
   seguiré siempre confiado
   en las huellas de Jesús.

3. Afligido, agotado,
   débil, lleno de dolor,
   regocíjome, pues ando
   en las huellas del Señor.

4. Si me guías al gran río
   del Jordán, no temeré;
   has pasado tú su frío,
   y gozoso seguiré.

   J. Lawson, trad.

266

Dejo el mundo

1. Dejo el mundo y sigo a Cristo,
   pues el mundo pasará;
   mas el tierno amor divino
   por los siglos durará.

Coro
   ¡Oh, qué amor inmensurable!
   ¡Qué clemencia, qué bondad!
   ¡Oh, la plenitud de gracia,
   prenda de inmortalidad!

2. Dejo el mundo y sigo a Cristo.
   Mi alma en él consolaré.
   Sé que él vela mis pisadas;
   su bondad ensalzaré.

3. Dejo el mundo y sigo a Cristo,
   mi benigno Salvador;
   en mis peregrinaciones
   brille en mí su resplandor.

4. Dejo el mundo y sigo a Cristo.
   Confiaré yo en su cruz
   hasta que sin velo mire
   cara a cara a mi Jesús.

   V. Mendoza

267

Mi espíritu, alma y cuerpo

1. Mi espíritu, alma y cuerpo,
   mi ser, mi vida entera,
   cual viva, santa ofrenda
   te entrego a ti, mi Dios.

Coro
   Mi todo a Dios consagro
   en Cristo, el vivo altar.
   ¡Descienda el fuego santo,
   su sello celestial!

2. Soy tuyo, Jesucristo,
   comprado con tu sangre;
   haz que contigo ande
   en plena comunión.

3. Espíritu divino,
   del Padre la promesa,
   sedienta, mi alma anhela
   de ti la santa unción.

   H. C. E.

268

Señor, Dios poderoso

1. Señor, Dios poderoso,
   a ti vengo a implorar,
   mi voz oye amoroso,
   mi ser ¡oh ven a limpiar!
   Yo sé que mis transgresiones
   tu amor las puede borrar;
   perdona mis rebeliones.
   ¡Oh, ven en mí a morar!

2. Vagué en el pecado
   sin paz, sin ley, sin Dios,
   mas hoy ya humillado
   de tu perdón vengo en pos.
   ¡Señor!, a mí sé propicio, ven,
   cura todo mi mal;
   yo dejo vano prejuicio
   y todo lo terrenal.

3. Si tú oyes mi ruego,
   Señor, salvo seré.
   A ti mi ser entrego
   y dulce paz yo tendré.
   Anhelo en tus mansiones
   eternas ir a morar,
   y de tus glorias amadas
   por siempre quiero gozar.

   Mercedes P. de Bernal

269

Tuyo soy, Jesús

1. Tuyo soy, Jesús, pues oí tu voz
   que en amor llamóme a mí;
   mas anhelo en alas de fe subir,
   y más cerca estar de ti.

Coro

   Aun más cerca, cerca de tu cruz,
   llévame, oh Salvador;
   aun más cerca, cerca, cerca de la luz
   viva yo, ¡oh buen Pastor!

2. A seguirte a ti me consagro hoy,
   constreñido por tu amor;
   y mi espíritu, alma y cuerpo doy
   por servirte, mi Señor.

3. ¡Oh cuán pura y santa delicia es
   de tu comunión gozar;
   conversar contigo y tu dulce voz
   cada día escuchar!

4. De tu grande amor no comprenderé
   cuál es la profundidad,
   hasta que contigo, Jesús, esté
   en gloriosa eternidad.

   Francisca J. Crosby, trad.

270

Anhelo ser limpio

1. Anhelo ser limpio y completo, Jesús;
   que mores en mi alma en tu fúlgida
   luz.
   Mis ídolos rompe, los que antes amé.
   ¡Oh!, lávame y blanco cual nieve seré.

Coro

   Que sólo así ser limpio podré.
   ¡Oh, lávame tú, y cual nieve seré!

2. ¡Oh, mírame desde tu trono de amor!
   Haz mi sacrificio completo, Señor.
   Te quiero rendir cuanto soy, cuanto sé.
   Pues lávame y blanco cual nieve seré.

3. Jesús, te suplico, postrado a tus pies,
   tu propia, perfecta justicia me des.
   Tu sangre expiatoria, la veo por fe.
   ¡Oh!, lávame y blanco cual nieve seré.

4. Ve cómo paciente te espero aquí.
   Un corazón nuevo pon dentro de mí.
   Jamás diste "No" al que a tu amparo
   fue.
   Pues lávame y blanco cual nieve seré.

   E. L. Maxwell

271

Oh Cristo, te adoro

1. Oh Cristo, te adoro, te acepto por fe;
   por ti los caminos del mal ya dejé;
   de gracia salvaste mi alma, Señor;
   por esto de hinojos te rindo mi amor.

2. Me viste perdido y en condenación,
   y desde el Calvario me diste perdón;
   llevaste por mí las espinas, Señor;
   por esto de hinojos te rindo mi amor.

3. En todo momento, Jesús, te amaré;
   y mientras yo viva de ti cantaré.
   En valle de muerte serás mi Pastor;
   por esto de hinojos te rindo mi amor.

4. Después, en mansiones de luz celestial,
   de gozo inefable, de gloria eternal,
   darásme corona brillante, Señor;
   por esto de hinojos te rindo mi amor.

   E. L. Maxwell

272

Jesús, yo he prometido

1. Jesús, yo he prometido
   servirte con amor;
   concédeme tu gracia,
   mi amigo y Salvador.
   No temeré la lucha
   si tú a mi lado estás,
   ni perderé el camino
   si tú alumbrando vas.

2. El mundo está acechando
   y abunda en tentación,
   sutil es el engaño
   y loca la pasión;
   acércate, Maestro,
   revela tu piedad
   y escuda, fiel, mi alma
   de toda iniquidad.

3. Si ves mi mente errando
   del necio mal en pos,
   concédeme que escuche,
   Señor, tu clara voz.
   Aliéntame en la lucha,
   mi espíritu sostén,
   confórtame si temo,
   impúlsame en el bien.

4. Jesús, tú has prometido
   a todo aquel que va
   siguiendo tus pisadas,
   que al cielo llegará.
   Sosténme en el camino,
   y al fin, con dulce amor,
   trasládame a tu gloria,
   mi amigo y Salvador.

   J. B. Cabrera, adaptado

273

Tú dejaste tu trono

1. Tú dejaste tu trono y corona por mí
   al venir a Belén a nacer;
   mas a ti no fue dado el entrar en
       mesón,
   y en pesebre te hicieron yacer.

Coro
   Ven a mi corazón, oh Cristo,
   pues en él hay lugar para ti.
   Ven a mi corazón, oh Cristo, ven,
   pues en él hay lugar para ti.

2. En el cielo las huestes gloriosas te dan
   alabanza y seráfico honor,
   mas humilde viniste a la tierra a sufrir
   por salvar al más vil pecador.

3. Tú viniste, Señor, con tu gran
       bendición,
   para dar libertad y salud;
   mas con saña furiosa te hicieron morir
   aunque vieron tu amor y virtud.

4. Alabanzas sublimes los cielos darán
   cuando vengas glorioso de allí,
   y tu voz entre nubes dirá: "Ven a mí,
   que a mi lado hay lugar para ti".

274
De esclavitud

1. De esclavitud, de noche y pesar,
vengo, Jesús, vengo, Jesús;
tu libertad, tu luz a gozar,
vengo, Jesús, a ti.
De mi pobreza a tu plenitud,
de mis dolores a tu salud,
de mis pecados a tu virtud,
vengo, Jesús, a ti.

2. De mi vergüenza y falta de luz,
vengo, Jesús, vengo, Jesús;
a tu justicia, al pie de la cruz,
vengo, Jesús, a ti.
De mi tristeza a consolación,
de la tormenta a tu bendición,
de la miseria a grata canción,
vengo, Jesús, a ti.

3. De mi soberbio y vano vivir,
vengo, Jesús, vengo, Jesús;
siempre tu santa ley a cumplir,
vengo, Jesús, a ti.
Porque me quitas todo temor,
porque me das tu gozo, Señor,
por tu perdón, rendido a tu amor,
vengo, Jesús, a ti.

4. De la espantosa muerte al huir,
vengo, Jesús, vengo, Jesús;
a la alegría y luz del vivir,
vengo, Jesús, a ti.
Tú de la ruina me llevarás
a tu redil, tu abrigo de paz;
siempre a mirar tu gloria y tu faz,
vengo, Jesús, a ti.

275
Junto a la cruz de Cristo

1. Junto a la cruz de Cristo
anhelo siempre estar,
pues mi alma albergue fuerte y fiel
allí puede encontrar.

En medio del desierto aquí,
allí yo encuentro hogar
do del calor y del trajín
yo puedo descansar.

2. Bendita cruz de Cristo,
a veces veo en ti
la misma forma en fiel visión
del que sufrió por mí;
hoy mi contrito corazón
confiesa la verdad
de tu asombrosa redención
y de mi indignidad.

3. Oh, Cristo, en ti he hallado
completa y dulce paz;
no busco bendición mayor
que la de ver tu faz;
sin atractivo el mundo está,
ya que ando en tu luz;
avergonzado de mi mal,
mi gloria es ya la cruz.

G. Paúl S.

276
Mi amor y vida doy a ti

1. Mi amor y vida doy a ti,
Jesús, pues en la cruz por mí
vertiste sangre carmesí,
mi Dios, mi Salvador.

Coro
Mi amor y vida doy a ti,
pues fuiste a la cruz por mí;
mi ser entero, doylo a ti,
mi Dios, mi Salvador.

2. Que tú me salvas, bien lo sé;
he puesto en ti mi humilde fe;
feliz contigo viviré,
mi Dios, mi Salvador.

3. Tú que moriste en la cruz,
concédeme, Señor Jesús,
que ande en tu brillante luz,
mi Dios, mi Salvador.

H. W. Cragin

277
Salvador, a ti me rindo

1. Salvador, a ti me rindo,
   obedezco sólo a ti.
   Mi guiador, mi fortaleza,
   todo encuentro, oh Cristo, en ti.

Coro
   Yo me rindo a ti,
   yo me rindo a ti;
   mi flaqueza, mis pecados,
   todo rindo a ti.

2. Te confiesa su delito
   mi contrito corazón.
   Oye, Cristo, mi plegaria;
   quiero en ti tener perdón.

3. A tus pies, Señor, entrego
   bienes, goces y placer.
   Que tu Espíritu me llene,
   y de ti sienta el poder.

4. ¡Oh, qué gozo encuentro en Cristo!
   ¡Cuánta paz a mi alma da!
   A su causa me consagro,
   y su amor mi amor será.

A. R. Salas

278
Al contemplarte, mi Salvador

1. Al contemplarte, mi Salvador,
   y al meditar en tu gran amor,
   veo en mi vida mucho pecar.
   Tómala, Cristo, quiero triunfar.

Coro
   Cubre mi vida, Cristo Jesús.
   Blanca cual nieve la hace tu luz.
   Tuya es mi vida, soy pecador,
   pero en tu nombre soy vencedor.

2. Hondas heridas de transgresión
   manchan mi vida sin tu perdón.
   Cúbreme, Cristo, mora en mí,
   vive tu vida, vívela en mí.

3. Dame la dicha de tu perdón,
   dame tu manto de salvación;
   Cristo, lo acepto, dejo el pecar,
   dame las fuerzas para triunfar.

4. Reconciliado por tu morir,
   justificado por tu vivir,
   santificado al obedecer,
   glorificado al verte volver.

Daniel Chávez

279
No yo, sino él

1. No yo, sino él, reciba amor y honra;
   no yo, sino él, en mí ha de reinar;
   no yo, sino él, en todo cuanto haga;
   no yo, sino él, en todo mi pensar.

2. No yo, sino él, a confortar mis penas;
   no yo, sino él, mis llantos a enjugar;
   no yo, sino él, a aligerar mis cargas,
   no yo, sino él, mi duda a disipar.

3. Jesús, no más diré palabra ociosa;
   Jesús, no más, quisiera yo pecar;
   Jesús, no más, me venza el orgullo;
   Jesús, no más, inspire el "yo" mi
       hablar.

4. No yo, sino él, lo que me falta suple;
   no yo, sino él, da fuerza y sanidad;
   Jesús a ti, mi espíritu, alma y cuerpo,
   lo rindo hoy por la eternidad.

Francisca E. Bolton, trad.

280
¡Oh Jesús!, mi cruz levanto

1. ¡Oh Jesús!, mi cruz levanto
   y en tus pasos quiero andar;
   abandono el falso encanto
   para tu merced gozar.
   Dejo vanas ambiciones
   y la dicha mundanal;
   gozaré tus bendiciones
   mientras luche contra el mal.

2. Que me deje el mundo entero
   como a Cristo abandonó;
   todo aquí es pasajero;
   en Jesús confío yo.
   No vendrá el asolamiento,
   pues le sirvo desde hoy;
   no tendré contentamiento
   si alejado de él estoy.

3. Alma mía, mira a Cristo
con los ojos de la fe;
él la gloria te ha provisto;
alma mía, ¡firme sé!
Pronto acabará mi senda;
ya reposará mi pie;
terminada la contienda
con Jesús yo viviré.

J. Marrón

281

Fuente de la vida eterna

1. Fuente de la vida eterna
y de toda bendición,
ensalzar tu gracia tierna
debe todo corazón.
Tu piedad inagotable
se deleita en perdonar;
sólo tú eres adorable;
gloria a ti debemos dar.

2. De los cánticos celestes
te quisiéramos cantar,
entonados por las huestes
que viniste a rescatar.
De los cielos descendiste
porque nos tuviste amor;
tierno te compadeciste
y nos diste tu favor.

3. Toma nuestros corazones,
llénalos de tu verdad,
de tu Espíritu los dones,
y de toda santidad.
Guíanos en la obediencia,
humildad, amor y fe;
nos ampare tu clemencia;
Salvador, propicio sé.

T. M. Westrup

282

Entra en este corazón

1. Entra en este corazón,
haz en mí tu habitación,
sea yo tu posesión,
mora en mí, oh Cristo.

Coro

Mora en mí, oh Cristo,
mora en mí, oh Cristo.
Entra en este corazón,
mora en mí, oh Cristo.

2. Pon tu Espíritu en mí,
hazme muy leal a ti.
Quiero serte fiel aquí,
mora en mí, oh Cristo.

3. Hoy me entrego a ti, Señor,
para ser tu ayudador.
Quiero proclamar tu amor,
mora en mí, oh Cristo.

W. Pardo G.

Credit line on page 206.

283

Moro yo en las alturas

1. Moro yo en las alturas,
donde encuentro gozo y paz;
en la tierra de bellezas,
donde tú vivir podrás.
Es la tierra de hermosura,
do derrama toda flor
sus riquísimos olores
en el alma de dolor.

2. Puedo ver de las alturas
cómo anduve en el error,
extraviado en las tinieblas
y las sombras del terror.
Dudas, votos quebrantados
marcan mi sendero allí,
mas Jesús me ha conducido
hasta do me encuentro aquí.

3. Bebo de la fuente viva;
sus virtudes siento ya;
junto al río de la vida,
satisfecha mi alma está.
No apetezco los placeres
de este mundo en donde estoy,
porque Cristo me ha llamado,
y en camino al cielo voy.

284
Rey de mi vida

1. Rey de mi vida tú eres hoy;
   en ti me gloriaré;
   yo por tu cruz salvado soy:
   no te olvidaré.

Coro
   Después de tu Getsemaní,
   subiste a la cruz más cruel;
   todo sufrió tu amor por mí:
   yo quiero serte fiel.

2. Mas vi la luz amanecer
   de la eternidad;
   te vi, Señor, aparecer
   con inmortalidad.

3. Rey de mi vida, Rey de luz,
   en ti me gloriaré;
   por mí moriste en la cruz:
   no te olvidaré.

> *Jennie Evelyn Hussey*
> *E. D. Dresch*

Credit line on page 206.

285
Perdido, fui a mi Jesús

1. Perdido, fui a mi Jesús.
   El vio mi condición;
   en mi alma derramó su luz;
   su amor me dio perdón.

Coro
   Fue primero en la cruz donde
       yo vi la luz,
   y mi carga de pecado dejé;
   fue allí por fe do vi a Jesús,
   y siempre con él feliz seré.

2. En cruz cruel mi Salvador
   su sangre derramó
   por este pobre pecador
   a quien así salvó.

3. Venció la muerte, ¡qué poder!,
   y el Padre le exaltó
   al trono, allá, a interceder
   por tales cual soy yo.

4. Aunque él se fue, conmigo está
   el fiel Consolador,
   el guía que me llevará
   al reino del Señor.

286
Andando en la luz de Dios

1. Andando en la luz de Dios
   encuentro plena paz;
   voy adelante sin temor
   dejando el mundo atrás.

Coro
   Gozo y luz hay en mi alma hoy,
   gozo y luz hay, ya que salvo soy;
   desde que a Jesús vi, y a su lado fui,
   he sentido el gozo de su amor en mí.

2. Vagaba en oscuridad
   sin ver al buen Jesús,
   mas por su amor y su verdad
   me iluminó la luz.

3. Las nubes y la tempestad
   no encubren a Jesús,
   y en medio de la oscuridad
   me gozo en su luz.

4. Verélo pronto tal cual es:
   raudal de pura luz;
   y eternamente gozaré
   a causa de su cruz.

> *S. D. Athans*

287
Perdido fui al buen Jesús

1. Perdido fui al buen Jesús.
   El aceptóme con amor;
   perdón hallé junto a su cruz;
   hallé salud en su dolor.
   Jesús me dijo: "Ven a mí,
   pues yo la vida di por ti".

2. Anduve en densa oscuridad;
   me rebelé, en mal viví;
   mas el Señor con gran bondad,
   hallóme y me habló así:
   "Yo soy la luz, tus pies guiaré;
   tu senda oscura alumbraré".

3. "Si quieres vida eternal,
   la que en abundancia doy,
   yo soy el pan, pan celestial;
   ven, come, pues tu vida soy".
   Acudo a ti, Señor Jesús,
   dame perdón, paz, vida y luz.
   Carlota Elliott, trad.

288
Los tesoros del mundo

1. Los tesoros del mundo
   no deseo juntar.
   Quiero entrar en tu aprisco,
   en tu célico hogar.
   En el libro del reino
   que en los cielos está,
   dime, Cristo benigno,
   ¿se halla mi nombre allá?

Coro
   ¿Se halla mi nombre allá?
   ¿Se halla mi nombre allá?
   En el libro del reino
   ¿se halla mi nombre allá?

2. Mis pecados son muchos
   cual la arena del mar;
   mas, Jesús, en tu sangre,
   me los puedes lavar.
   He aquí tus promesas,
   las que escritas están:
   "Aunque rojos cual grana
   como nieve serán".

3. En la bella ciudad con
   sus mansiones de luz,
   do los santificados
   andarán con Jesús,
   donde el mal no entra nunca,
   donde el bien reinará,
   dime, Cristo benigno,
   ¿se halla mi nombre allá?
   E. L. Maxwell

289
Por fe en Cristo el Redentor

1. Por fe en Cristo el Redentor
   se salva hoy el pecador;
   aunque sin merecer perdón,
   recibe plena salvación.

Coro
   ¡Oh gracia excelsa del amor,
   que Dios perdone al pecador!
   Si quiere presto confesar
   sus culpas, y en Jesús confiar,
   encontrará la salvación,
   pues él obró la redención.

2. La vida antigua ya pasó
   y todo en nuevo se tornó,
   y aunque nada tenga aquí,
   herencia eterna tiene allí.

3. Aquí cual peregrino es;
   mansión allá tendrá después,
   arriba en gloria con Jesús,
   quien redimióle en la cruz.

290
¿Quieres ser salvo de toda maldad?

1. ¿Quieres ser salvo de toda maldad?
   Tan sólo hay poder en mi Jesús.
   ¿Quieres vivir y gozar santidad?
   Tan sólo hay poder en Jesús.

Coro
   Hay poder, sí, sin igual poder
   en Jesús, quien murió;
   hay poder, sí, sin igual poder,
   en la sangre que él vertió.

2. ¿Quieres ser libre de orgullo y pasión?
   Tan sólo hay poder en mi Jesús.
   ¿Quieres vencer toda cruel tentación?
   Tan sólo hay poder en Jesús.

3. ¿Quieres servir a tu Rey y Señor?
   Tan sólo hay poder en mi Jesús.
   Ven, y ser salvo podrás en su amor.
   Tan sólo hay poder en Jesús.
   D. A. Mata

291

Todos los que tengan sed

1. Todos los que tengan sed
beberán, beberán.
Vengan cuantos pobres hay;
comerán, comerán.
No malgasten el haber;
compren verdadero pan.
Si a Jesús acuden hoy,
gozarán, gozarán.

2. Si le prestan atención,
les dará, les dará,
parte en su pactado bien,
eternal, eternal.
Con el místico David,
Rey, Maestro, Capitán
de las huestes que al Edén
llevará, llevará.

3. Como baja bienhechor,
sin volver, sin volver,
riego que las nubes dan,
ha de ser, ha de ser
la Palabra del Señor,
productivo, pleno bien;
vencedora al fin será
por la fe, por la fe.

T. M. W.

292

Al Calvario, solo, Jesús ascendió

1. Al Calvario, solo, Jesús ascendió
llevando pesada cruz,
y al morir en ella al mortal dejó
un fanal de gloriosa luz.

Coro

La cruz sólo me guiará,
la cruz sólo me guiará;
a mi hogar de paz y eterno amor,
la cruz sólo me guiará.

2. En la cruz tan sólo el alma hallará
la fuente de inspiración;
nada grande y digno en el mundo
habrá
que en la cruz no halle aprobación.

3. Yo por ella voy a mi hogar celestial,
el rumbo marcando está;
en mi oscura vida será el fanal
y a su luz mi alma siempre irá.

V. Mendoza

Credit line on page 206.

293

¿Qué me puede dar perdón?

1. ¿Qué me puede dar perdón?
Sólo de Jesús la sangre.
¿Y un nuevo corazón?
Sólo de Jesús la sangre.

Coro

Precioso es el raudal
que limpia todo mal.
No hay otro manantial
sino de Jesús la sangre.

2. Fue rescate eficaz
sólo de Jesús la sangre.
Trajo santidad y paz
sólo de Jesús la sangre.

3. Veo para mi salud
sólo de Jesús la sangre.
Tiene de sanar virtud,
sólo de Jesús la sangre.

4. Cantaré junto a sus pies,
sólo de Jesús la sangre.
El Cordero digno es.
Sólo de Jesús la sangre.

H. W. Cragin

294

Comprado con sangre por Cristo

1. Comprado con sangre por Cristo,
gozoso al cielo ya voy;
librado por gracia infinita,
cual hijo en su casa estoy.

Coro

Por él, por él
comprado con sangre yo soy;
con él, con él,
con Cristo al cielo yo voy.

2. Soy libre de pena y culpa,
su gozo él me hace sentir,
él llena de gracia mi alma,
con él es tan dulce vivir.

3. En Cristo Jesús yo medito,
en todo momento y lugar;
por tantas mercedes de Cristo
su nombre me gozo en loar.

4. Yo sé que me espera corona,
la cual a los fieles dará;
me entrego con fe al Maestro,
sabiendo que me guardará.

Adaptado

295

En Jesús por fe confío

1. En Jesús por fe confío,
del pecado me salvó;
y su sangre generosa
en la cruz por mí vertió.
De los hombres los pecados
él cargó con sumisión,
consumando por los siglos
nuestra eterna redención,
consumando por los siglos
nuestra eterna redención.

2. Salvación ofrece al hombre
que abandone todo error,
y en la fe de Jesucristo
se encamine con fervor.

El es padre cariñoso,
es amigo siempre fiel,
y conforta nuestras penas
si llegámonos a él,
y conforta nuestras penas
si llegámonos a él.

3. Vida eterna nos ofrece
y gratuita salvación,
si dejamos el pecado
implorando su perdón.
Nos absuelve y nos sostiene
cuando asedia tentación;
da consuelo al afligido
y abrumado corazón,
da consuelo al afligido
y abrumado corazón.

E. G. de De Mársico

296

Una es, Señor, mi petición

1. Una es, Señor, mi petición,
pues en mi senda infiel erré:
sea por agua o en crisol,
¡oh límpiame!, ¡oh límpiame!

Coro

¡Oh límpiame de mi maldad
en tu crisol, si he menester!
No importa el medio, oh Señor,
¡oh límpiame!, ¡oh límpiame!

2. Si al alma das más luz, tu don
agradecido cantaré;
pero de un puro corazón
más gozaré, más gozaré.

3. Sólo en el limpio corazón
podrá tu faz resplandecer
y ser completa la visión
de tu poder, de tu poder.

4. Quiero mi senda enderezar,
libre del mal ser quiero hoy;
mas para mí vano es luchar,
indigno soy, indigno soy.

Elisa Pérez

297

¡Oh Jesús, Señor divino!

1. ¡Oh Jesús, Señor divino,
   dame tu perdón y paz;
   oye mi ferviente ruego
   en la gloria donde estás!
   Eres tú la luz del mundo.
   ¡Guíame, oh buen Jesús!
   Por tu amor fiel y profundo
   expiraste en la cruz;
   por tu amor fiel y profundo
   expiraste en la cruz.

2. Dulce paz y gozo eterno
   podré en gloria disfrutar;
   pues de Cristo la ternura
   me convida sin cesar.
   A mi patria yo, cansado,
   me dirijo con fervor;
   con certeza ya salvado
   soy por ti, ¡oh Salvador!,
   con certeza ya salvado
   soy por ti, ¡oh Salvador!

3. Por tu muerte expiatoria
   me has abierto, ¡oh Redentor!,
   libre y único camino
   al divino resplandor.
   Gloria eterna yo presiento
   al estar con mi Jesús;
   de dolor y pena exento
   viviré en su santa luz,
   de dolor y pena exento
   viviré en su santa luz.

298

Hay vida en mirar

1. Hay vida en mirar a la santa cruz.
   Dice Jesús: "Miradme a mí".
   Nada el mundo y sus glorias son;
   tesoros brillantes se ven allí.

Coro
> ¡Oh mirad, pues hallaréis
> vida eterna allá en la cruz!
> Salvación recibiréis
> en el Redentor, Jesús.

2. Y cuando miré a mi Salvador,
   dulces sonrisas él me dio;
   hoy del maligno soy vencedor,
   mirando a la cruz do Jesús murió.

3. Mirando a la cruz, siempre confiaré
   en sus promesas y poder;
   nunca vencido del mal seré;
   el cielo me ayuda a obedecer.

E. L. Maxwell

299

Lejos de mi Padre Dios

1. Lejos de mi Padre Dios,
   por Jesús hallado,
   por su gracia y por su amor
   sólo fui salvado.

Coro
> En Jesús, mi Señor,
> es mi gloria eterna;
> él me amó y me salvó
> en su gracia tierna.

2. En Jesús, mi Salvador,
   pongo mi confianza;
   toda mi necesidad
   suple en abundancia.

3. Cerca de mi buen Pastor
   vivo cada día;
   toda gracia en su Señor
   halla el alma mía.

4. Guárdame, Señor Jesús,
   para que no caiga;
   cual sarmiento de la vid,
   vida de ti traiga.

300

Ni fama, ni ciencia

1. Ni fama, ni ciencia, ni honor o riqueza,
   del negro pecado me pueden librar.
   La sangre de Cristo es mi sola
   esperanza,
   tan sólo su muerte me puede salvar.

Coro

   Tan sólo pudo redimirme
   el amante Salvador;
   fue con su sangre tan preciosa
   como Cristo me salvó.

2. Ni fama, ni ciencia, ni honor o riqueza
   podrían brindarme la paz del Señor.
   La sangre de Cristo es mi sola
   esperanza,
   tan sólo su muerte me quita el temor.

3. Ni fama, ni ciencia, ni honor o riqueza
   mi pena profunda me pueden quitar.
   La sangre de Cristo es mi sola
   esperanza;
   el gozo divino disipa el pesar.

4. Ni fama, ni ciencia, ni honor o riqueza
   mi entrada a los cielos podrían
   comprar.
   La sangre de Cristo es mi sola
   esperanza,
   con ella podré mi rescate pagar.

   J. P. Simmonds, adaptado

301

Al cielo voy

Coro

   Al cielo voy, al cielo voy;
   yo confío en Jesús;
   él me salvó, él me salvó,
   por mí ha muerto en la cruz.

1. Yo te veré a ti, Señor,
   yo te veré, mi Salvador;
   en dulce luz y esplendor
   yo te veré, mi Salvador.

2. Tu pura sangre carmesí
   la mancha vil borró de mí;
   ventura gozaré allí;
   yo te veré, mi Salvador.

3. Feliz aquel que en ti confió,
   por Salvador te aceptó;
   en ti también espero yo;
   yo te veré, mi Salvador.

   De *Estrella de Belén*

302

¿Quién es aquel que viene?

1. ¿Quién es aquel que viene desde
   Idumea acá?
   Herido y con ropaje tan ensangrentado
   está.
   "Yo, el que tu pecado vine a perdonar;
   yo, el que poderoso soy para salvar.

Coro

   Te salvaré, te salvaré, te salvaré;
   yo, que poderoso soy, te salvaré".

2. ¿Por qué tu ropa se halla teñida en
   carmesí,
   cual los que pisan el lagar?, ¿por qué
   sangrienta así?
   "Sólo el lagar pisé, por ti luché;
   y aunque herido, vencedor: te
   salvaré".

3. ¡Oh! Salvador amante, llevaste mi
   baldón;
   mas ¿cómo de la muerte puedes darme
   salvación?
   "Yo la muerte conquisté, la destroné;
   yo que poderoso soy, te salvaré".

303

Cristo es mi amante Salvador

1. Cristo es mi amante Salvador,
mi bien, mi paz, mi luz;
pues demostró su grande amor
muriendo allá en la cruz.
Cuando estoy triste encuentro en él
consolador y amigo fiel;
consolador, amigo fiel
es Jesús.

2. Cristo es mi amante Salvador,
su sangre me compró;
por sus heridas y dolor
perfecta paz me dio.
Dicha inmortal con él tendré,
y para siempre reinaré,
dicha inmortal allí tendré
con Jesús.

3. Cristo es mi amante Salvador,
mi eterno Redentor.
¡Jamás podré satisfacer
la deuda de su amor!
Le seguiré, pues, en la luz,
no temeré llevar su cruz,
no temeré llevar la cruz
de Jesús.

4. Cristo es mi amante Salvador.
Por él salvado soy;
la Roca es de la eternidad
en quien seguro estoy.
Gloria inmortal con él tendré,
y para siempre reinaré,
gloria inmortal allí tendré
con Jesús.

S. D. Athans

304

Mi Redentor, el Rey de gloria

1. Mi Redentor, el Rey de gloria,
que vive yo seguro estoy;
y da coronas de victoria;
a recibir la mía voy.

Coro
Que permanezca, no pidáis,
entre el bullicio y el vaivén;
el mundo hoy dejar quisiera,
aun cuando fuese cual Edén.
El día, nada más, aguardo
en que el Rey me diga: "Hijo, ven".

2. En mi Señor Jesús confío,
su sangre clama a mi favor;
es dueño él de mi albedrío,
estar con él es lo mejor.

3. De tanto amor me maravillo,
y no me canso de cantar;
me libertó de mi peligro,
sufriendo todo en mi lugar.

4. Consuélome en su larga ausencia
pensando: Pronto volverá;
entonces su gloriosa herencia
a cada fiel Jesús dará.

T. M. Westrup

305

Cuando mi lucha toque a su final

1. Cuando mi lucha toque a su final
y me halle salvo en la playa eternal,
junto al que adoro, mi Rey celestial,
eterna gloria será para mí.

Coro
Gloria sin fin eso será,
gloria sin fin eso será.
Cuando por gracia su faz vea allí,
eterna gloria será para mí.

2. Cuando la gracia infinita me dé
bella morada en la casa del Rey,
yo, transportado, su cara veré,
y eterna gloria será para mí.

3. Encontraré a mis amados allá;
gozo cual río en redor correrá;
dulce sonrisa Jesús me dará,
eterna gloria será para mí.

Carlos H. Gabriel, trad.

306

Entonad un himno

1. Entonad un himno que alegre el
      corazón,
   vamos pronto a nuestro eterno hogar;
   porque pasará esta noche de aflicción,
   vamos pronto a nuestro eterno hogar.

Coro

   Vamos pronto, sí, vamos pronto, sí,
   a cruzar el fiero mar;
   tras la tempestad, nos veremos más
      allá;
   vamos pronto a nuestro eterno hogar.

2. Cuanto pida Dios el fiel siervo
      cumplirá,
   vamos pronto a nuestro eterno hogar;
   y su Espíritu nuevas fuerzas nos dará,
   vamos pronto a nuestro eterno hogar.

3. Id a encaminar a los extraviados pies,
   vamos pronto a nuestro eterno hogar;
   el amor de Cristo enseñad con
      sencillez,
   vamos pronto a nuestro eterno hogar.

4. Hay perfecta paz y reposo más allá,
   vamos pronto a nuestro eterno hogar;
   en la tierra nueva ya lágrimas no
      habrá,
   vamos pronto a nuestro eterno hogar.

                              E. E. H., trad.

307

Del Padre los bienes

1. Del Padre los bienes no tienen igual;
   de piedras preciosas enorme caudal;
   diamantes y oro, fortuna sin par,
   riquezas que nadie podrá computar.

Coro

   Soy un hijo del Rey, soy hijo del Rey;
   por Cristo el Maestro soy un hijo del
      Rey.

2. El Hijo divino, del mundo sostén,
   sufrió en la tierra, del hombre el
      desdén;
   extraña le era la tumba crüel;
   fue pobre y humilde, fue manso y fiel.

3. Y yo tan indigno, tan vil pecador,
   ¿loaré al que sufriera por mí tal dolor?
   ¡Qué herencia la mía!: la nueva Sïon,
   la vida eternal y una alegre canción.

308

En el seguro puerto

1. En el seguro puerto tu barco puede
      anclar;
   allí las tempestades no puédenle
      azotar.
   ¡Qué grato al navegante refugio en
      él hallar,
   y al fin del rudo viaje, salvo estar!

Coro

   Hay sitio, hay sitio para ti,
   hay sitio, sí,
   allá en el puerto amado de salud.

2. En el seguro puerto hay sitio para ti;
   de Dios el barco espera; llevarte
      quiere allí;
   son fieles sus promesas al pobre
      pecador;
   feliz serás si fías en su amor.

3. Amigos bien amados a nuestro
      lado irán;
   sus voces al oído ¡cuán gratas sonarán!
   Parad, pues, tempestades, cesad,
      tormentas, ya;
   la música divina oigo allá.

4. Olajes cadenciosos, llevadme a aquel
      hogar;
   desde esta tierra triste lo veo allá
      brillar;
   mi espíritu cansado allí reposará,
   y allí mi frágil barco anclará.

                              Elisa Pérez

103

309

Si al vislumbrar en el mundo dichoso

1. Si al vislumbrar en el mundo dichoso
   las mil delicias que Cristo dará,
   el fiel cristiano se llena de gozo,
   estar allá, ¿cuánta gloria será?

2. Si al meditar en la gloria, en el gozo
   y en la grandeza que el justo tendrá,
   se colma el corazón de alborozo,
   estar allá, ¿cuánta gloria será?

3. Es la promesa que llanto ni duelo
   ni aun la sombra de males habrá
   en la morada del gran Rey del cielo.
   Mas ¿qué será encontrarse allá?

310

Cuán grato es con amigos vernos

1. Cuán grato es con amigos vernos
   en tiempo tan veloz;
   mas siempre llega el día triste
   en que se dice "adiós".

Coro
   Jamás se dice, "adiós" allá,
   jamás se dice "adiós";
   en el país de gozo y paz
   jamás se dice "adiós".

2. Cuán dulce es el consuelo dado
   por ellos al partir:
   que cuando venga Cristo en gloria,
   nos hemos de reunir.

3. Jamás habrá la despedida
   tan dolorosa aquí,
   mas grata unión y paz eterna
   se gozarán allí.
   Sra. de E. W. Chapman, trad.

Credit line on page 206.

311

Solemne me es saber

1. Solemne me es saber
   y meditar que hoy
   más cerca de mi hogar estoy,
   más cerca, sí, que ayer.

Coro
   Más cerca estoy,
   más cerca estoy.
   De mi celeste hogar estoy
   más cerca hoy que ayer.

2. Del cristalino mar,
   del trono celestial,
   de aquella casa paternal
   do siempre he de morar,

3. Del día de irme allá,
   dejando aquí mi cruz;
   del Rey que en refulgente luz
   corona me pondrá,
   E. L. Maxwell

312

¡A la luz!

1. ¡A la luz, a la luz,
   al encuentro de Jesús!
   Por él arde mi deseo.
   ¡Oh qué gozo cuando veo
   los fulgores de la cruz!

2. Pronto haz, pronto haz,
   santo Príncipe de paz,
   que con todos los salvados,
   por tu sangre rescatados,
   yo contemple allí tu faz.

3. ¡Dulce son, dulce son,
   de los ángeles canción!
   ¡Si sus alas yo tuviera,
   volaría a aquella esfera,
   a los montes de Sion!

4. ¡Qué será, qué será,
   en Salem entrado ya,
   do las calles brillan de oro
   y prorrumpe el santo coro!
   ¡Cuánto gozo espero allá!

313

Más allá, en la excelsa patria

1. Más allá, en la excelsa patria
   del cristiano, hay lugar
   donde el Salvador ha ido
   mi mansión a preparar.

   Coro
   Más allá hay descanso,
   más allá hay descanso,
   más allá hay descanso
   libre del pesar;
   do florece el bello árbol
   de la vida eterna,
   en los valles celestiales,
   voy a reposar.

2. Una casa me prepara
   que por siempre durará;
   mi tranquilidad perenne
   nadie la perturbará.

3. Nunca sentiré las penas
   que sufría tanto aquí;
   terminadas mis faenas,
   me aguarda el premio allí.

4. Herederos de la gloria,
   vuestro triunfo pregonad;
   entraréis por los portales
   en la célica ciudad.

   E. L. Maxwell

314

En la mansión de mi Señor

1. En la mansión de mi Señor
   no habrá ya más tribulación,
   no habrá pesar, ningún dolor,
   ni qué quebrante el corazón.

   Coro
   Allá no habrá tribulación,
   ningún pesar, ningún dolor;
   y entonaré feliz canción
   de alabanza al Señor.

2. Resulta triste estar aquí
   muy lejos de mi Redentor,
   mas morarán con él allí
   los redimidos por su amor.

3. Perfecto amor encontraré
   en la mansión do Cristo está;
   perfecta calma allí tendré,
   y mi alma al fin descansará.

4. En su presencia gozaré
   su inmenso amor, su gran bondad;
   feliz con Cristo reinaré
   por toda la eternidad.

315

Allá sobre montes

1. Allá sobre montes, en feliz país,
   la ciudad divina reposando está.
   Nuestros pies, aquí cansados, subirán:
   la mansión eterna divisamos ya.

   Coro
   ¡Vamos al hogar! ¡Vamos al hogar!
   ¡Ved, sus torres brillan con gran
      esplendor!
   ¡Ved la gloria cómo emana del Señor!
   Estaremos juntos por la eternidad
   con los ángeles, cantando en la
      Ciudad.
   ¡Vamos al hogar!

2. Los antiguos profetas nos hablaron ya
   de las calles de oro de esa gran ciudad.
   Por la fe hoy la podemos contemplar,
   con sus muros de oro y jaspe, sin igual.

3. Hermano, hermana, ¿estarás allá,
   en aquella tierra do pesar no habrá?
   El mensaje santo hoy acepta fiel,
   y al venir el Salvador te llamará.

   G. Bustamante

316

Cuánto anhelo llegar

1. Cuánto anhelo llegar al celeste hogar,
a la margen del río de vida;
sorpresas sin fin me aguardan allá;
mas ¡oh, qué será ver a Cristo!

Coro

¡Oh, qué será ver a Cristo!
¡Qué será ver al Señor!
Prometiónos llevar
al eterno hogar,
mas ¡oh, qué será ver a Cristo!

2. Unos han de morir para no más vivir,
mas los justos a vida retornan.
¡Qué gozo será volverlos a ver!,
mas ¡oh, qué será ver a Cristo!

3. Cuando vaya a vivir en aquella ciudad,
cuando vea el rostro divino,
no habrá más dolor, ni muerte jamás.
¡Oh, sí, qué será ver a Cristo!

Fred P. Morris
Trad. por *J. Marrón*

Credit line on page 206.

317

No está en la tierra mi hogar

1. No está en la tierra mi hogar,
ni encuentro en ella atracción.
Tristeza en mí no ha de morar,
pues voy a la celeste Sion,
pues voy a la celeste Sion.

2. No está en la tierra mi hogar.
Yo busco un sitio más allá:
ciudad gloriosa que es sin par,
ciudad do Cristo estará,
ciudad do Cristo estará.

3. ¡Oh célica habitación
do el peregrino hallará
reposo y satisfacción!
Allí por siempre vivirá,
allí por siempre vivirá.

4. Esperaré sin ansiedad,
pues Cristo pronto volverá,
y a la célica ciudad
a los salvados llevará,
a los salvados llevará.

J. Marrón

318

Cuando aquí de la vida

1. Cuando aquí de la vida mis afanes
cesen ya
y amanezca bella aurora celestial,
en las playas eternas mi llegada
esperará
el Señor con bienvenida paternal.

Coro

He de conocerle entones,
redimido, a su lado cuando esté;
por las señas de los clavos
en sus manos a Jesús conoceré.

2. ¡Oh!, qué gozo supremo cuando pueda
ver su faz
y en eterna vida estar con mi Señor;
de su lado ya nunca me podrán
quitar jamás
los halagos de mi artero tentador.

3. He de ver a los míos que en la tierra
ya perdí
cuando en brazos de la muerte los
dejé;
y aunque de ellos entonces con dolor
me despedí,
junto al trono de Jesús los hallaré.

4. Al entrar por las puertas, en la célica
ciudad,
me uniré con los que allá triunfantes
van;

y del himno que alabe de mi Dios la
   majestad,
los acentos por los siglos sonarán.

V. Mendoza

319

Un día yo he de faltar

1. Un día yo he de faltar
   de mi lugar en esta grey;
   mas ¡oh, qué gozo al despertar
   en el palacio de mi Rey!

Coro

   Y cara a cara le veré,
   y viviré con él allí,
   y para siempre cantaré:
   "Salvado por su gracia fui".

2. Un día a mí la muerte atroz
   vendrá, mas cuándo, no lo sé;
   sólo esto sé, que con mi Dios
   un sitio yo feliz tendré.

3. Un día yo, tal como el sol,
   mi ocaso y fin tendré también;
   mas cuando venga el Salvador,
   su voz dirá: "Ven, hijo, ven".

4. El día fausto aguardo yo,
   y sé que pronto llegará;
   vendrá en su gloria mi Señor
   y a su mansión me llevará.

Francisca J. Crosby, trad.

320

Arrolladas las neblinas

1. Arrolladas las neblinas,
   a la vista el esplendor
   de las sierras y las rías
   a la luz y amor del sol;
   del Señor el arco viendo,
   de promesas la señal,
   con amigos verdaderos
   gozaremos claridad.

Coro

   Como nos conocerán,
   llegaremos a tener
   pleno y recto entendimiento,
   paz, tranquilidad, placer;
   justamente juzgaremos,
   sin las nieblas del ayer.

2. Caminar atribulados
   contemplando el porvenir,
   es sombrío; duro y largo
   en la soledad sufrir.
   Mas la voz: "Venid, benditos",
   a las penas fin pondrá;
   en la aurora allá reunidos,
   tras las nieblas, claridad.

3. Todos, dicha rebosando,
   del gran solio en derredor,
   entre amantes, entre amados,
   tendrán santa comprensión.
   Do los redimidos cantan
   su rescate sin cesar,
   una vez rasgado el cielo
   gozaremos claridad.

T. M. Westrup

321

Perfecta paz

1. Perfecta paz en este mundo vil,
   Jesús me dio al quitarme culpas mil.

2. Perfecta paz aun en el dolor,
   pues junto a mí está el Consolador.

3. Perfecta paz si amados lejos van,
   ya que los ángeles conmigo están.

4. Perfecta paz, es la del Salvador.
   Gocemos santa paz con el Señor.
   Amén.

Juan Marrón

322

Con gozo canto al Señor

1. Con gozo canto al Señor
   desde que salvo soy,
   pues es mi Rey, mi Salvador,
   desde que salvo soy.

Coro
   Desde que salvo soy,
   desde que salvo soy
   sólo en él me gloriaré;
   desde que salvo soy
   en mi Redentor me gloriaré.

2. Yo amo a Dios y mi ansiedad,
   desde que salvo soy,
   está en cumplir su voluntad,
   desde que salvo soy.

3. Un gozo tengo que es sin par
   desde que salvo soy;
   a Cristo alabo sin cesar
   desde que salvo soy.

4. Tengo un hogar al cual iré,
   desde que salvo soy;
   y allí seguro viviré,
   desde que salvo soy.

   E. O. Excell, trad.

323

En Jesucristo, mártir de paz

1. En Jesucristo, mártir de paz,
   en horas negras y de tempestad,
   hallan las almas dulce solaz,
   grato consuelo, felicidad.

Coro
   Gloria cantemos al Redentor,
   que por nosotros quiso morir;
   y que la gracia del Salvador
   siempre dirija nuestro vivir.

2. En nuestras luchas, en el dolor,
   en tristes horas de gran tentación,
   calma le infunde, santo vigor,
   nuevos alientos al corazón.

3. Cuando en la lucha falte la fe
   y esté el alma por desfallecer,
   Cristo nos dice: "Siempre os daré
   gracia divina, santo poder".

   E. A. M. Díaz

324

¡Oh, buen Maestro, despierta!

1. ¡Oh, buen Maestro, despierta!
   ¡Ve, ruge la tempestad!
   La gran extensión de los cielos
   se llena de oscuridad.
   ¿No ves que aquí perecemos?
   ¿Puedes dormir así
   cuando el mar agitado nos abre
   profundo sepulcro aquí?

Coro
   Los vientos, las ondas oirán tu voz:
   "Haya paz".
   Calmas las iras del negro mar;
   las luchas del alma las haces cesar,
   y así la barquilla do va el Señor
   hundirse no puede en el mar traidor.
   Doquier se cumple tu voluntad:
   "Haya paz, haya paz".
   Tu voz resuena en la inmensidad:
   "Paz, haya paz".

2. Despavorido, oh Maestro,
   te busco con ansiedad.
   Mi alma angustiada se abate;
   arrecia la tempestad.
   Pasa el pecado a torrentes
   sobre mi frágil ser,
   y perezco, perezco, Maestro,
   ¡oh, quiéreme socorrer!

3. Vino la calma, Maestro.
   Los vientos no rugen ya.
   Y sobre el cristal de las aguas
   el sol resplandecerá.
   Cristo, prolonga esta calma;
   no me abandones más;
   cruzaré los abismos contigo
   al puerto de eterna paz.

   V. Mendoza, adaptado

325

Llenos de gozo

1. Llenos de gozo que Cristo nos da,
siempre cantando a Sion vamos ya.
Dice Jesús compasivo: "Venid,
llenos de gozo y confianza partid".
Aunque la marcha penosa será,
pronto veremos la faz de Jehová.
Si hoy le cedemos con fe nuestro ser,
nos colmará de infinito placer.

2. Dentro de poco, guadaña mortal
ha de cortarnos el hilo vital;
mas la veremos venir sin temor,
porque confiamos en el Salvador.
Esplendorosa la aurora será
que de la muerte el fin marcará,
cuando resuene la santa canción:
"Gozo perfecto en la eterna mansión".

T. M. Westrup

326

En Cristo feliz es mi alma

1. En Cristo feliz es mi alma;
precioso es su célico don;
su voz me devuelve la calma;
su faz me anticipa el perdón.

Coro

¡Tanto me alegro en él!
¡Tanto me alegro en él!
El gozo y la paz inundan mi ser.
¡Me alegro tanto en él!

2. El vino a mi encuentro primero:
quería llevarme al redil
do reina el afecto sincero,
do hay dichas y encantos a mil.

3. Su amor paternal me circunda;
su gracia conforta mi ser;
su Espíritu Santo me inunda
de un noble y extraño poder.

4. A Cristo seré semejante,
pues él es mi gran ideal;
seré su discípulo amante
desde hoy hasta el día final.

E. Velasco

327

Salvo en los tiernos brazos

1. Salvo en los tiernos brazos
de mi Jesús seré,
y en su amoroso pecho
siempre reposaré.
Este es sin duda el eco
de celestial canción,
que de inefable gozo
llena mi corazón.

Coro

Salvo en los tiernos brazos
de mi Jesús seré,
y en su amoroso pecho
siempre reposaré.

2. En sus amantes brazos
hallo solicitud;
líbrame de tristeza,
líbrame de inquietud.
Y si vinieren pruebas,
fáciles pasarán;
lágrimas si vertiere,
pronto se enjugarán.

3. Y cruzaré la noche
lóbrega, sin temor,
hasta que venga el día
de perennal fulgor.
¡Cuán placentero entonces
con él será morar,
y en la mansión de gloria
siempre con él reinar!

J. B. Cabrera

328

Percibe mi alma un son

1. Percibe mi alma un son
   de dulce y alegre canción
   que llevo en mi corazón:
   ¡oh paz, el don de mi Dios!

Coro
   ¡Paz, paz, dulce paz,
   don admirable de Dios!
   ¡Oh paz, maravilla de paz,
   el don de amor de mi Dios!

2. La paz que en la cruz Cristo dio,
   do todas mis deudas pagó,
   en mí fiel cimiento echó.
   ¡Oh paz, el don de mi Dios!

3. Por rey al Señor coroné,
   y mi alma de paz se llenó,
   y halló el don más rico mi fe:
   ¡la paz, el don de mi Dios!

4. En paz con Jesús moraré,
   y cuando a su lado esté
   su paz inefable tendré,
   ¡la paz, el don de mi Dios!

329

Grato es contar la historia

1. Grato es contar la historia
   de celestial favor,
   de Cristo y de su gloria,
   de Cristo y de su amor.
   Me agrada referirla,
   pues sé que es la verdad;
   y nada satisface
   cual ella mi ansiedad.

Coro
   ¡Cuán bella es esta historia!
   Mi tema allá en la gloria
   será ensalzar la historia
   de Cristo y de su amor.

2. Grato es contar la historia
   más bella que escuché,
   más áurea, más hermosa
   que cuanto yo soñé.

Contarla siempre anhelo,
   pues hay quien nunca oyó
   que, para redimirle,
   el buen Jesús murió.

3. Grato es contar la historia
   que placentera es,
   y es más, al repetirla,
   preciosa cada vez.
   La historia, pues, que canto,
   oíd con atención,
   porque es mensaje santo
   de eterna salvación.

4. Grato es contar la historia
   de todas la mejor,
   que cuanto más se escucha,
   infunde más amor.
   Y cuando allá en la gloria
   entone mi cantar,
   será la misma historia
   que tanto supe amar.

J. B. Cabrera

330

¡Feliz el día!

1. ¡Feliz el día en que escogí
   servirte, mi Señor y Dios!
   Preciso es que mi gozo en ti
   lo muestre hoy con obra y voz.

Coro
   ¡Soy feliz! ¡Soy feliz!
   Y en su favor me gozaré.
   En libertad y luz me vi
   cuando triunfó en mí la fe,
   y el raudal carmesí,
   salud de mi alma enferma fue.

2. Del mundo oscuro ya salí:
   de Cristo soy y mío es él;
   sus sendas con placer seguí,
   resuelto a serle siempre fiel.

3. Reposa, débil corazón,
   a tus contiendas pon ya fin;
   tendrás más noble posesión
   y parte en superior festín.

T. M. Westrup

331

En el seno de mi alma

1. En el seno de mi alma una dulce
      quietud
   se difunde embargando mi ser,
   una calma infinita que sólo podrán
   los amados de Dios comprender.

Coro
   Paz, paz, cuán dulce paz
   la que da nuestro Padre eternal;
   le ruego que inunden por siempre
      mi ser
   sus ondas de amor celestial.

2. ¡Qué tesoro yo tengo en la paz que
      me dio!
   En el fondo de mi alma ha de estar
   tan seguro que nadie quitarlo podrá,
   mientras vea los siglos pasar.

3. Esta paz inefable consuelo me da,
   pues descanso tan sólo en Jesús;
   y en peligro mi alma ya nunca estará,
   porque estoy inundado en su luz.

4. Alma triste, que en rudo conflicto
      te ves,
   sola y débil, tu senda al seguir,
   haz de Cristo tu amigo, que fiel
      siempre es,
   y su paz tú podrás recibir.
               W. D. Cornell, trad.

332

Con sin igual amor

1. Con sin igual amor Cristo me ama,
   su dulce paz en mi alma derrama,
   y por salvarme su vida dio:
   ya pertenezco a él.

Coro
   Ya pertenezco a Cristo,
   ¡cuán pura es su amistad!
   Por las edades durará,
   y por la eternidad.

2. Por mis pecados fui condenado,
   mas hoy por Cristo soy perdonado;
   del hondo abismo me levantó:
   ya pertenezco a él.

3. Mi corazón palpita de gozo,
   Cristo es de Dios el don más precioso;
   por redimirme su sangre dio,
   ya pertenezco a él.
          N. J. C., trad. por *S. D. Athans*
   Credit line on page 206.

333

Dicha grande

1. Dicha grande es la del hombre
   cuyas sendas rectas son,
   lejos de los pecadores,
   lejos de la tentación.
   A los malos consejeros
   deja por temor al mal;
   huye de la gente impía,
   burladora e inmoral.

2. Antes en la ley divina
   cifra su mayor placer,
   meditando día y noche
   en su divinal saber.
   Este, como el árbol verde,
   bien regado, y en sazón,
   frutos abundantes rinde,
   y hojas que perennes son.

3. Cuanto emprende es prosperado,
   duradero le es el bien.
   Muy diversos resultados
   sacan los que nada creen,
   pues se pierden como el tamo
   que el ciclón arrebató,
   de pasiones remolino
   que a millones destruyó.

4. En el juicio ningún malo,
   por lo tanto, se alzará.
   Entre justos congregados,
   insensatos nunca habrá,
   porque Dios la vía mira
   por la cual los suyos van.
   Otra es la de los impíos:
   a la nada volverán.
                    T. M. Westrup

334

Gran gozo hay en mi alma hoy

1. Gran gozo hay en mi alma hoy:
   Jesús conmigo está;
   contento con su amor estoy,
   su dulce paz me da.

Coro
   Brilla el sol de Cristo en mi alma;
   cada día voy feliz así.
   Su faz sonriente al contemplar,
   ¡cuánto gozo siento en mí!

2. En mi alma hay melodías hoy,
   canciones a mi Rey.
   Feliz y libre en Cristo soy
   y salvo por la fe.

3. Paz plena tengo en mi alma hoy,
   pues Cristo me salvó.
   Mis hierros rotos quedan ya:
   Jesús me libertó.

4. En mi alma hoy reina gratitud
   y loores a Jesús.
   En su presencia hay virtud,
   hay gozo en su luz.

   E. E. Hewitt, trad.

335

Dulce comunión

1. Dulce comunión
   la que gozo ya
   en los brazos de mi Salvador.
   ¡Qué gran bendición
   en su paz me da!
   ¡Oh!, yo siento en mí su tierno amor.

Coro
   Libre, salvo
   de cuitas, penas y dolor;
   libre, salvo,
   en los brazos de mi Salvador.

2. ¡Cuán dulce es vivir,
   cuán dulce es gozar
   en los brazos de mi Salvador!

Quiero estar con él
en su eterno hogar,
siendo objeto de su tierno amor.

3. No habré de temer
   ni aun desconfiar,
   en los brazos de mi Salvador.
   En él puedo yo
   bien seguro estar
   de los lazos del vil tentador.

   P. Grado

336

Mi Redentor es Cristo

1. Mi Redentor es Cristo,
   mi gozo y mi canción;
   me salva, y me consuela
   en horas de aflicción.

Coro
   ¡Oh Salvador bendito,
   mi canto elevo a ti;
   cual tú no tengo amigo
   que me ame tanto aquí!

2. En todos mis afanes
   alivio y luz me das;
   aunque ande en negras sombras
   no dudaré jamás.

3. Jesús, en ti confío,
   amigo y guía fiel;
   te quiero más que al mundo
   y cuanto se halla en él.

4. Serás de mi alma el gozo
   aquí donde hay maldad;
   también serás mi dicha
   allá en la eternidad.

   E. L. Maxwell

337

Cristo, tú prometes

1. Cristo, tú prometes complacido estar
   donde dos o tres te vienen a adorar.
   Hoy te imploramos: "Oye la oración;
   ven a concedernos amplia bendición".

Coro

Ven a bendecir a los que en este lugar
culto a tu nombre quieren tributar.

2. Cristo, en el pasado fuiste siempre fiel;
sé pues con nosotros, como con Daniel.
Te imploramos gracia y tu salvación,
oye tú el ruego de esta oración.

3. Danos tú firmeza para resistir
duras pruebas que perturban el vivir.
Gracias mil por tu presencia y
protección.
Guía nuestros pies a la eterna Sion.

J. Marrón

338

¡Silencio! ¡Silencio!

1. ¡Silencio! ¡Silencio!
en este lugar;
¡silencio! silencio
habéis de guardar.

Coro

Quedad en silencio
en este lugar;
silencio, silencio
guardad al orar.

2. ¡Silencio! ¡Silencio!
es tiempo de orar,
la gracia divina
podréis disfrutar.

3. ¡Silencio! ¡Silencio!
su amor recordad.
A Dios, pues, postrados,
honor tributad.

La Comisión.

339

Primero oré por luz

1. Primero oré por luz
para la senda hallar,
donde pudiera con la cruz
en pos de Cristo andar.

2. Luego imploré valor
para a la lucha ir
siempre resuelto y sin temor
el mal a combatir.

3. Siempre pedí más fe:
pues si confío en Dios,
hasta montañas traspondré
al ir del cielo en pos.

4. Hoy le suplico amor
hacia la humanidad:
quiero en el nombre del Señor
tratarla con bondad.

5. Luz de Dios, fe y valor,
todo lo tengo aquí,
pues cuando oré por el amor,
yo todo conseguí.

J. M.

340

Bendiciones ricas

1. Bendiciones ricas, libres,
cual copiosas lluvias das,
refrescando a los sedientos.
Cristo amante, ¡oh dámelas!
Dámelas, dámelas;
Cristo amante, ¡oh dámelas!

2. No me pases, Padre amante,
aunque es vil mi corazón.
Ven, oh Dios, en este instante,
dame aquí tu bendición.
Bendición, bendición,
dame, oh Dios, tu bendición.

3. He dormido en el pecado,
tu bondad no aprecié;
en el mundo he confiado,
¡oh, perdona y sálvame!
¡Sálvame, sálvame!
¡Oh, perdona y sálvame!

4. Santo Espíritu divino,
tú que vista al ciego das,
dame el mérito de Cristo,
habla a mi alma dulce paz.
Dulce paz, dulce paz,
habla a mi alma dulce paz.

341

Aparte del mundo

1. Aparte del mundo, Señor, me retiro,
de lucha y tumultos ansioso de huir;
de escenas horribles do el mal
  victorioso
extiende sus redes y se hace servir.

2. El sitio apartado, la sombra tranquila,
convienen al culto de ruego y loor;
tu mano divina los hizo, sin duda,
en bien del que humilde te sigue,
  Señor.

3. Allí, si tu aliento inspira a mi alma,
y llega la gracia mi pecho a tocar,
mis labios podrán, en tu altar
  encendidos,
cantar alabanza a tu gloria sin par.

4. Te debo tributos de amor y de gracias
por este abundante y glorioso festín,
y cantos que puedan oírse en los cielos
por años sin cuento, por siglos sin fin.

J. Mora

342

Sed puros y santos

1. Sed puros y santos, mirad al Señor,
permaneced fieles, orad sin cesar;
y que la Palabra del buen Salvador
os lleve en la vida a servir y amar.

2. Sed puros y santos, Dios nos juzgará;
orad en secreto: respuesta vendrá.
Su Espíritu Santo revela a Jesús,
y su semejanza en nos él pondrá.

3. Sed puros y santos, Cristo nos guiará;
seguid su camino, en él confiad;
en paz o en zozobra, la calma dará
quien nos ha salvado de nuestra
  maldad.

W. D. Longstaff, trad.

343

A mí venid

1. A mí venid en las oscuras horas
cuando abatido el corazón esté.
Buscando alivio del eterno Padre,
a mí venid, descanso yo os daré.

2. Muchas mansiones se hallan
  preparadas,
bellas moradas libres del pesar;
dulce es el ritmo de arpas cadenciosas,
suave se entona el célico cantar.

3. Almas heridas, vidas despreciadas,
floreceréis en el celeste Edén.
A mí venid, dejando las tristezas,
a mí venid, descanso yo os daré.

344

Dulce oración

1. Dulce oración, dulce oración,
de toda influencia mundanal
elevas tú mi corazón
al tierno Padre celestial.
¡Oh cuántas veces tuve en ti
auxilio en ruda tentación!
¡Y cuántos bienes recibí
mediante ti, dulce oración!

2. Dulce oración, dulce oración,
al trono excelso de bondad
tú llevarás mi petición
a Dios, que escucha con piedad.
Creyendo espero recibir
divina y plena bendición,
y que me ayudes a vivir
junto a mi Dios, dulce oración.

3. Dulce oración, dulce oración,
aliento y gozo al alma das;
en este valle de aflicción
consuelo siempre me serás.
Tan sólo el día cuando esté
con Cristo en la celeste Sion,
entonces me despediré
feliz, de ti, dulce oración.

J. B. Cabrera

345

Jesús, te necesito

1. Jesús, te necesito,
pues soy tan pobre y vil;
recorro, peregrino,
un mundo muy hostil.
Tu amor será mi apoyo;
me anima ver tu faz;
en medio del peligro
descanso en tu paz.

2. Jesús, te necesito,
anhelo a ti servir;
amargas aflicciones
tú puedes compartir.
Tu Espíritu me ayuda
en cada tentación,
me da en cada trance
consuelo y salvación.

3. Jesús, te necesito;
muy pronto te veré,
y en calles celestiales
contigo andaré.
Y con los redimidos
elevaré mi voz
cantándote loores,
mi Salvador, mi Dios.

Juan Marrón

346

Cuando lleguen pruebas

1. Cuando lleguen pruebas, Cristo,
ven a mí.
Haz que nunca ceda a la tentación
y por sus halagos yo te deje a ti,
y al abismo vaya de la perdición.

2. Al cruzar el mundo, me fascinará
su riqueza vana o el falaz placer;
mas entonces presto mi alma a ti
vendrá
a buscar ayuda, gracia, luz, poder.

3. Si la prueba enviares a mi vida aquí,
con dolor y pena, luto y aflicción,
haz que nunca dude que vendrás a mí
y que tú lo cambias todo en
bendición.

Vicente Mendoza

347

Sol de mi ser

1. Sol de mi ser, mi Salvador,
contigo vivo sin temor;
no quieras esconder jamás
de mí la gloria de tu faz.

2. Al sueño blando al entregar
mi cuerpo para descansar,
en tu promesa confiaré:
"Ven, hijo, te protegeré".

3. Dame, oh Señor, al despertar,
gracia divina y bienestar,
y al caminar a tu mansión,
cólmame de bendición.

T. M. W.

348

Quiero, Jesús, contigo andar

1. Quiero, Jesús, contigo andar,
y en tu servicio trabajar;
dime el secreto de saber
llevar mis cargas con placer.

2. Haz que mi lengua sepa hablar
sólo el lenguaje del amor,
y al extraviado pueda guiar
hasta el redil de mi Pastor.

3. Tenme a tu lado, enséñame
a ser paciente, noble y fiel;
que en tus pisadas pueda andar,
y al abatido consolar.

4. Dame del cielo aquella fe
que en la tormenta ve la luz.
Colme mi alma tu bondad,
y viva siempre con tu paz.

G. P. S., trad. por H. P. S.

349

¡Oh, qué amigo nos es Cristo!

1. ¡Oh, qué amigo nos es Cristo!
El sintió nuestra aflicción
y nos manda que llevemos
todo a Dios en oración.
¿Vive el hombre desprovisto
de consuelo y protección?
Es porque no tiene dicho
todo a Dios en oración.

2. ¿Vives débil y cargado
de temor y tentación?
A Jesús, tu amigo eterno,
cuenta todo en oración.
¿Te desprecian tus amigos?
Dilo a él en oración:
en sus brazos cariñosos
paz tendrá tu corazón.

3. Jesucristo es nuestro amigo;
de esto pruebas mil mostró
al sufrir el cruel castigo
que el culpable mereció.
Y su pueblo redimido
hallará seguridad
fiando en este amigo eterno
y esperando en su bondad.

Mora

350

Marcharé en la divina luz

1. Marcharé en la divina luz,
marcharé, siempre marcharé;
en las huellas del buen Jesús,
siempre marcharé.

Coro
Vestido blanco yo tendré,
corona eterna ceñiré;
feliz allí podré gozar,
en el Edén sin par.

2. Marcharé con mi Guía fiel,
marcharé, siempre marcharé;
triunfaré por la fe en él,
siempre marcharé.

3. Marcharé almas a buscar,
marcharé, siempre marcharé;
los perdidos a rescatar,
siempre marcharé.

4. Por Jesús, más que vencedor
marcharé, siempre marcharé;
al hogar de mi Salvador,
siempre marcharé.

H. de G. C.

351

Yo quiero trabajar

1. Yo quiero trabajar por el Señor,
creyendo en su Palabra y en su amor;
quiero, sí, cantar y orar,
y ocupado siempre estar
en la viña del Señor.

Coro
Trabajar y orar
en la viña, en la viña del Señor;
sí, mi anhelo es orar,
y ocupado siempre estar
en la viña del Señor.

2. Yo quiero cada día trabajar,
y esclavos del pecado libertar,
llevarlos a Jesús,
nuestro guía, nuestra luz,
en la viña del Señor.

3. Yo quiero ser obrero de valor,
confiando en el poder del Salvador.
Quien quiera trabajar
hallará también lugar
en la viña del Señor.

P. Grado

352

Levántate, cristiano

1. Levántate, cristiano, levántate y
    trabaja;
   no dejes que tu vida se pase en la
    inacción.
   El que en el ocio vive a su Hacedor
    ultraja,
   no lleva sus deberes, ni cumple su
    misión.

2. Si quieres que la vida te ofrezca mil
    encantos,
   si quieres que la dicha te inspire
    paz y amor,
   trabaja con ahínco, sin miedo ni
    quebrantos;
   y un cielo de ventura verás en tu
    redor.

3. Trabaja por el mundo, trabaja por el
    cielo,
   sembrando buenas obras, sembrando
    bendición.
   Virtud es el trabajo, alivio y fiel
    consuelo;
   y sólo en él se encuentra la paz del
    corazón.

                            D. M. H.

353

Centinelas del Maestro

1. Centinelas del Maestro,
    por doquiera pregonad
    de la cruz las buenas nuevas,
    de Jesús y su bondad.

   Coro
    Centinelas del Maestro,
    la trompeta haced oír;
    y que el hombre que la escuche,
    vida pueda recibir.

2. Por la cima de los montes,
    por los valles, por el mar,
    por doquier el Evangelio
    hoy os toca proclamar.

3. A los antros del pecado,
    dondequiera haya aflicción,
    id con las alegres nuevas
    de la plena redención.

4. Proclamad a los cautivos:
    Día es de libertad.
    Al cansado y desvalido,
    a su Salvador llamad.

                    H. L. Gilmour, trad.

354

¡Oh! cuánto necesita

1. ¡Oh! cuánto necesita obreros el Señor,
    que vayan presurosos al campo de
    labor.
   Alegre yo le digo, con todo mi valor:
   Conmigo cuenta tú, Señor.

   Coro
    Voy, Señor; voy, Señor,
    a trabajar alegre y con fervor.
    Sí, voy, Señor, voy, Señor;
    conmigo cuenta tú, Señor.

2. Ahora, en la batalla, ven, cíñeme,
    Señor;
   tu célica armadura dé aliento, fe
    y valor.
   Para vencer las huestes del fiero
    tentador,
   conmigo cuenta tú, Señor.

3. La carga que soporta la pobre
    humanidad,
   con todos mis esfuerzos yo debo
    aliviar;
   para salvar las almas, doquier me
    toque estar,
   conmigo cuenta tú, Señor.

Credit line on page 206.

117

355

¿Os pusisteis a arar?

1. ¿Os pusisteis a arar? Pues seguid,
   seguid,
   aunque duro el terreno encontréis.
   Luchad con tesón, firme el corazón,
   y al fin rico pago tendréis.
   Los campos fecundos reverdecerán
   y áurea gloria revestirán;
   con gozo veréis cosechar la mies;
   entonad, pues, con brío el refrán:

Coro

   Seguid, seguid hermanos, seguid;
   cansados, no vaciléis.
   Venciendo, al fin alegre festín
   con Cristo gozaréis.

2. ¿Os llamó Dios a su obra? Seguid,
   seguid,
   aunque densa la oscuridad.
   De Cristo Jesús vendrá clara luz,
   en su lumbre gloriosa andad.
   En aquel fausto día de gozo y solaz,
   en la patria de luz y amor,
   celeste mansión, feliz galardón
   os dará bondadoso el Señor.

E. Brooks

356

Despliegue el cristiano su santa bandera

1. Despliegue el cristiano su santa
   bandera
   y muéstrela ufano del mundo a la faz;
   soldados valientes, el triunfo os espera,
   seguid vuestra lucha constante y tenaz.

2. Despliegue el cristiano su santa
   bandera
   y luzca en el frente de audaz torreón;
   el monte y el valle, la hermosa pradera
   contemplen ondeando tan bello
   pendón.

3. Despliegue el cristiano su santa
   bandera,
   predique a los pueblos el Libro
   inmortal;
   presente a los hombres la luz
   verdadera
   que vierte ese claro, luciente fanal.

4. Despliegue el cristiano su santa
   bandera
   y muéstrese bravo, batiéndose fiel;
   para él no habrá fosos, para él no
   hay barrera,
   pues lucha a su lado el divino
   Emmanuel.

L. B. Cabrera

357

Soy peregrino aquí

1. Soy peregrino aquí; no hallo do morar;
   en áurea playa está mi muy lejano
   hogar;
   yo soy embajador del reino allende
   el mar;
   embajador soy de mi Rey.

Coro

   Mensaje traigo que anunciar,
   que aun ángeles quisieran dar.
   "Reconciliaos hoy", es la divina voz,
   "reconciliaos hoy con Dios".

2. Mi Rey implora a los de senda
   mundanal
   que se arrepientan del pecado tan
   fatal;
   que presten atención al ruego
   celestial;
   embajador soy de mi Rey.

3. Más bello es mi hogar que el valle
   de Sarón;
   hay plena paz y amor en toda su
   extensión;
   y porque allí tengáis eterna posesión,
   embajador soy de mi Rey.

E. T. Cassel, trad.

118

358

¡El salvavidas!

1. ¡El salvavidas de prisa lanzad!
   ¡Echad la cuerda al bravísimo mar!
   Allá en las olas, en la oscuridad
   naufraga un hermano que habéis
   de salvar.

Coro
   ¡Lanzad la cuerda del salvavidas!
   ¡Ved, se lo lleva el mar!
   ¡Lanzad la cuerda del salvavidas!
   ¡Id al perdido a salvar!

2. ¡El salvavidas, con mano veloz!
   ¿Por qué tardando tranquilos quedáis?
   ¡Ved, ya se hunde en el vórtice atroz!
   ¡Lanzad, pues, el bote! ¡Tardíos
      no seáis!

3. A los perdidos llevad salvación.
   ¿No habéis sentido jamás tal pavor?
   Las ondas de ayes y de tentación
   van pronto a llevarlos al negro terror.

4. Es corto el tiempo en que se han de
      salvar;
   pronto irán a la ruina eternal.
   ¡Salid pues presto, y, sin vacilar
   llevadles la cuerda de vida inmortal!

   E. L. Maxwell

359

¡Trabajad! ¡Trabajad!

1. ¡Trabajad! ¡Trabajad! Somos siervos
      de Dios;
   seguiremos la senda que Cristo trazó.
   Renovando las fuerzas con bienes
      que da,
   el deber que nos toca cumplido será.

Coro
   ¡Trabajad! ¡Trabajad!
   ¡Esperad y velad!
   ¡Confiad! ¡Siempre orad!,
   que Cristo pronto volverá.

2. ¡Trabajad! ¡Trabajad! Hay que dar
      de comer
   al que pan de la vida quisiere tener,
   hay enfermos que irán a los pies del
      Señor
   al saber que de balde los sana su amor.

3. ¡Trabajad! ¡Trabajad! Fortaleza
      pedid;
   el reinado del mal con valor combatid;
   conducid sus cautivos al Libertador
   y decid que de balde redime su amor.

   T. M. Westrup

360

Cerca un alma agobiada está

1. Cerca un alma agobiada está,
   ve y ayúdala hoy;
   hazle algún acto de pura amistad,
   ve y ayúdala hoy.

Coro
   Ve y ayúdale hoy.
   No tardes, mas di: "Ya voy".
   Al débil sé escudo y viste al desnudo.
   ¡Oh ve y ayúdale hoy!

2. ¿Ves a un vecino sin fuerza y valor?
   Ve y ayúdale hoy;
   habla a su oído palabras de amor,
   ve y ayúdale hoy.

3. ¿Otro confronta una cruel tentación?
   Ve y ayúdale hoy;
   clama al Señor en ferviente oración;
   ve y ayúdale hoy.

4. Hay quien ya busca el camino del
      bien.
   Ve y ayúdale hoy;
   di con la Esposa y Espíritu: "Ven".
   Ve y ayúdale hoy.

   Edgar Brooks.

361

Esparcid la luz de Cristo

1. Esparcid la luz de Cristo
en la densa oscuridad.
Alumbrad a quien no ha visto
más que el mundo de maldad.

Coro

Esparcid la luz de Cristo,
dad las nuevas de la cruz,
pues hay muchos que no han visto
todavía al buen Jesús.

2. Alumbradles el sendero
de la eterna salvación,
y que acepten del Cordero
la promesa de expiación.

3. Como un barco zozobrante
en las ondas de la mar,
nuestro mundo tambaleante
va muy pronto a naufragar.

M. A. Lezcano

362

Un día más por Cristo

1. Un día más por Cristo,
y menos por vivir;
mas hoy el cielo,
que tanto anhelo,
más cerca está que ayer.
Colmada mi alma está de luz y amor.

Coro

Un día más por Cristo,
un día más por Cristo,
un día más por Cristo,
y menos por vivir.

2. Un día más por Cristo,
por mi glorioso Rey;
pues mis deberes
ya son placeres:
su amor proclamaré.
Jesús murió; mi vida así compró.

3. Un día más por Cristo;
cuán grato es para mí
contar la historia,
mostrar la gloria
del que me salva aquí.
Mi corazón rebosa en bendición.

4. ¡Oh cuán bendita obra
de Cristo mi Señor!
Tras prueba dura,
un alma pura
me da su santo amor.
Y esto sé: con Cristo reinaré.

E. L. Maxwell

363

¿Quién está por Cristo?

1. ¿Quién está por Cristo? ¿Quién le
servirá?
A salvar a otros ¿quién le ayudará?
¿Quién, dejando el mundo, contra
el error
luchará por siempre al lado del Señor?

Coro

Por su magna gracia,
su profundo amor,
yo estoy por Cristo:
es mi Rey, Señor.

2. No por la corona ni el galardón
entro en esta lucha y alzo el pendón.
Por los pecadores Cristo se entregó;
en llevarlos a sus pies me gozo yo.

3. No con oro o plata Cristo nos compró,
sino con la sangre que en la cruz
vertió.
Los que a él acuden bendecidos son,
libertad reciben, limpio corazón.

4. Rudo el conflicto sigue con Satán,
mas lo venceremos: Cristo es Capitán.
Su verdad eterna es nuestro pabellón;
su presencia aviva todo corazón.

F. R. Havergal, trad.

364

Hoy gozoso medito

1. Hoy gozoso medito en la tierra mejor
do al ponerse mi sol llegaré.
Cuando me halle por gracia con Cristo
el Señor,
¿la corona de estrellas tendré?

Coro
¿Una bella corona de estrellas tendré
por las almas que a Cristo llevé?
Cuando llegue al hogar
de la dicha sin par,
¿la corona de estrellas tendré?

2. De la fuerza de Dios esperando el
poder,
trabajar quiero siempre y orar
por las almas, y al fin, cual estrellas,
saber
que en mis sienes irán a brillar.

3. ¡Oh! qué gozo en los cielos será
para mí
vivas gemas poner a sus pies;
y tener en mi frente corona que allí
ornen joyas de tal brillantez.

E. E. Hewitt, trad.

365

Solitarios corazones

1. Solitarios corazones que podemos
consolar,
de cansancio y desengaños van
rendidos, al pasar.
Infundámosles valor en la senda
terrenal.
¿Les negamos nuestro amor?
¡Ay!, ¿por qué egoísmo tal?

Coro
Rescatad de su mal
y salvad al mortal;
socorredlo con amor,
y llevadlo al Salvador.

2. Con desprecio no miremos su sendero
al transitar;
las heridas de sus almas acudamos
a vendar.
Ese bálsamo de paz, eficaz,
consolador,
en sus llagas hoy verted
como ofrenda del amor.

3. Se deslizan, y perdemos, eslabón
tras eslabón,
de los muchos que nos ligan, corazón
con corazón.
Mas el sembrador del bien, fruto
bueno ha de segar.
¡A los campos blancos, pues!
Y por Cristo, ¡a trabajar!

Del inglés

366

Tocad trompeta ya

1. Tocad trompeta ya,
alegres en Sion;
al mundo proclamad
la eterna redención.

Coro
Este es el año de bondad,
volved a vuestra libertad,
volved a vuestra libertad.

2. A Cristo predicad;
decid que ya murió
y con su potestad
la muerte destruyó.

3. Vosotros que el favor
del cielo despreciáis,
ved que por el amor
de Cristo lo alcanzáis.

4. Llamadles con amor;
id, ofrecedles paz.
Es tarde, apresurad;
que vuelvan a su faz.

G. H. Rule

367

¿Qué estás haciendo por Cristo?

1. ¿Qué estás haciendo por Cristo
   mientras vida él te da?
   ¿Sembrando estás su Palabra
   o te hallas durmiendo quizá?

Coro

   ¿Qué estás haciendo hoy para Cristo?
   ¿Qué estás haciendo? ¿Hoy esperarás?
   ¿Qué estás haciendo hoy para Cristo?
   Te dio su gracia; tú ¿qué le darás?

2. ¿Qué estás haciendo por Cristo,
   tu gran Rey y Señor?
   ¿Cuidas el alma afligida
   con gracia, ternura y amor?

3. ¿Qué estás haciendo por Cristo?
   Pronto anochecerá.
   Ven sin tardar y trabaja,
   pues Cristo muy pronto vendrá.

                    Mercedes P. de Bernal

368

Ama a tus prójimos

1. Ama a tus prójimos, piensa en sus
      almas,
   diles la historia de Cristo, el Señor;
   cuida del huérfano, hazte su amigo.
   Cristo le es Padre y fiel Salvador.

Coro

   Salva al incrédulo,
   mira el peligro;
   Dios le perdonará,
   Dios le amará.

2. Aunque rechácenle, tiene paciencia
   hasta que puédales dar la salud.
   Venles los ángeles desde los cielos,
   vigilaránles con solicitud.

3. Dentro del corazón triste, abatido,
   obra el Espíritu transformador,
   que lo conducirá, arrepentido,
   a Jesucristo su buen Redentor.

4. Salva a tus prójimos; Cristo te ayuda;
   fuerza de Dios será tuya en verdad.
   El te bendecirá en tus esfuerzos;
   con él disfrutarás la eternidad.

                    P. H. Goldsmith

369

Vivo por Cristo

1. Vivo por Cristo, confiando en su amor,
   vida me imparte, poder y valor;
   grande es el gozo que tengo por él,
   es de mi senda Jesús guía fiel.

Coro

   ¡Oh Salvador bendito! me doy tan
      sólo a ti,
   porque tú en el Calvario te diste allí
      por mí;
   no tengo más Maestro, yo fiel te
      serviré;
   a ti me doy, pues tuyo soy, de mi
      alma eterno Rey.

2. Vivo por Cristo, murió pues por mí;
   siempre servirle yo quisiera aquí;
   porque me ha dado tal prueba
      de amor
   quiero rendirme por siempre al Señor.

3. Vivo por Cristo, doquiera que esté;
   ya por su ayuda sus obras haré;
   pruebas hoy llevo con gozo y amor,
   pues veo en ellas la cruz del Señor.

4. Vivo sirviendo, siguiendo al Señor;
   quiero imitar a mi buen Salvador.
   Busco a las almas hablándoles de él,
   y es mi deseo ser constante y fiel.

                    Thomas O. Chisholm
                 Trad. por *J. P. Simmonds*

Credit line on page 206.

370

Muy constante es Jesús

1. Muy constante es Jesús;
   siempre te amará.
   Si caminas en su luz,
   él te sostendrá.

Cristo es siempre fiel,
Cristo es siempre fiel.
Cielo y tierra pasarán,
mas Cristo es siempre fiel.

2. Cuando haya que luchar,
fuerza te dará.
Nunca debes desmayar,
él te ayudará.

3. Si la vida es como hiel,
Cristo aliento da.
Si el amigo te es infiel,
él no faltará.

A. H. Roth

Credit line on page 206.

371
Dame la fe de mi Jesús

1. Dame la fe de mi Jesús,
es mi oración, oh buen Señor:
la fe que al alma da la paz,
la fe que salva de temor;
fe de los santos galardón,
gloriosa fe de salvación.

2. Dame la fe que trae poder,
que a los demonios da terror;
que fieras no podrán vencer,
ni dominarla el opresor;
fe de los santos galardón,
gloriosa fe de salvación.

3. Dame la fe que vencerá,
bendita fe de mi Jesús.
Dame la fe que fijará
mi vista en su divina cruz;
fe de los santos galardón,
gloriosa fe de salvación.

4. Dame la fe que da el valor,
que ayuda al débil a triunfar,
que todo sufre con amor
y puede en el dolor cantar;
fe de los santos galardón,
gloriosa fe de salvación.

V. Mendoza

372
Tentado, no cedas

1. Tentado, no cedas; ceder es pecar;
más fácil sería luchando triunfar.
¡Valor!, pues, resuelto, domina tu mal;
Dios puede librarte de asalto mortal.

Coro
En Jesús, pues, confía;
en sus brazos tu alma
hallará dulce calma;
él te hará vencedor.

2. Evita el pecado, procura agradar
a Dios, a quien debes por siempre
ensalzar;
no manche tus labios impúdica voz;
preserva tu vida de ofensas a Dios.

3. Amante, benigno y enérgico sé;
en Cristo, tu amigo, pon toda tu fe;
rinde a Dios tu vida, ríndele tu ser;
corona te espera y vas a vencer.

373
Nunca estéis desanimados

1. Nunca estéis desanimados:
gracia divina obtendréis;
Cristo os sostiene en la lucha,
y en su poder triunfaréis.

Coro
Nunca os rindáis, nunca os rindáis,
nunca os rindáis en las pruebas;
Cristo las desterrará;
fiad en Jesús, fiad en Jesús;
cuanto más duras las luchas,
tanto más gracia os dará.

2. ¿Qué hay si os oprimen las cargas?
¿Qué hay si es sombrío el vivir?
Ved hacia el lado risueño,
vuestro camino al seguir.

3. Nunca estéis desanimados:
su brazo os apoyará;
siempre confiad en su gracia;
vuestro luchar premiará.

Francisca J. Crosby, trad.

374

Los hijos del reino

1. Los hijos del reino preséntanse ya:
resuena guerrera la voz de Jehová.
Conflictos terribles Satán provocó;
¡las armas tomemos, que ya comenzó!

2. La hueste contraria se apresta a la lid;
mas no la temáis, con valor embestid.
Dios es nuestra fuerza, es nuestra
canción:
resueltos marchemos alzando pendón.

3. Soldados valientes, al triunfo marchad:
con Cristo por jefe, ¿quién vacilará?
Blandiendo la espada del Verbo de
Dios,
resueltos seguid de su lábaro en pos.

4. Mil luchas y pruebas nos han de costar
las áureas coronas que hemos de usar;
ornarán refulgentes, con gran
esplendor,
la frente de aquellos que tienen valor.

T. M. Westrup

375

¡Oh Rey eterno, avanza!

1. ¡Oh Rey eterno, avanza!
Es tiempo de marchar;
contigo en la contienda
habremos de triunfar;
llevamos la coraza
que has dado, buen Señor;
contigo avanzaremos,
oh gran Conquistador.

2. ¡Oh Rey eterno, avanza!
Tú, Capitán serás,
y al fin entonaremos
el himno de la paz.
No con humana fuerza,
mas con tu santo amor
se gana la victoria
en la lucha del Señor.

3. ¡Oh Rey eterno, avanza!
Seguimos sin temor;
se ven en lontananza
las luces del albor.
Seguimos con firmeza
la enseña de la cruz;
muy pronto aclamaremos
al magno Rey, Jesús.

W. Pardo G.

376

¡Oh, hermanos!

1. ¡Oh, hermanos!, en los cielos
ved la enseña ya.
Hay refuerzos, muy segura
la victoria está.
"Voy allá, estad, pues, firmes",
clama el Salvador.
Firmes por tu gracia estamos;
ella da valor.

2. No importa si asedian
con rugiente afán
las legiones aguerridas
del traidor Satán.
No os arredre su fiereza,
ved en derredor
cómo caen sus guerreros
casi sin valor.

3. Tremolando se divisa
el marcial pendón,
y se escucha de trompetas
el guerrero son.
En el nombre del que viene,
nuestro Capitán,
todos nuestros enemigos
con temor huirán.

4. Sin descanso, ruda sigue
la furiosa lid.
¡Ya!, hermanos, ved cercano
nuestro Adalid.
Poderoso Cristo viene,
salvará su grey.
¡Oh, hermanos! ¡Alegría!
¡Viva nuestro Rey!

J. B. Cabrera

377

No te dé temor

1. No te dé temor hablar por Cristo,
   haz que brille en ti su luz;
   al que te salvó confiesa siempre,
   todo debes a Jesús.

Coro
   No te dé temor, no te dé temor,
   nunca, nunca, nunca.
   Es tu Salvador amante;
   nunca, pues, te dé temor.

2. No te dé temor vivir por Cristo
   cuanto de tu parte está;
   obra con amor, con fe y constancia:
   tus trabajos premiará.

3. No te dé temor sufrir por Cristo
   los reproches, o el dolor;
   sufre con amor tus pruebas todas,
   cual sufrió tu Salvador.

4. No te dé temor morir por Cristo:
   vida y verdad es él;
   él te llevará con gran ternura
   a su célico vergel.

   T. M. Westrup

378

¡Firmes y adelante!

1. ¡Firmes y adelante, huestes de la fe,
   sin temor alguno, que Jesús nos ve!
   Jefe soberano, Cristo al frente va
   y la regia enseña tremolando está.

Coro
   ¡Firmes y adelante, huestes de la fe,
   sin temor alguno, que Jesús nos ve!

2. Al sagrado nombre de nuestro Adalid,
   tiembla el enemigo, y huye de la lid.
   Nuestra es la victoria; dad a Dios loor,
   y óigalo el averno lleno de pavor.

3. Muévese potente el pueblo del gran
         Dios,
   pues de su gran Jefe marcha siempre
         en pos.

Es un solo cuerpo y uno es el Señor,
una la esperanza y uno es el amor.

4. Tronos y coronas pueden perecer;
   de Jesús la iglesia firme ha de ser.
   Nada en contra de ella prevalecerá,
   porque la promesa nunca faltará.

   J. B. Cabrera

379

¡De pie, de pie, cristianos!

1. ¡De pie, de pie, cristianos!,
   soldados de la cruz.
   Seguid el estandarte
   de vuestro Rey, Jesús,
   pues victoriosamente
   sus huestes mandará,
   y al fiero enemigo,
   pujante, vencerá.

2. ¡De pie, de pie, cristianos!,
   pues suena ya el clarín
   llamando al conflicto
   al bravo paladín.
   Soldados varoniles,
   henchíos de valor,
   portaos en la lucha
   con bríos y vigor.

3. ¡De pie, de pie, cristianos!,
   en Dios la fuerza está;
   el débil brazo humano
   bien pronto os faltará.
   Tomando la armadura
   de Dios, con oración,
   donde el deber os llame,
   id presto con tesón.

4. ¡De pie, de pie, cristianos!,
   al fin el galardón;
   si hoy la lucha es recia,
   mañana habrá canción.
   Quien salga victorioso
   corona obtendrá,
   y con el Rey de gloria
   por siempre vivirá.

   E. L. Maxwell

380

Contendamos siempre por nuestra fe

1. Contendamos siempre por nuestra fe,
   aunque ruja el mundo en derredor;
   nunca el tentador nos podrá vencer,
   pues nos librará el Señor.

Coro
   Si sufrimos aquí, reinaremos allí,
   en la gloria celestial;
   si llevamos la cruz por amor de Jesús,
   la corona él nos dará.

2. No seamos tibios de corazón,
   ni dejemos nunca el primer amor;
   mantengamos firme la profesión
   de la fe del Salvador.

3. Procuremos todos la santidad,
   sin la cual ninguno verá al Señor;
   gozo, paz y eterna felicidad
   Cristo da al vencedor.

E. Turrall

381

¡Despertad, despertad, oh cristianos!

1. ¡Despertad, despertad, oh cristianos!
   Vuestro sueño funesto dejad;
   que el crüel enemigo os acecha,
   y cautivos os quiere llevar.
   ¡Despertad!, las tinieblas pasaron;
   de la noche no sois hijos ya,
   mas lo sois de la luz y del día,
   y tenéis el deber de luchar.

2. Despertad y bruñid vuestras armas,
   vuestros lomos ceñid de verdad,
   y calzad vuestros pies, aprestados
   con el grato Evangelio de paz.
   Basta ya de profundas tinieblas,
   basta ya de pereza mortal;
   ¡revestid, revestid vuestro pecho
   con la cota de fe y caridad!

3. La gloriosa armadura de Cristo
   acudid con valor a tomar,
   confiando en que el dardo enemigo
   impotente se ha de quebrar.
   ¡Oh cristianos, antorchas del mundo!,
   de esperanza el yelmo tomad,
   embrazad de la fe el escudo,
   y sin miedo corred a luchar.

4. No temáis, pues de Dios revestidos,
   ¿qué enemigo venceros podrá,
   si tomáis por espada la Biblia,
   la Palabra del Dios de verdad?
   En la cruz hallaréis la bandera,
   en Jesús hallaréis Capitán;
   en el cielo obtendréis la corona:
   ¡A luchar! ¡A luchar! ¡A luchar!

P. Castro

382

Aquí mis días ya se van

1. Aquí mis días ya se van,
   de pobre peregrino.
   Que vuelen, pues llevarme han
   a mi feliz destino.
   Llegamos a la orilla ya,
   muy pronto pasaremos,
   y enfrente deslumbrante está
   la patria que buscamos.

2. Ceñid los lomos con valor,
   leales compañeros;
   delante ved el resplandor
   de valles placenteros.
   De nuestro Jefe oíd la voz:
   "Que toda lámpara arda;
   sé fiel; haz prosperar tu don,
   y lo que tienes guarda".

3. Aunque amenace el porvenir,
   constantes cantaremos.
   Después de tanto aquí sufrir,
   en Dios reposaremos.
   Jamás mundana tempestad
   perturbará el reposo;
   él nos dará la eternidad
   de incomparable gozo.

383

Sale a la lucha el Salvador

1. Sale a la lucha el Salvador
corona a conquistar;
su insignia luce por doquier,
flameante al frente va.
Su cáliz ¿quién lo beberá,
triunfando del dolor?
Aquel que lleva aquí su cruz,
de Cristo es seguidor.

2. El mártir con gloriosa fe
la muerte despreció;
por su Maestro salvo fue,
su nombre él invocó.
Cual Cristo, compasión sintió
por el que le hizo mal
y a su enemigo perdonó.
¿Quién, pues, hará igual?

3. Al fin, la gran congregación,
del trono en derredor
levantará al Señor Jesús
sus voces de loor.
Peligros, luchas y dolor
pudieron soportar.
¡Concédenos, eterno Dios,
la gracia de ir allá!

G. Paúl S.

384

Voy al cielo

1. Voy al cielo, soy peregrino,
a vivir eternamente con Jesús;
pues él abrió ya amplio camino,
al expirar sobre amarga cruz.

Coro
Voy al cielo, soy peregrino,
a vivir eternamente con Jesús.

2. Duelo, muerte, amarga pena,
nunca, nunca más se encontrarán allá;
preciosa vida, de gozo llena,
el alma mía disfrutará.

3. ¡Tierra santa, hermosa y pura!,
entraré en ti, salvado por Jesús;
y gozaré siempre la ventura,
iluminado con santa luz.

De *Estrella de Belén*

385

Los que aman al Señor

1. Los que aman al Señor
eleven su canción,
que en dulces notas de loor,
que en dulces notas de loor,
ascienda a su mansión,
ascienda a su mansión.

Coro
A Sion caminamos,
nuestra ciudad tan gloriosa;
marchando todos cantamos
de Dios y la bella mansión.

2. Unida está, oh Dios,
tu fiel y amada grey;
y cantan todos a una voz,
y cantan todos a una voz,
los hijos del gran Rey,
los hijos del gran Rey.

3. En Sion disfrutaréis
la gracia del Señor
que hoy os promete la tendréis,
que hoy os promete la tendréis,
del trono en derredor,
del trono en derredor.

4. Cantemos con fervor,
dejemos el pesar,
marchemos libres de temor,
marchemos libres de temor,
al más feliz hogar,
al más feliz hogar.

Vicente Mendoza

386

Peregrinos en desierto

1. Peregrinos en desierto,
   guíanos, Señor Jehová;
   somos débiles: tu diestra
   fuerte nos apoyará.
   Pan del cielo, pan del cielo
   a tu errante pueblo da,
   a tu errante pueblo da, pueblo da,
   a tu errante pueblo da.

2. Tú, la fuente misma, danos
   agua viva, espiritual;
   nuestra suerte está en tus manos,
   y la herencia del mortal.
   Dios benigno, Dios benigno,
   líbranos de todo error,
   líbranos de todo error, todo error,
   líbranos de todo error.

3. Desvanece los terrores
   de la orilla del Jordán;
   por ti más que vencedores
   haz que entremos en Canaán.
   Tus bondades, tus bondades
   tema eterno nos serán,
   tema eterno nos serán, nos serán,
   tema eterno nos serán.

   T. M. Westrup

387

La senda ancha dejaré

1. La senda ancha dejaré,
   yo quiero por la angosta andar,
   y muchos no sabrán por qué,
   mas voy a mi celeste hogar.

Coro

   No puede el mundo ser mi hogar,
   no puede el mundo ser mi hogar;
   en gloria tengo mi mansión,
   no puede el mundo ser mi hogar.

2. Algunos quieren verme ir
   por el sendero del pecar;
   oír no puedo su llamar,
   pues voy a mi celeste hogar.

3. ¿Por qué no quieres tú buscar,
   siguiendo en pos del Salvador,
   la hermosa tierra más allá?
   ¡Oh! ven conmigo, pecador.

   H. C. Ball

388

Soy peregrino aquí

1. Soy peregrino aquí.
   Al cielo voy.
   Es, pues, mi canto así:
   Al cielo voy.
   Tu muerte en la cruz
   me lleva a la luz
   do te veré, Jesús.
   Al cielo voy.

2. Si penas tengo aquí,
   al cielo voy;
   no las veré allí,
   al cielo voy.
   Contigo, mi Señor,
   en gloria y amor,
   no sentiré dolor.
   Al cielo voy.

3. Del mundo de dolor,
   al cielo voy.
   Con calma y valor,
   al cielo voy.
   ¡Qué dicha al fin será
   ver a Jesús allá!
   El mi placer es ya.
   Al cielo voy.

389

El camino es escabroso

1. El camino es escabroso,
   y los pies sangrantes van.
   ¿Cuánto dista Canaán?
   ¿Cuánto dista Canaán?
   Por su amparo suspiramos
   cada día más y más.
   ¿Cuánto aún, cuánto dista Canaán?

Coro
   Muy cansados, tan cansados,
   muy cansados de vagar
   por el desierto estamos ya.
   Muy cansados, tan cansados.
   ¿Cuánto aún, cuánto dista Canaán?

2. Por el árido desierto
   es penoso el caminar.
   ¿Dista mucho Canaán?
   ¿Dista mucho Canaán?
   En la arena están las huellas
   de los que pasaron ya.
   ¿Cuánto aún, cuánto dista Canaán?

3. ¡Oh, cuán dulce el descanso
   ha de ser en nuestro hogar!
   ¡Ya se acerca Canaán!
   ¡Ya se acerca Canaán,
   donde todas nuestras penas
   ya no volverán jamás!
   ¡Cerca ya, ya se acerca Canaán!

390

Busquemos la patria

1. Busquemos la patria de justos y santos,
   do mora la dicha, do reina el amor.
   Dejad, pecadores, fugaces encantos
   que os ciegan y os llenan de eterno
      dolor.

2. Hermanos viajeros, felices marchemos,
   delicias eternas allí Dios dará;
   pues sobre collados de gloria
      andaremos,
   y herencia esa tierra de todos será.

3. Deseamos, hermano, en camino
      llevarte.
   Por ti detenidos estamos; ¡oh ven!
   En Cristo confía que anhela salvarte
   y hacerte morar en su célico Edén.

4. Tal vez desconfiado, te estás
      preguntando:
   "¿Quién puede mi negra conciencia
      limpiar?"
   Jesús es el único; ven, pues, orando:
   "Señor, haz que pueda a tu reino
      llegar".

                    T. M. Westrup

391

¿Muy lejos el hogar está?

1. "¿Muy lejos el hogar está?",
   con ansia al guarda pregunté.
   "Muy pronto el día llegará
   de coronar al Rey",
   me contestó; "no llores más,
   cercano está del viaje el fin;
   alegre antonces entrarás
   al celestial festín".

2. Señales muchas se ven ya,
   en cielo, tierra y en el mar;
   la aurora luego rayará,
   del anhelado hogar.
   Consuélate, no llores más;
   el Redentor enjugará
   del siervo fiel las lágrimas;
   descanso le dará.

3. Jesús en breve volverá,
   ¡qué pensamiento alentador!
   La creación ansiosa está
   de ver al Creador.
   Entonces ya terminará
   tristeza, muerte y dolor;
   un paraíso se abrirá
   al pueblo del Señor.

                    Ruth M. de Riffel

392

Hay tan sólo dos sendas

1. Hay tan sólo dos sendas en que andar:
   una es la estrecha de vida y luchar;
   mas la otra desciende al caos del error;
   su amor es engaño, su gozo es dolor,
   su gozo es dolor, su gozo es dolor.

2. Hay tan sólo dos guías para el viador:
   Cristo, el amante y benigno Pastor,
   y el fiero maligno con saña infernal,
   que oculta entre flores veneno mortal,
   veneno mortal, veneno mortal.

3. Hay también dos moradas: la áurea
   ciudad,
   libre por siempre de toda maldad;
   la otra del malo la paga final,
   la muerte segunda, la ruina eternal,
   la ruina eternal, la ruina eternal.

4. Entra presto en la senda de vida y paz,
   y huye el camino mundano, falaz;
   acude al convite del Consolador,
   que espérate amante tu fiel Salvador,
   tu fiel Salvador, tu fiel Salvador.

Elisa Pérez

393

Aprendí el gran secreto

1. Aprendí el gran secreto
   de morar en el Señor;
   mi descanso es completo,
   sin afán y sin dolor.
   Vivo ya en su fortaleza,
   me sostiene el Salvador;
   ya no siento mi flaqueza,
   fortaléceme su amor.

Coro
   Moro en Cristo, el Salvador,
   y me gozo en el Señor;
   hoy mi vida se renueva
   en el seno de su amor.

2. Este mundo ya no sigo;
   Cristo vive en mí por fe.
   Su presencia está conmigo
   del pecado me aparté.
   Es Jesús mi fundamento.
   Heredero soy con él;
   de mi gozo es el aliento,
   su Palabra es como miel.

3. Su presencia es muy preciosa;
   mis pesares ya quitó;
   en la santidad gloriosa
   por su sangre vivo yo.
   El Espíritu me ha dado
   que me guía al Redentor,
   y mi vida ha llenado
   con su paz y puro amor.

W. R. Adell, adaptado

394

Puedo oír tu voz llamando

1. Puedo oír tu voz llamando,
   suavemente susurrando,
   que a mi alma está hablando:
   "Trae tu cruz y ven en pos de mí".

Coro
   Seguiré do tú me guíes,
   seguiré do tú me guíes,
   seguiré do tú me guíes;
   dondequiera, fiel, te seguiré.

2. Yo te seguiré en el huerto,
   y también por el desierto,
   y aun sediento y casi muerto,
   sufriré contigo, mi Jesús.

3. Sufriré por ti, Maestro.
   Si el camino es siniestro
   tú serás refugio nuestro;
   moriré contigo, mi Jesús.

4. Me darás la gracia y gloria
   de obtener la gran victoria,
   y contar la dulce historia:
   que por mí Jesús su vida dio.

Sra. de F. F. D.

395

La cruz no es mayor

1. La cruz no es mayor que la gracia
que el Señor Jesús me da;
su rostro el nublado más negro
esconder jamás podrá.

Coro
La cruz no es mayor que su bondad;
no oculta su faz la tempestad;
satisfáceme saber
que confiando en el poder
de Jesús, podré vencer.

2. Si espinas agudas me hieren,
de ellas él se coronó;
si amarga es mi copa, en el huerto
cáliz peor él apuró.

3. La luz de su amor más reluce
en la senda de aflicción;
no siento el afán cuando llevo
al perdido salvación.

4. Andando a su vista me gozo
en cumplir su voluntad;
su sangre mi vida ha limpiado
y me guarda en la verdad.

E. L. Maxwell

396

Meditar en Jesús

1. Meditar en Jesús ha de ser mi afán:
me amó siendo yo un pecador;
él ganó para mí la diadema celestial,
en la cruz, do mostróme su amor.

Coro
Ven, ven, buen Jesús.
Mora en mi corazón,
lléname de santidad,
pues contigo deseo andar.

2. Consultar a Jesús ha de ser mi afán,
y Jesús me dará su clara luz.

Sin Jesús, y por mí, nada quiero
practicar;
mis acciones inspire Jesús.

3. Predicar a Jesús ha de ser mi afán,
y Jesús me dará fuerza y poder.
Sin Jesús y su amor, vano fuera
trabajar;
de Jesús en la cruz, hablaré.

4. Imitar a Jesús ha de ser mi afán.
En Jesús quiero mi dechado ver.
Sin mirar a Jesús, nada bueno puedo
hacer,
mas fijándome en él, todo es bien.

397

A los pies de Jesucristo

1. A los pies de Jesucristo,
¡qué palabras me habla a mí!
¡Sitio tan feliz, precioso,
cada día encuentre aquí!
Contemplando lo pasado,
vuelvo a ver hoy la visión
del amor tan puro y santo
que ganó mi corazón.

2. A los pies de Jesucristo,
¡cuánto bien se puede hallar!
Dejo aquí mi mal, mis penas,
y hallo grato descansar.
A los pies de Cristo, humilde,
lloro y gózome en orar,
y anhelo gracia diaria
de su plenitud sacar.

3. ¡Oh Señor bendito, dame
tu divina y santa paz!
Mira con amor a tu hijo,
vea yo tu dulce faz.
Dame el ánimo de Cristo,
hazme santo, justo y fiel;
ande yo con Cristo siempre,
porque mi justicia es él.

E. L. Maxwell

398

Sólo anhelo, Cristo amado

1. Sólo anhelo, Cristo amado,
   en tus leyes caminar;
   siempre hacer lo que es tu agrado,
   tus acciones imitar.
   Mas soy débil y cargado
   con mi mucha iniquidad,
   pues, oh Dios, yo he faltado
   a tu santa voluntad.

2. Ten piedad, oh Cristo amado,
   de este pobre pecador.
   Límpiame de mi pecado,
   oh, bendito Salvador.
   No permitas que me venza
   otra vez el tentador.
   ¡Oh mi Dios!, con gran vergüenza
   te lo pido por tu amor.

3. Al que pide, es tu promesa
   darle lo que ha menester.
   Yo anhelo tu pureza,
   tu limpieza, tuyo ser.
   Y en tu reino, cuando vengas,
   ten memoria aún de mí,
   que por hijo tú me tengas
   y me lleves junto a ti.

V. E. Thomann

399

Cristo está conmigo

1. Cristo está conmigo: ¡qué consolación!
   Su presencia aleja todo mi temor.
   Tengo la promesa de mi Salvador:
   "No te dejaré yo, pues contigo estoy".

Coro
Cristo está conmigo: ¡qué consolación!
Su presencia aleja todo mi temor.

2. Fuertes enemigos siempre cerca están;
   Cristo está más cerca, guárdame del
     mal.
   "Ten valor" me dice, "soy tu Defensor;
   no te dejaré yo, pues contigo estoy".

3. El que guarda mi alma nunca dormirá.
   Si mi pie resbala, él me sostendrá.
   En mi vida diaria es mi Protector;
   fiel es su palabra: "Yo contigo estoy".

E. Turral

400

Ando con Cristo

1. Ando con Cristo, somos amigos,
   y mantenemos fiel comunión;
   ya de su lado nunca me aparto;
   ¡cuánto me alienta su comprensión!

Coro
Ando con Cristo, somos amigos,
todas mis cuitas las llevo a él.
Ando con Cristo, marcho a su lado,
oigo la suave voz de Emmanuel.

2. Los oropeles vanos del mundo
   abandonélos sin vacilar.
   Siendo su amor tan caro y profundo,
   llena de encanto nuestra amistad.

3. Hasta las pruebas que en mi camino
   quieren quitarme todo valor,
   sólo son ayos que me conducen
   a la presencia del Salvador.

Sara Ramos de Chaij

401

Concédeme, Jesús, poder

1. Concédeme, Jesús, poder,
   y gracia para comprender
   cuán dulce es el amar;
   y haz que pueda en santidad,
   del cielo la felicidad
   contigo aquí gozar.

2. La santa sed impárteme
   de conocerte a ti, y tendré
   entonces la virtud
   de tu perfecta salvación,
   y gozará mi corazón,
   de amor la plenitud.

3. ¡Oh, santifícame, Señor!
   Mi alma llena de tu amor,
   y haz que pueda oír
   tu voz, tu rostro contemplar,
   en tu hermosura meditar,
   y en ti, por ti vivir.

402

Hoy me llama el mundo en vano

1. Hoy me llama el mundo en vano,
   quiero ser cual Cristo;
   ya no sirvo a lo mundano,
   quiero ser cual Cristo.

Coro

   ¡Ser como él de corazón!,
   es mi sola aspiración;
   en cualquiera condición
   quiero ser cual Cristo.

2. Mis cadenas Cristo ha roto,
   quiero ser cual Cristo;
   su servicio haré, devoto,
   quiero ser cual Cristo.

3. Ya que al cielo él va a llevarme,
   quiero ser cual Cristo;
   que él un premio pueda darme,
   quiero ser cual Cristo.
   James Rowe
   Trad. por *J. P. Simmonds*

Credit line on page 206.

403

Hay un lugar do quiero estar

1. Hay un lugar do quiero estar,
   cerca de ti, Señor;
   allí podré yo descansar
   en tu divino amor.
   Oh, ven, Jesús bendito,
   lléname de tu amor;
   manténme siempre firme
   cerca de ti, Señor.

2. Hay un lugar de dulce paz,
   cerca de ti, Señor.
   Vivir yo quiero donde estás,
   querido Salvador.
   Oh, ven, Jesús bendito,
   lléname de tu amor;
   manténme siempre firme
   cerca de ti, Señor.

3. Sólo hay segura salvación
   cerca de ti, Señor;
   hay gozo y luz y bendición
   cerca de ti, Señor.
   Oh, Salvador bendito,
   recibe a un pecador,
   y tómame en tus brazos
   de paternal amor.

404

Prefiero mi Cristo

1. Prefiero mi Cristo al vano oropel;
   prefiero su gracia a riquezas sin fin.
   A casas y tierras prefiérole a él;
   será de mi alma fuerte paladín.

Coro

   Antes que ser rey de cualquier nación
   y en pecado gobernar,
   prefiero a mi Cristo, sublime don
   cual el mundo no ha de dar.

2. No quiero el aplauso del mundo falaz;
   prefiero en las filas de Cristo servir.
   La fama del mundo es liviana y fugaz;
   prefiero por siempre a Jesús seguir.

3. Más bello que el lirio en su níveo
      blancor,
   mi Cristo es más dulce aun que la
      miel.
   Su paz a mi alma dará el Señor;
   yo quiero que Cristo me conserve fiel.
   G. Bustamante

Credit line on page 206.

405

¡Oh! ¡Maestro y Salvador!

1. ¡Oh! ¡Maestro y Salvador!,
   no me dejes desmayar;
   en tu gracia y en tu amor
   sólo fío sin cesar,
   sálo fío sin cesar.

2. Pobre y débil sé que soy,
   lo confieso, mi Señor.
   A tus pies rendido estoy,
   dame fuerzas y valor,
   dame fuerzas y valor.

3. Dime tú lo que he de ser,
   las palabras que he de hablar,
   lo que siempre debo hacer,
   mientras voy hacia el hogar,
   mientras voy hacia el hogar.

4. Sólo así feliz seré
   en mi vida espiritual;
   sólo así morar podré
   en la patria celestial,
   en la patria celestial.

   H. B. Someillán

406

Más de Jesús

1. Más de Jesús deseo saber,
   más de su gracia conocer,
   más de su salvación gozar,
   más de su dulce amor gustar.

Coro

   Más quiero amarle,
   más quiero honrarle,
   más de su salvación gozar,
   más de su dulce amor gustar.

2. Más de Jesús deseo oír,
   más de su santa ley cumplir,
   más de su voluntad saber,
   más de su Espíritu tener.

3. Más de Jesús, más oración,
   más cerca estar en comunión,
   más su Palabra meditar,
   más sus promesas alcanzar.

4. Más de Jesús allá veré,
   más semejante a él seré,
   más de su gloria he de gozar,
   más su gran nombre he de alabar.

   E. E. Hewitt

407

No me pases

1. No me pases, no me olvides,
   tierno Salvador;
   muchos gozan tus mercedes,
   oye mi clamor.

Coro

   Cristo, Cristo,
   oye tú mi voz;
   Salvador, tu gracia dame,
   oye mi clamor.

2. Ante el trono de tu gracia
   hallo dulce paz;
   nada aquí mi alma sacia,
   tú eres mi solaz.

3. Sólo fío en tus bondades,
   guíame en tu luz,
   y mi alma no deseches,
   sálvame, Jesús.

4. Fuente viva de consuelo
   eres para mí;
   mi alma pone en ti su anhelo,
   solamente en ti.

   Francisca J. Crosby, trad.

408

Más cerca, oh Dios, de ti

1. Más cerca, oh Dios, de ti quiero morar;
   aunque sobre una cruz me hayan de
   alzar.
   Entonaré allí este himno con fervor:
   Más cerca, oh Dios, de ti, más cerca, sí.

2. Si cual viajero voy con ansiedad,
   medroso al ver cerrar la oscuridad,
   aun en mi soñar me harás sentir que
   estoy
   más cerca, oh Dios, de ti, más cerca, sí.

3. Después, al despertar, a ti por fe
   de mi aflicción altar elevaré.
   Y cuanto sufro aquí me hará sentir
   que estoy
   más cerca, oh Dios, de ti, más cerca, sí.

4. Camino encuentro aquí que al cielo va,
   pues sé que allí tu amor me sostendrá.
   Cercano sentiré el ángel del Señor.
   Más cerca, oh Dios, de ti, más cerca, sí.

5. Y cuando a tu mansión me llevarás,
   y estrellas, luna y sol yo deje atrás,
   gozoso entonaré canción eterna allí:
   Más cerca, oh Dios, de ti, más cerca, sí.

   S. F. Adams, trad.

409

¡Oh! quién pudiera andar con Dios

1. ¡Oh! quién pudiera andar con Dios,
   su dulce paz gozar,
   volviendo a ver de nuevo el sol
   de santidad y amor.

2. ¡Oh tiempo aquel en que lo vi!
   ¡Beatífica visión!
   Su fiel acento de amor
   oyó mi corazón.

3. Aquellas horas de solaz,
   ¡cuán caras aún me son!
   Del mundo halagos no podrán
   suplir su falta, no.

4. Paloma santa, vuelve a mí.
   ¡Oh, Paracleto, ven!
   Perdona el pecado vil
   con que te contristé.

410

Mi mano ten

1. Mi mano ten, Señor; me siento débil:
   sin ti no puedo riesgos afrontar;
   tenla Señor; mi vida el gozo llene
   de verme libre así de todo azar.

2. Mi mano ten; permite que me animen
   mi regocijo, mi esperanza en ti;
   tenla Señor, y compasivo impide
   que caiga en mal cual una vez caí.

3. Mi mano ten; mi senda es tenebrosa
   si no la alumbra tu radiante faz;
   por fe si alcanzo a percibir tu gloria,
   ¡cuán grande gozo!, ¡cuán profunda
   paz!

   T. M. Westrup

411

Más santidad dame

1. Más santidad dame, más odio al mal,
   más calma en las penas, más alto ideal;
   más fe en el Maestro, más
   consagración,
   más celo en servirle, más fe en la
   oración.

2. Más prudente hazme, más sabio en él,
   más firme en su causa, más fuerte y
   más fiel;
   más recto en la vida, más triste al
   pecar,
   más humilde hijo, más pronto en amar.

3. Más pureza dame, más fuerza en Jesús,
   más de su dominio, más paz en la cruz;
   más rica esperanza, más obras aquí,
   más ansia del cielo, más gozo allí.

412

Salvador, mi bien eterno

1. Salvador, mi bien eterno,
   más que vida para mí,
   en mi fatigosa senda
   tenme siempre junto a ti;
   junto a ti, junto a ti,
   junto a ti, junto a ti;
   en mi fatigosa senda
   tenme siempre junto a ti.

2. No me afano por placeres,
   ni renombre busco aquí;
   vengan pruebas o desdenes,
   tenme siempre junto a ti;
   junto a ti, junto a ti,
   junto a ti, junto a ti;
   vengan pruebas o desdenes,
   tenme siempre junto a ti.

3. No te alejes en el valle
   de la muerte, sino allí,
   antes y después del trance,
   tenme siempre junto a ti;
   junto a ti, junto a ti,
   junto a ti, junto a ti;
   antes y después del trance,
   tenme siempre junto a ti.

T. M. Westrup

413

Habla, Señor, a mi alma

1. Habla, Señor, a mi alma;
   hable tu dulce voz;
   susurre en tiernas notas:
   "Tú no estás solo, no".
   Mi corazón prepara,
   presto a escuchar tu ley;
   canciones mi alma llenen
   de gratitud y fe.

Coro
   Háblame en dulces notas,
   háblame con amor:
   "Ya la victoria es tuya,
   no tengas más temor".

Háblame cada día,
hable tu tierna voz;
susurre en mis oídos:
"Tú no estás solo, no".

2. Habla a tus hijos siempre,
   dales tu santidad;
   llénalos de tu gozo;
   enséñales a orar.
   A ti consagren todo,
   vivan tan sólo en ti,
   traigan tu reino pronto,
   vean tu rostro aquí.

3. Habla cual en lo antiguo
   diste tu santa ley.
   Tus testimonios siempre
   quiero guardar por fe.
   Quiero magnificarte,
   quiero a tu gloria dar
   el grato testimonio
   de obedecer y amar.

Elisa Pérez

414

Cristo, tú eres para mí

1. Cristo, tú eres para mí
   más que vida en este mundo aquí.
   Por tu sangre limpio soy
   y a tu lado ya seguro estoy.

Coro
   Cada día, Señor,
   sé mi fuerte protector.
   Que tu tierno amor en mí
   me sostenga siempre junto a ti.

2. En la vida tan fugaz
   con tu mano siempre me guiarás;
   y confiando en ti, yo sé
   que el camino nunca perderé.

3. Más y más te quiero amar,
   y contigo siempre anhelo andar;
   y tu inagotable amor
   en el cielo gozaré, Señor.

J. P. Simmonds

415

Donde me guíe, seguiré

1. Donde me guíe, seguiré;
   pongo en Jesús mi humilde fe.
   Lo que sufrió en Getsemaní
   y en el Calvario fue por mí.

Coro

   Cristo por siempre vivirá,
   me cuidará y me guiará.
   El es mi amigo fiel, yo sé,
   porque al Calvario por mí fue.

2. Grato es su voluntad hacer
   y por su mano guiado ser.
   En sus pisadas quiero ir,
   siéndole fiel hasta el morir.

3. Sigo adelante sin temor,
   fiando por siempre en mi Señor.
   Feliz un día yo veré
   al que a la muerte por mí fue.

W. R. Adell

416

Cristo, mi piloto sé

1. Cristo, mi piloto sé
   en el tempestuoso mar.
   Fieras ondas mi bajel
   van a hacerlo zozobrar.
   Mas si tú conmigo vas,
   pronto al puerto llegaré.
   Carta y brújula hallo en ti.
   ¡Cristo, mi piloto sé!

2. Todo agita el huracán
   con indómito furor;
   mas los vientos cesarán
   al mandato de tu voz.
   Y al decir que haya paz,
   cederá sumiso el mar.
   De las aguas, tú el Señor,
   eres mi piloto fiel.

3. Cuando al fin cercano esté
   de la playa celestial,
   si el abismo ruge aún
   entre el puerto y mi bajel,
   en tu pecho al descansar
   quiero oír tu voz decir:
   "Nada temas ya del mar,
   tu piloto siempre soy".

V. Mendoza

417

En brazos del Maestro

1. En brazos del Maestro,
   segura y sin temor,
   reposa el alma mía
   en su eternal amor.
   Que rujan tempestades
   y recio vendaval,
   ¡mi Dios está conmigo,
   no temeré el mal!
   ¡Mi Dios está conmigo,
   no temeré el mal!

2. Donde el Señor me guíe
   contento siempre iré.
   A mi Pastor amante,
   confiado seguiré.
   Su voz me reconforta,
   su faz es cual la luz.
   Recorro mi camino
   siguiendo al buen Jesús;
   recorro mi camino
   siguiendo al buen Jesús.

3. Veré las deleitosas
   praderas del Edén,
   y cielos tan azules
   cual nunca aquí se ven.
   Mi alma lo desea;
   es grande el galardón,
   Jesús, mi don preciado,
   me da su salvación;
   Jesús, mi don preciado,
   me da su salvación.

W. Pardo G.

418

¡Siempre el Salvador conmigo!

1. ¡Siempre el Salvador conmigo!
   Nada soy sin su poder.
   Su presencia necesito:
   voy, sin él, a perecer.

Coro
   Me guiará mi Salvador;
   hoy en él confiaré.
   Con amor donde él me lleve
   sus pisadas seguiré.

2. ¡Siempre el Salvador conmigo!
   Puédeme la fe faltar.
   Sus palabras me consuelan;
   cual él nadie puede hablar.

3. ¡Siempre el Salvador conmigo!
   Ilumíneme su faz
   en la calma, en la tormenta,
   en la lucha y en la paz.

4. ¡Siempre el Salvador conmigo!
   Sus consejos me guiarán
   hasta que esté en la orilla
   anhelada del Jordán.

Elisa Pérez

419

Cerca, más cerca

1. Cerca, más cerca, Cristo, de ti,
   fiel Salvador y mi eterno solaz;
   guárdame junto a tu corazón;
   siempre me abrigue ese Puerto de paz,
   siempre me abrigue ese Puerto de paz.

2. Cerca, más cerca; nada traeré,
   nada de mérito, al pie de tu cruz;
   sólo mi herido y vil corazón,
   porque en tu sangre lo limpies, Jesús,
   porque en tu sangre lo limpies, Jesús.

3. Cerca, más cerca: tuyo seré;
   dejo con gozo el pecado falaz,
   todo su orgullo, pompa y placer;
   Cristo inmolado es mi eterno solaz,
   Cristo inmolado es mi eterno solaz.

4. Cerca, más cerca hasta el fin,
   hasta que ancle en el Puerto de amor,
   do por los siglos viva feliz,
   cerca, más cerca, de mi Salvador,
   cerca, más cerca, de mi Salvador.

Sra. de C. H. Morris

420

Cariñoso Salvador

1. Cariñoso Salvador,
   huyo de la tempestad
   a tu seno protector,
   fiándome de tu bondad.
   Sálvame, Señor Jesús,
   de las olas, del turbión;
   hasta el puerto de salud
   guía tú mi embarcación.

2. Otro asilo aquí no hay,
   indefenso acudo a ti;
   mi necesidad me trae,
   porque mi peligro vi.
   Solamente en ti, Señor,
   hallo paz, consuelo y luz;
   vengo lleno de temor
   a los pies de mi Jesús.

3. Cristo, encuentro en ti poder,
   y no necesito más;
   me levantas, al caer;
   débil, ánimo me das.
   Al enfermo das salud,
   vista das al que no ve.
   Con amor y gratitud
   tu bondad ensalzaré.

T. M. Westrup

421

Nada puede ya faltarme

1. Nada puede ya faltarme,
porque Dios mis pasos guía
a la tierra saludable,
en divinos frutos rica.
Dulce néctar de reposo
son sus aguas cristalinas;
ellas dan salud al alma
y la llenan de delicias.

2. Por la senda me conduce
de su ley, con mano pía,
por amor a su gran nombre,
fuente viva de justicia.
Cuando el tenebroso valle
cruce de la muerte fría,
no tendré temor alguno
siendo Dios el que me guía.

3. Con su vara y su cayado
me dará consuelo y vida,
y ante los que me persiguen
mesa me pondrá, surtida.
Con el bálsamo divino
mi cabeza aromatiza,
y rebosa ya la copa
que me colma de alegría.

4. La misericordia santa
seguirá la senda mía,
y de Dios en las mansiones
moraré por largos días.
Nada puede ya faltarme
porque Dios mis pasos guía
a la tierra saludable,
en divinos frutos rica.

422

Divina Luz

1. Divina Luz, con tu esplendor
benigno
guarda mi pie,
densa es la noche y áspero el camino;
mi guía sé.
Harto distante de mi hogar estoy:
que al dulce hogar de las alturas voy.

2. Amargos años hubo en que tu gracia
no supliqué;
de mi valor fiando en la eficacia,
no tuve fe;
mas hoy deploro aquella ceguedad;
préstame, oh Luz, tu grata claridad.

3. Al guiarme tú por noche esplendente,
yo cruzaré
el valle, el monte, el risco y el torrente,
con firme pie;
hasta que empiece el día a despuntar,
y entre yo en mi celeste hogar.

J. B. Cabrera

423

Jesús me guía

1. Jesús me guía. ¡Cuánta paz
he hallado en dicho tan veraz!
En todo afán seguro estoy,
que Dios me guarda; suyo soy.

Coro
Jesús me guía, esto sé;
su propia mano me guiará.
En toda senda oscura aquí
el Salvador conmigo va.

2. Ayer tinieblas y vaivén;
mañana un florido Edén.
Bonanza en torno o tempestad,
me ampara siempre su bondad.

3. Señor, la mano que me das,
contento tomo de hoy en más.
Acepto alegre el porvenir,
pues Dios me quiere conducir.

4. Y terminado mi quehacer,
en mí probado tu poder,
la muerte misma no huiré,
pues aun allí contigo iré.

T. M. Westrup

424

Nunca desmayes

1. Nunca desmayes, que en el afán
   Dios cuidará de ti;
   sus fuertes alas te cubrirán;
   Dios cuidará de ti.

Coro
   Dios cuidará de ti;
   velando está su tierno amor;
   sí, cuidará de ti,
   Dios cuidará de ti.

2. En duras pruebas y en aflicción,
   Dios cuidará de ti;
   en tus conflictos y en tentación,
   Dios cuidará de ti.

3. De sus riquezas te suplirá;
   Dios cuidará de ti;
   jamás sus bienes te negará;
   Dios cuidará de ti.

4. Que vengan pruebas o cruel dolor,
   Dios cuidará de ti;
   tus cargas pon sobre el Salvador;
   Dios cuidará de ti.

   C. D. Martin, trad.

425

Cristo, tu voluntad

1. Cristo, tu voluntad
   hágase siempre en mí.
   Confiado en tu bondad,
   siempre andaré aquí.
   En medio del dolor,
   o en medio de la paz,
   me rodeará tu amor
   y la gloria de tu faz.

2. Cristo, tu voluntad
   hago sin vacilar.
   ¡Oh!, quita mi maldad
   y en tu senda hazme andar.
   Lloraste tú también:
   confiado a ti iré.
   ¡Oh Salvador, mi bien,
   consuelo mío sé!

3. Cristo, tu voluntad
   gustoso acataré.
   Lo haré con lealtad
   y en ti yo viviré.
   Me gozo en recorrer
   tus sendas de bondad,
   tu ley obedecer,
   y hacer tu voluntad.

426

Alma mía, espera en tu Señor

1. Alma mía, espera en tu Señor;
   toda tu confianza pon en su amor.
   El te dará su infinita paz;
   todos tus pesares él disipará,
   y en la tormenta te sostendrá.
   Pronto la mañana de luz vendrá.

2. Alma mía, espera en tu Señor;
   toda tu confianza pon en su amor.
   Cuando el dolor hiera sin piedad,
   echa en él tu carga y descansarás.
   En la zozobra y en el pesar,
   sólo Jesucristo te ofrece paz.

3. Alma mía, espera en tu Señor;
   toda tu confianza pon en su amor.
   Pronto el dolor ha de terminar,
   y los sufrimientos no tendrán lugar.
   Eterno gozo él te dará
   y la tierra nueva será tu hogar.

   S. R. de Chaij

Credit line on page 206.

427

¿Oyes cómo Jesucristo?

1. ¿Oyes cómo Jesucristo
al cansado ofrece paz?
Pues segura, oh alma mía,
la promesa a ti se da.
Bien alguno en mí no veo;
corrupción tan sólo hay;
yo, cansado y afligido,
busco alivio con afán.

2. En el arca la paloma
encontró do reposar;
para mi alma atribulada
arca el Señor será.
Combatido vengo, y crece
el diluvio sin cesar;
abre, Cristo, y en vano
rugirá la tempestad.

3. Amparada ya en tus brazos
puede el alma respirar;
el reposo que prometes
siempre da segura paz.
¡Oh!, cuán dulce en mis oídos
fue tu acento celestial:
"Ven a mí, ven; que el descanso
sólo en mí podrás hallar".

J. B. Cabrera

428

¡Oh Jesús, Pastor divino!

1. ¡Oh Jesús, Pastor divino!
Acudimos a rogar
que desciendas amoroso
tus corderos a buscar.
¡Oh Pastor!, ven, tu rebaño
te reclama sin cesar,
te reclama sin cesar.

2. Al herido del pecado
no le dejes sucumbir;
al que va por otra senda
déjale tu voz oír.

¡Ven, Pastor!, el lobo llega
y nos quiere destruir,
y nos quiere destruir.

3. Guíanos por tus senderos
al aprisco del amor;
llévanos cual corderitos
en tu seno bienhechor.
Guía, sí, a tus corderos,
amantísimo Pastor,
amantísimo Pastor.

4. Oye, Cristo, nuestro ruego,
oye nuestra petición;
ven, ampara a tu rebaño
con tu santa protección.
Te lo piden tus corderos
con humilde corazón,
con humilde corazón.

429

Paso a paso Dios me guía

1. Paso a paso Dios me guía;
¿qué más puedo ya pedir?
Nunca dudo de su gracia,
pues conmigo puede ir.

Coro
Paz divina y consuelo
al confiar en él tendré,
pues si algo sucediere,
Cristo lo sabrá muy bien;
pues si algo sucediere,
Cristo lo sabrá muy bien.

2. Paso a paso Dios me guía;
gozo siempre al alma da;
fuerza da al que es tentado;
lo alimenta del maná.

3. Paso a paso Dios me guía.
De mi afán fatigador,
el descanso ha prometido
en su reino mi Señor.

Daniel Chávez L.

430

Si la fe me abandonare

1. Si la fe me abandonare,
   él me sostendrá.
   Si el mal me amenazare,
   él me sostendrá.

Coro

   El me sostendrá,
   él me sostendrá.
   Porque me ama el Salvador,
   él me sostendrá.

2. Nunca yo podré afirmarme
   con tan débil fe;
   mas él puede dirigirme,
   y me sostendrá.

3. Son su gozo y complacencia
   cuantos él salvó,
   y al salvarme su clemencia,
   él me sostendrá.

4. El no quiso ver perdida
   mi alma en la maldad;
   dio su sangre por mi vida,
   y él me sostendrá.
   Ada R. Habershon
   Trad. por *Vicente Mendoza*

Credit line on page 206.

431

Tengo en Dios un grande amor

1. Tengo en Dios un grande amor;
   quiero en él tan sólo fiar,
   pues así mi corazón
   nunca habrá de desmayar.

2. Si hay tormenta en derredor,
   si es furioso su bramar,
   siempre fiando en ti, Señor,
   nunca habré de desmayar.

3. Lleva mi alma, buen Pastor,
   haz tu rostro en mí brillar;
   que al abrigo de tu amor
   nunca pueda desmayar.

4. ¡Oh querido Redentor!,
   no me dejes extraviar.
   Aunque viva en el dolor,
   nunca quiero desmayar.

432

Si la carga es pesada

1. Si la carga es pesada,
   mirad a Dios;
   si vuestra alma está cansada,
   mirad a Dios.

Coro

   Levantad la vista al cielo,
   mirad a Dios;
   si vuestra alma está cansada,
   mirad a Dios.

2. El deber os llama, hermanos,
   mirad a Dios;
   pues dejad placeres vanos,
   mirad a Dios.

3. Cuando el mal parece fuerte,
   mirad a Dios;
   si os espanta aún la muerte,
   mirad a Dios.
   W. Pardo G.

433

Contigo quiero andar

1. Contigo quiero andar, oh Dios,
   del fiel Enoc siguiendo en pos.
   Mi temblorosa mano ten;
   tu dulce voz calme el vaivén.
   La senda oscura al transitar,
   Jesús, contigo quiero andar.

2. No puedo solo andar, Señor:
   tormentas rugen en redor,
   rodéanme engaños mil,
   me acosa el enemigo vil.
   ¡Oh, calma el borrascoso mar!
   Jesús, contigo quiero andar.

3. Mi mano ten, pues; de hoy en más,
del mundo el bien dejando atrás,
valiente seguiré tu luz,
con la bandera de la cruz.
Espero en Sion poder entrar,
do yo contigo quiero andar.

L. D. de Stuttle, trad.

434

Guíame, ¡oh Salvador!

1. Guíame, ¡oh Salvador!,
por la senda de salud.
A tu lado no hay temor;
sólo hay gozo, paz, quietud.

Coro
¡Cristo! ¡Cristo!
¡No me dejes, oh Señor!
Siendo tú mi guía fiel,
saldré más que vencedor.

2. No me dejes, ¡oh Señor!,
mientras en el mundo esté.
Haz que arribe, sin temor,
donde en ti descansaré.

3. Tú, de mi alma salvación
en la ruda tempestad,
al venir la tentación,
¡que me libre tu piedad!

Pedro Grado

435

¡Cuán firme es de tu iglesia!

1. ¡Cuán firme es de tu iglesia
el cimiento, oh Dios de luz,
pues es tu amado Hijo,
el bendito Rey Jesús!
El trono de los cielos
de grado abandonó,
y por su amada iglesia
su vida entregó.

2. Es una la esperanza
y una es nuestra fe,
y uno es el bautismo

doquiera que se esté.
De todas las naciones,
unidos, oh Señor,
tus hijos hoy te buscan
y cantan tu loor.

3. Astutos enemigos
la quieren destruir;
fundada en la Roca
la vemos resistir.
Tus hijos te suplican
que no demores más.
Prometes que muy pronto
en gloria volverás.

4. En medio de aflicciones
y luchas por doquier
tu iglesia alerta aguarda:
tu gloria anhela ver;
y cuando aparecieres
en gloria y majestad,
tu iglesia victoriosa
tendrá la libertad.

W. Pardo G.

436

Sagrado es el amor

1. Sagrado es el amor
que nos ha unido aquí,
a los que oímos del Señor
la voz que llama a sí.

2. A nuestro buen Jesús
rogamos con fervor:
que alúmbrenos la misma luz,
nos una el mismo amor.

3. Nos vamos a separar,
mas nuestra firme unión
jamás podráse quebrantar
por la separación.

4. Nos hemos de encontrar
en celestial reunión;
que nadie haya de faltar
en la eterna Sion.

437

Oh Dios, escucha con bondad

1. Oh Dios, escucha con bondad
   la férvida oración
   que eleva al trono de piedad
   esta congregación.

2. A cada miembro de tu grey
   mantén en tu fervor;
   que acepte, oh Dios, tu santa ley,
   que siga al buen Pastor.

3. Propicio, danos gracia y luz
   que abunden más y más;
   que alcemos con valor la cruz
   sin desmayar jamás.

4. Doquier, y en toda tentación,
   sosténganos tu amor.
   Concédenos la salvación
   y el gozo del Señor.

J. B. Cabrera

438

Iglesia de Cristo

1. Iglesia de Cristo,
   reanima tu amor
   y espera, velando,
   a tu augusto Señor.
   Jesús, el Esposo,
   vestido de honor,
   viniendo se anuncia
   con fuerte clamor.

2. Si falta en algunos
   el santo fervor,
   la fe sea en todos
   el despertador.

Velad, compañeros,
velad sin temor,
que está con nosotros
el Consolador.

3. Quien sigue la senda
   del vil pecador,
   se entrega en los brazos
   de un sueño traidor.
   Mas para los siervos
   del buen Salvador,
   velar esperando
   es su anhelo mejor.

M. Cosidó

439

En tu nombre comenzamos

1. En tu nombre comenzamos
   esta escuela, ¡oh Señor!
   Con fervor te suplicamos
   seas nuestro Director.

Coro
Cada sábado venimos
a tu escuela, ¡oh Jesús!
Ven, Señor, a instruirnos
en la ciencia de la cruz.

2. Esta escuela nos enseña
   tu Palabra a obedecer,
   y tu ley en nuestra vida
   ante el mundo a enaltecer.

3. Ven, Señor, a enseñarnos
   tus preceptos a cumplir.
   Ya reunidos, esperamos
   tu presencia aquí sentir.

Juan Marrón

440

¡Oh, cuánto me eres cara!

1. ¡Oh, cuánto me eres cara,
   escuela del Señor!
   Mi alma está ligada
   a ti por el amor.
   En esta escuela todos
   loamos a Jesús,
   quien nuestra deuda enorme
   pagó allá en la cruz.

2. Se estudia el Evangelio,
   de Dios la salvación;
   se adora al que nos brinda
   completa redención.
   Por ti, querida escuela,
   doy gracias a mi Dios,
   pues tú por vez primera
   me hiciste oír su voz.

   Ramón Blanco

441

Oigo del Señor la voz llamando

1. Oigo del Señor la voz llamando:
   "¿Quién irá este día a trabajar?
   ¿Quién me traerá a los perdidos?
   ¿Quién la senda angosta mostrará?"

Coro

   Habla, oh Dios, háblame;
   habla, y pronto te contestaré;
   habla, oh Dios, háblame,
   habla, y yo respondo: "Heme aquí".

2. Cuando el mismo Dios tocó al profeta,
   dándole un nuevo corazón,
   y éste oyó la voz que le llamaba:
   "Heme aquí", él pronto contestó.

3. Muchos miles y millones mueren,
   en la más completa oscuridad;
   anda pronto tú a rescatarlos;
   di al Maestro: "Voy con voluntad".

4. Pronto ya no habrá misericordia
   para esta pobre humanidad,
   y entonces se oirá al Maestro
   que dirá: "Bien hecho, siervo fiel".

   Trad. por *D. García* y *A. H. Roth*

Credit line on page 206.

442

En la montaña podrá no ser

1. En la montaña podrá no ser,
   ni sobre rugiente mar;
   podrá no ser en la ruda lid
   do Cristo me quiera emplear.
   Mas si él me ordenare seguir aquí
   senderos que yo ignoré,
   sumiso a él, le diré: "¡Señor,
   do tú quieras que vaya iré!"

Coro

   "Do tú necesites que vaya iré,
   a los valles, los montes o el mar.
   ¡Decir lo que quieras, Señor, podré,
   lo que quieras que sea, seré!"

2. Quizá hay palabras de santo amor
   que Cristo me ordena hablar,
   y en los caminos do reina el mal
   a algún pecador salvar.
   Señor, si quisieres mi guía ser;
   mi oscura senda andaré,
   tu fiel mensaje podré anunciar
   y así lo que quieras diré.

3. El vasto mundo lugar tendrá
   do pueda con noble ardor
   gastar la vida que Dios me da
   por Cristo mi Salvador.
   Y siempre confiando en tu gran bondad
   tus dones todos tendré,
   y alegre haciendo tu voluntad,
   lo que quieras que sea, seré.

   Vicente Mendoza

145

443

Cristo está buscando obreros

1. Cristo está buscando obreros hoy
que quieran ir con él.
¿Quién dirá: "Señor, contigo voy,
yo quiero serte fiel"?

Coro

¡Oh Señor!, es mucha tu labor,
y obreros faltan ya;
danos luz, ardiente fe y valor,
y obreros siempre habrá.

2. Cristo quiere mensajeros hoy
que anuncien su verdad.
¿Quién dirá: "Señor, yo listo estoy,
haré tu voluntad"?

3. Hay lugar si quieres trabajar
por Cristo en su labor.
Puedes de su gloria al mundo hablar,
de su bondad y amor.

4. ¿Vives ya salvado por Jesús?
¿Su amor conoces ya?
¡Habla pues, anuncia que en la luz
de Cristo vives ya!

Vicente Mendoza

444

Si en valles de peligros

1. Si en valles de peligros
yo tengo que pasar,
o si por altas cumbres
en paz me toca andar;
ya que seguro estoy
si en sol o sombra voy,
a cualquiera parte,
iré con Jesús.

Coro

A cualquiera parte, iré
con Jesús;
doquiera que esté,

del cielo tendré
la santa luz.
Es mi privilegio aquí
llevar su cruz;
iré, pues, a cualquiera parte
con Jesús.

2. Si el agua de la vida
es mi deber llevar,
al pecador rendido
por yermo al transitar;
si es que me toca a mí
llevar su amor allí,
con tal que él me guíe,
iré con Jesús.

3. Mas si es mi suerte en casa
la santa cruz llevar,
cuando otros la pregonan
allende el ancho mar;
por prueba de mi fe,
su fallo aceptaré,
y do él me acompañe,
iré con Jesús.

4. De cuanto manda Cristo
no debo yo dudar;
más bien seguir fielmente
la voz que me ha de guiar.
Si quedo, pues, o voy,
contento siempre estoy,
pues doquiera tengo
conmigo a Jesús.

E. L. Maxwell

Credit line on page 206.

445

Pronto la noche viene

1. Pronto la noche viene,
tiempo es de trabajar;
los que lucháis por Cristo,
no hay que descansar,
cuando la vida es sueño,
gozo, vigor, salud,
y es la mañana hermosa
de la juventud.

2. Pronto la noche viene,
tiempo es de trabajar;
para salvar al mundo
hay que batallar,
cuando la vida alcanza
toda su esplendidez,
cuando es el mediodía
de la madurez.

3. Pronto la noche viene,
tiempo es de trabajar;
si el pecador perece,
idlo a rescatar,
aun a la edad provecta,
débil y sin salud,
aun a la misma tarde
de la senectud.

4. Pronto la noche viene,
¡listos a trabajar!;
¡listos!, que a muchas almas
hay que rescatar.
¿Quién de la vida el día
puede desperdiciar?
"Viene la noche cuando
nadie puede obrar".

E. Velasco

446

De heladas cordilleras

1. De heladas cordilleras,
de playas de coral,
de etiópicas riberas,
del mar meridional,
nos llaman afligidas,
a darles libertad,
naciones sumergidas
en densa oscuridad.

2. Nosotros, alumbrados
de celestial saber,
¿a tantos desgraciados
veremos perecer?

A todos, pues, llevemos
gratuita salvación;
el Nombre proclamemos
que trae la redención.

3. Llevada por los vientos
la historia de la cruz,
despierte sentimientos
de amor al buen Jesús;
prepare corazones,
enseñe su verdad
en todas las naciones,
según su voluntad.

T. M. Westrup, adaptado

447

Escuchad, Jesús nos dice

1. Escuchad, Jesús nos dice:
"¿Quiénes van a trabajar?
Campos blancos hoy aguardan
que los vayan a segar".
El nos llama, cariñoso,
nos constriñe con su amor.
¿Quién responde a su llamada:
"Heme aquí, voy yo, Señor"?

2. Si por tierras o por mares
no pudieres transitar,
puedes encontrar hambrientos
en tu puerta que auxiliar.
Si careces de riquezas,
lo que dio la viuda da;
pues si por Jesús lo dieres,
él te recompensará.

3. Si como elocuente apóstol
no pudieres predicar,
puedes de Jesús decirles
cuánto al hombre supo amar.
Si no logras que sus culpas
reconozca el pecador,
conducir los niños puedes
al benigno Salvador.

T. M. Westrup

448

¡Ve, ve oh Sion!

1. ¡Ve, ve oh Sion!, tu gran destino
   cumple;
   que Dios es luz al mundo proclamad;
   que el Hacedor de las naciones quiere
   que nadie muera en densa oscuridad.

Coro
   Alegres nuevas al mundo dad,
   nuevas de redención, de amor y
   libertad.

2. Ve cuántos miles yacen todavía
   en las oscuras cárceles del mal;
   no saben que de Cristo la agonía
   fue para darles vida celestial.

3. Es tu deber que salves de la muerte
   las almas por las cuales él murió.
   Sé fiel, si no culpable quieres verte
   de que se pierda lo que Dios compró.

4. Tus hijos manda con el gran mensaje;
   con tu caudal impulso a ellos da.
   En oración sustenta, fiel, sus almas,
   que cuanto gastes Cristo pagará.
   María A. Thompson, trad.

449

¡Señor!, la mies es mucha

1. ¡Señor!, la mies es mucha,
   son pocos los obreros;
   levanta misioneros
   en ésta, tu nación;
   y haz que tu Evangelio
   resuene por doquiera,
   y toda la ancha tierra
   obtenga salvación.

2. Las sombras disipando
   de todos los errores,
   esparza sus fulgores
   cual esplendente luz,
   y anuncie a los mortales
   que borra su pecado
   el que menospreciado
   murió sobre la cruz.

3. No más profanos ritos,
   no más supersticiones;
   a Dios los corazones,
   pues suyos son, se den.
   Del Hijo sacrosanto
   se alabe el dulce nombre,
   que en él encuentre el hombre
   salud, reposo y bien.
   Reginaldo Heber, trad.

450

Hay lugar en la amplia viña

1. Hay lugar en la amplia viña
   para todo labrador;
   ven y ayuda en la campiña
   del amante Salvador.
   Hoy esperan muchas almas
   la salud espiritual;
   diles que Jesús las llama
   a su reino celestial.

Coro
   Un lugar propicio quiero
   donde pueda trabajar;
   aunque humilde, yo prefiero
   ir de Cristo a predicar;
   dar la luz de Cristo al mundo
   que se encuentra en perdición,
   ha de ser celo profundo
   que domine el corazón.

2. Quiero ser un buen maestro
   como fuera el Redentor;
   dar la Biblia al mundo entero,
   donde encuentre salvación.
   A los que le han conocido
   Jesucristo invita hoy
   a salvar a los perdidos
   por los cuales él murió.

3. Con las huestes celestiales
   ante el trono de Jesús
   han de unirse los mortales
   redimidos por la cruz.
   Y con gozo allá en la gloria
   cantaremos la canción
   de los triunfos y victorias
   que nos dieron redención.

   M. A. Lezcano

Credit line on page 206.

451

La historia de Cristo contemos

1. La historia de Cristo contemos,
   que dará al mundo la luz;
   la paz y el perdón anunciemos,
   comprados en cruenta cruz,
   comprados en cruenta cruz.

   Coro
   Rescatónos de las tinieblas,
   disipó nuestra oscuridad;
   él nos salvó, nuestra paz compró,
   nos dio luz y libertad.

2. La historia de Cristo daremos
   al mortal que ignora su amor;
   nos dio Dios al Hijo, diremos,
   hallamos en él favor,
   hallamos en él favor.

3. A Jesús todos confesaremos,
   con sincero y fiel corazón;
   sus méritos invocaremos,
   y Dios nos dará el perdón,
   y Dios nos dará el perdón.

   Enrique Sánchez

452

Escuchamos tu llamada

1. Escuchamos tu llamada,
   respondemos con placer;
   una lealtad constante,
   nuestro voto debe ser.

   Coro
   A ti, oh Jesús, damos todo nuestro ser,
   pues la juventud redimiste para ti.
   Con talentos consagrados empeñados
      en servir,
   la juventud del mundo, de Cristo ha
      de ser.

2. Dondequiera tú nos guíes,
   vengan pruebas o desdén,
   seguiremos tu llamada;
   sólo da la orden: "Ven".

3. Tú nos diste aptitudes,
   que debemos emplear;
   nuestro tiempo todo es tuyo,
   te queremos ayudar.

4. Danos una gran tarea;
   la esperamos hoy, Señor.
   Con placer la cumpliremos,
   con arrojo y sin temor.

   G. E. Baxter

453

Jesús está buscando voluntarios hoy

1. Jesús está buscando voluntarios hoy,
que a la ruda lucha luego puedan ir;
¿quién está dispuesto a escuchar su
voz
siendo voluntario, listo a combatir?

Coro

De Cristo voluntario tú puedes ser;
otros ya se alistan, hazlo tú;
Cristo es nuestro jefe, no hay por
qué temer.
¿Quieres ser un voluntario de Jesús?

2. Nos cercan las tinieblas densas del
error,
vamos sobre abismos hondos de
maldad,
y para destruirlas llama el Salvador
muchos voluntarios que amen la
verdad.

3. La lucha es contra el vicio, la pereza,
el mal,
contra la ignorancia de la ley de Dios;
es una campaña que no tiene igual;
¿quieres ir a ella, de Jesús en pos?

4. El triunfo significa que domine el bien,
que los hombres se amen, y que la
verdad
reine en las conciencias, siendo su
sostén,
y ha de ser, si ayudas, una realidad.

W. S. *Brown*
Trad. por V. *Mendoza*

Credit line on page 206.

454

Honra al hombre de valor

1. Honra al hombre de valor,
pronto a obedecer
el mandato del Señor,
tal cual lo fue Daniel.

Coro

A Daniel imita;
dalo a conocer;
muéstrate resuelto y firme,
aunque solo estés.

2. Muchos yacen sin valor,
que pudieran ser
nobles héroes del Señor,
tal cual lo fue Daniel.

3. Lucha en nombre del Señor
sin desfallecer.
Sé en la lucha vencedor,
tal cual lo fue Daniel.

455

Hoy nos toca trabajar

1. Hoy nos toca trabajar,
hay batallas que ganar,
y nos pide el Capitán:
voluntad, voluntad.
Al sonido del clarín,
presurosos acudid,
jóvenes, jóvenes,
M. V.

Coro

Cristo es nuestro Capitán,
firmes avanzad.
Almas hay que rescatar;

id sin vacilar,
jóvenes, jóvenes,
M. V.

2. Los soldados de Satán
derrotados quedarán.
Cerca el triunfo vemos ya.
¡Voluntad, voluntad!
La armadura hoy vestid,
adelante proseguid,
jóvenes, jóvenes,
M. V.

3. La victoria es nuestra ya,
Satanás vencido está.
A ninguno ha de faltar
voluntad, voluntad.
Si este triunfo obtenéis,
el laurel alcanzaréis,
jóvenes, jóvenes,
M. V.

La Comisión

Credit line on page 206.

456
Habla a tu Dios de mañana

1. Habla a tu Dios de mañana,
háblale al mediodía;
habla a tu Dios en la noche,
y dale tu corazón.

2. Oye a tu Dios de mañana,
óyele al mediodía;
oye a tu Dios en la noche,
y dale tu corazón.

3. Venga el Señor de mañana,
venga en el mediodía;
venga el Señor en la noche,
prepara tu corazón.

A. H. Roth

Credit line on page 206.

457
¡Oh jóvenes, venid!

1. ¡Oh jóvenes, venid!
Su brillante pabellón
Cristo ha desplegado
ante la nación.
A todos en sus filas
os quiere recibir,
y consigo a la pelea
os hará salir.

Coro

¡Vamos con Jesús,
alistados sin temor!
¡Vamos a la lid,
inflamados de valor!
Jóvenes, luchemos
todos contra el mal,
que en Jesús tenemos
nuestro general.

2. ¡Oh jóvenes, venid!
El Caudillo Salvador
quiere recibiros
en su derredor;
con él a la batalla
salid sin vacilar.
¡Vamos presto, compañeros,
vamos a luchar!

3. Las armas invencibles
del Jefe Guiador
son el Evangelio
y su gran amor.
Con ellos revestidos
y llenos de poder,
¡compañeros, acudamos,
vamos a vencer!

4. Quien venga a la pelea
su voz escuchará;
Cristo la victoria
le concederá;
salgamos, compañeros,
luchemos bien por él;
con Jesús conquistaremos
inmortal laurel.

K. Hankey – Trad. *J. B. Cabrera*

458
Yo tengo gozo

1. Yo tengo gozo, gozo, en mi corazón;
   en mi corazón, en mi corazón;
   yo tengo gozo, gozo, en mi corazón.
   ¡Gloria sea a nuestro Dios!

2. Yo tengo gozo, paz y alegría en mi
       corazón;
   en mi corazón, en mi corazón;
   yo tengo gozo, paz y alegría en mi
       corazón.
   ¡Gloria sea a nuestro Dios!

3. Yo tengo a Cristo, Cristo en mi
       corazón;
   en mi corazón; en mi corazón;
   yo tengo a Cristo, Cristo en mi
       corazón.
   ¡Gloria sea a nuestro Dios!

459
Voluntario del Señor

1. Voluntario del Señor,
   listo a servir,
   a llevar el Evangelio
   y almas redimir.

   Coro
   Voluntad, voluntad,
   Cristo me pidió.
   Voluntad, voluntad,
   eso ofrezco yo;
   para Cristo quiero ser
   fiel trabajador,
   misionero voluntario
   para el Salvador.

2. Quiero a mi Salvador
   presto escuchar;
   debo siempre en su obra
   firme trabajar.

3. En su viña quiero obrar
   y ocupado estar,
   hasta que la salvación
   no haya que anunciar.

4. Cuando venga el Señor,
   él me premiará,
   y su tierna voz: "Bien hecho
   siervo fiel", dirá.

   A. H. Roth

Credit line on page 206.

460
Corazones siempre alegres

1. Corazones siempre alegres,
   rebosando gratitud,
   somos los que a Dios amamos,
   redimida juventud.

   Coro
   Siempre alegres vamos todos,
   llenos de felicidad;
   hermosísimo es el camino,
   hacia la eternidad.

2. Dios nos guía de la mano;
   nos ampara su poder;
   es su brazo poderoso
   y nos quiere defender.

3. Si en la lucha desmayamos
   o nos sitia la maldad,
   con su gracia nos anima,
   nos levanta su bondad.

4. Con sus fuerzas llevaremos
   muy gozosos nuestra cruz;
   victoriosos cantaremos
   en la gloria de su luz.

461
La fuente veo

1. La fuente veo carmesí,
   el ancho manantial,
   que de Jesús, mi Salvador,
   emana perennal.

   Coro
   La fuente veo carmesí;
   con su poder me limpia a mí.
   ¡Oh, gloria a Dios! me limpia a mí,
   me limpia, ¡oh sí!, me limpia a mí.

2. Soy nueva criatura en él;
   me hizo renacer,
   y el hombre viejo nunca más
   habrá de contender.

3. Gozoso espero ir con Jesús
   a mi celeste hogar;
   allí, cual fuente, de la cruz
   su amor ha de manar.

4. Levántome en la luz a andar
   sobre el mundano error;
   deseo un limpio corazón
   que agrade al Salvador.

E. L. Maxwell

462

En lo profundo de la mar

1. En lo profundo de la mar
   el vil pecado dejaré.
   Tan sólo así podré morar
   con el divino Rey.

Coro

> En el mar dejaré mis pecados,
> dejaré, dejaré;
> nunca más se hallarán;
> y con Cristo viviré.

2. Deseo ahora consagrar
   mi vida entera al Salvador,
   y mi pecado abandonar,
   confiando en el Señor.

3. Mi enorme culpa al sepultar,
   a vida nueva naceré;
   y para siempre iré a morar
   con mi divino Rey.

W. Pardo G.

463

En las aguas de la muerte

1. En las aguas de la muerte
   sumergido fue Jesús;
   mas su amor no fue apagado
   por las penas de la cruz.

Levantóse de la tumba,
sus cadenas quebrantó,
y triunfante y victorioso
a los cielos ascendió.

2. En las aguas del bautismo
   hoy confieso yo mi fe:
   Jesucristo me ha salvado
   y en su amor me gozaré.
   En las aguas humillado
   a Jesús siguiendo voy;
   desde ahora para el mundo
   y el pecado muerto estoy.

3. Ya que estoy crucificado,
   ¿cómo más podré pecar?;
   por su gracia transformado,
   vida nueva he de llevar.
   A las aguas del bautismo
   me llevó la contrición;
   desde ahora me consagro
   al que obró mi redención.

V. E. Thomann

464

Las manos, Padre

1. Las manos, Padre, extiendo a ti;
   mi fiel ayuda sé.
   Si tú no cuidas ya de mí,
   ¿a quién y adónde iré?

Coro

> Yo creo que en el Gólgota
> Jesús por mí murió,
> y con su sangre, del pecar
> a mi alma libertó.

2. En tu Hijo amado creo yo,
   conozco tu poder.
   ¡Oh!, suple mi necesidad,
   renueva tú mi ser.

3. Los ojos alzo a ti, Señor,
   Autor tú de la fe.
   ¡Oh!, dame el tan precioso don,
   pues sin él yo moriré.

E. L. Maxwell

465

Sábado santo

1. Sábado santo de Jehová
es este día de solaz.
En él adoro al Hacedor,
y halla mi alma así la paz,
y halla mi alma así la paz.

2. Todas sus horas santas son;
nunca las vivo para mí,
y nada vil perturba así
mi comunión feliz con Dios,
mi comunión feliz con Dios.

3. Esta delicia semanal
es anticipo aquí de Sion;
me acerca al trono celestial
al alentar mi devoción,
al alentar mi devoción.

4. Todo pesar olvido hoy;
dejo también mi afán crüel.
Del sábado es autor Jesús:
ríndole entonces culto a él,
ríndole entonces culto a él.

Héctor Pereyra S.

466

¡Cuán dulce en este día!

1. ¡Cuán dulce en este día de paz,
de todos el mejor,
dejar mis cuitas, y pensar
en Cristo y en su amor!

2. ¡Cuán dulce en oración pedir:
"Perdona, oh Dios, mi mal";
cual hijo a Jehová llamar
"mi Padre celestial"!

3. ¡Cuán dulce es escuchar la voz
de quien enjugará
el llanto de la confesión
y al alma limpiará!

4. Y cuando en lucha contra mí
el enemigo esté,
del que conoce el corazón
la gracia yo tendré.

E. L. Maxwell

467

Ya el fin se acerca

1. Ya el fin se acerca de tu día santo;
benigno acoge la oración, Señor,
que te ofrecemos en humilde canto,
cual sacrificio de agradable olor.

2. Por las mercedes a tu amor debidas,
por el descanso y plácido solaz,
mil gracias sean sólo a ti rendidas,
Rey de los reyes, Príncipe de paz.

3. Haz que del mundo la escabrosa senda
correr podamos con seguro pie;
y en los conflictos que la duda tienda,
tu luz alumbre nuestra débil fe.

4. Este descanso de sagrada holgura
es de las almas celestial festín;
nos anticipa la sin par ventura
de aquel reposo que será sin fin.

J. B. Cabrera

468

Hoy es día de reposo

1. Hoy es día de reposo,
día santo de solaz;
es el día venturoso
que nos trae dulce paz.
Es el día señalado
con el sello del amor;
nuestro Dios lo ha designado:
es el día del Señor.

2. Hoy cantamos de alegría
   al Autor del santo don,
   que nos da el festivo día
   y se goza en el perdón.
   Aceptemos, pues, con gusto
   el descanso semanal,
   esperando el día augusto
   del reposo celestial.

3. Los que a ti nos acercamos
   por Jesús, Dios de verdad,
   hoy alegres proclamamos
   tu justicia y tu bondad.
   En los fastos de la historia
   siempre se celebrará
   este día, y su memoria
   por los siglos durará.

   M. Cosidó

469
Otros seis días de labor

1. Otros seis días de labor
   se van, y viene el reposar.
   En este día que Dios dio
   vuelve, alma mía, a descansar.

2. Bendice a Cristo, cuyo amor
   reposo dulce da al mortal;
   mayor que en días de labor
   es hoy su gracia celestial.

3. Asciendan nuestras preces cual
   incienso grato a Cristo allá,
   pues el reposo que él nos da,
   de paz nuestra alma llenará.

4. Y la dulzura de esta paz
   es prenda de la paz mejor
   que gozará el cristiano allá,
   estando junto a su Señor.

   E. L. Maxwell

470
Hoy el sábado glorioso

1. Hoy el sábado glorioso
   nos invita a descansar.
   ¡Qué tranquilo es el reposo,
   tras el arduo trabajar!

2. Dios, que el día nos señala
   con mil pruebas de su amor,
   "santo sábado" lo llama:
   es el día del Señor.

3. Para el hombre fue apartado
   en la misma creación;
   fue por Cristo sancionado
   con su ejemplo y bendición.

   Felícita Castillo

471
En sombras de la tarde

1. En sombras de la tarde el día ya
   declina,
   y el sábado se anuncia con gloria
   vespertina.
   Cual brisa refrescante en cálido
   camino,
   cual palma en el desierto, alivia al
   peregrino.

2. Durante la jornada que ahora ha
   terminado
   trabajo honesto y arduo las horas
   han llenado.
   Ahora a tu reposo mi alma
   agradecida
   se entrega, y te suplica la colmes
   de tu vida.

3. En este santo día anhelo tu
   presencia,
   pues quiero sin medida gozar de
   tu influencia.
   Mi alma fatigada en ti hallará
   reposo,
   y el sábado bendito daráme santo
   gozo.

   W. Pardo G.

472

Día santo del Señor

1. Día santo del Señor,
   ¡oh cuán pronto en pasar!
   Sólo vino poco ha;
   ya lo vemos terminar.
   Y volando al cielo va,
   fiel testigo allí será;
   y volando al cielo va,
   fiel testigo allí será.

2. ¿Qué informe llevará
   al celeste tribunal?
   ¿De maldades hablará?,
   ¿de cuidado mundanal?
   ¿O de santa adoración,
   con Jesús en comunión?
   ¿O de santa adoración,
   con Jesús en comunión?

3. ¡Oh, perdónanos, Señor,
   el mal uso de tu don!
   Los preceptos de tu ley
   graba en nuestro corazón.
   Es tu sábado, Señor,
   sello santo de tu amor;
   es tu sábado, Señor,
   sello santo de tu amor.

   E. L. Maxwell

473

¡Oh día delicioso!

1. ¡Oh día delicioso
   de gozo, amor y paz;
   de llantos y pesares
   el bálsamo eficaz!

En ti, postrados ante
su trono celestial,
cantamos: "¡Santo, santo!",
loando al Eternal.

2. Seguro puerto eres
   en toda tempestad,
   jardín do corren ríos
   de luz y santidad.
   Divina fuente eres
   en yermo terrenal,
   la cumbre de donde vemos
   la patria celestial.

3. Tus horas son sagradas,
   de santa reflexión,
   en que del mundo al cielo
   se eleva la afección;
   sacando gracias nuevas
   de ti al reposar,
   tu plenitud buscamos
   en nuestro eterno hogar.

   E. L. Maxwell

474

Oh, día del Señor

1. Oh, día del Señor,
   gratísimo solaz;
   aliento bienhechor
   al fatigado das.
   Dejando penas y aflicción
   anhelo hoy tu bendición,
   anhelo hoy tu bendición.

2. Oh, Príncipe de paz,
   tú, fuente de bondad,
   al pecador le das
   perdón y libertad.

El día de hoy es la señal
de Dios, el Padre celestial,
de Dios, el Padre celestial.

3. Ya viene el día final
en forma muy veloz,
y al coro angelical
pronto uniré mi voz.
El sábado prenuncio es
de gozo y paz que habrá después,
de gozo y paz que habrá después.

J. Marrón

475

Señor, reposamos

1. Señor, reposamos en tu santo día,
cumpliendo el mandato legado por ti.
Reposo buscamos, Dios nuestro, en
tu seno;
que así ordenaste en el Sinaí,
que así ordenaste en el Sinaí.

2. Tus hijos se acercan, oh Dios, a tu
trono
en santa, ferviente, sincera oración,
pidiéndote escuches su humilde
plegaria,
y gocen por siempre de tu protección,
y gocen por siempre de tu protección.

3. Alienta a tus hijos, que obtengan
victoria,
que puedan fielmente tus leyes
cumplir;
y cuando vinieres, Señor, en tu gloria,
que puedan por siempre contigo vivir,
que puedan por siempre contigo vivir.

E. G. de De Mársico

476

Ya asoma el sol brillante

1. Ya asoma el sol brillante,
vertiendo luz, calor;
natura alegre canta:
es día del Señor.

Coro
Hoy, sábado, reunidos
en culto a ti, Señor,
tus hijos redimidos
te rinden su loor.

2. Perfume de las flores
se eleva hacia Dios.
Los pajarillos trinan
con melodiosa voz.

3. Si pájaros y flores
te alaban, oh Señor,
tus hijos reverentes
te alabarán mejor.

Landa Wilson y H. L. Ross

477

Santo día

1. Santo día que el Señor
en Edén santificó
y lo dio como señal
del poder que nos creó.

Coro
¡Santo sábado de paz,
bendecido del Señor!
Siempre el sábado será
monumento de su amor.

2. Vano tráfago hallará
quien del mundo siga en pos.
El perfecto gozo está
en la paz que ofrece Dios.

3. En el día del Señor,
santa paz podrá gozar
quien acuda, en la quietud,
sus palabras a escuchar.

V. E. Berry, adaptado

478

Obediente a tu mandato

1. Obediente a tu mandato,
   participa hoy tu grey
   de tu cena y gozosa
   se acerca a ti con fe.
   Lo que hiciste en el Calvario
   por el pobre pecador,
   anunciamos en tu nombre,
   ensalzando tu amor.

2. Recordamos tus angustias,
   ¡oh divino Redentor!,
   y la copa de amargura
   que por todo pecador
   en la cruz tú apuraste,
   despreciando el dolor.
   A tu iglesia vacilante
   dale más de ese valor.

3. Gracias, ¡oh Jesús!, te damos,
   hoy unidos en tu amor;
   gracias mil, pues disfrutamos
   de tu amparo y tu favor.
   Le debemos a tu muerte
   nuestra dicha y nuestra paz.
   Haz, Señor, que tu martirio
   nos inspire a amarte más.

   M. H.

479

El pan de vida soy

1. "El pan de vida soy", dice el Señor;
   "ven, alma hambrienta, ahora al
      Salvador;
   hambre jamás tendrá quien viene a mí,
   sed nunca sentirá quien cree en mí".

2. Vertiste tú por mí, buen Salvador,
   tu sangre, en prueba de tu santo amor.
   Cristo, hazme recordar tu gran dolor;
   y aprecie yo tu amor y salvación.

3. Hazme vivir, Señor, cerca de ti;
   la deuda de tu amor la siento en mí;
   te entrego a ti mi ser, mi corazón.
   ¡Loor a ti, Señor, y bendición!

   J. Pablo Simón, L. M. Roberts

480

Amoroso nos convidas

1. Amoroso nos convidas,
   Cristo, a la comunión.
   Llena ahora nuestras vidas
   con tu santa bendición.

2. A tu grato llamamiento
   acudimos, oh Señor;
   que en tu comunión aumento
   tengan nuestra fe y amor.

3. Por tu amor y ricos dones,
   ¿qué podemos ofrecer?
   Toma nuestros corazones,
   nuestras almas, nuestro ser.

4. Hoy aquí te prometemos
   en tu santa ley vivir,
   y que fieles te seremos,
   Cristo, hasta el morir.

481

Espíritu de santidad

1. Espíritu de santidad,
   divino y eternal,
   preciosa fuente de verdad,
   ven, quita nuestro mal.

2. Con este rito que el Señor
   por siempre instituyó,
   celebraremos su amor,
   pues él por nos murió.

3. Jesús, querido Salvador,
   en nuestro corazón
   infunde gracia y fervor
   de celestial unción.

4. Enciende el fuego eficaz
   de fe y caridad;
   concédenos perdón y paz,
   amor y santidad.

482
Amémonos, hermanos

1. Amémonos, hermanos,
   con tierno y puro amor;
   pues somos la familia
   de nuestro Padre, Dios.
   Amémonos, hermanos,
   lo quiere el Salvador,
   que su preciosa sangre
   por todos derramó.

2. Amémonos, hermanos,
   en dulce comunión,
   y paz y afecto y gracia
   dará el Consolador.
   Amémonos, hermanos,
   y en nuestra santa unión
   no existan asperezas
   ni discordante voz.

3. Amémonos, hermanos,
   y al mundo pecador
   mostremos cómo viven
   los que salvados son.
   Amémonos, hermanos,
   de todo corazón;
   lo ordena Dios, el Padre:
   su ley es ley de amor.

J. B. Cabrera

483
Jesús invita hoy

1. Jesús invita hoy
   a todos a cenar,
   y el sacrificio de la cruz
   así a conmemorar.

2. El vino y el pan,
   emblemas del dolor
   cruel sufrido por Jesús,
   despierten nuestro amor.

3. El dijo así: "Tomad
   del pan y de la vid,
   y mientras juntos me esperáis,
   mi muerte discernid".

4. Muy pronto pasará
   la noche abismal,
   y a sus santos Cristo al fin
   dará otra cena igual.

Isaac Watts, trad.

484
Hoy venimos

1. Hoy venimos cual hermanos
   a la cena del Señor;
   acerquémonos, cristianos;
   que nos llene santo amor.

2. En memoria de su muerte
   y la sangre que vertió,
   celebremos el banquete
   que en su amor nos ordenó.

3. Recordando las angustias
   que sufriera el Salvador,
   dividida se halla el alma
   entre el gozo y el dolor.

4. Invoquemos la presencia
   del divino Redentor;
   que nos mire con clemencia
   y nos llene de su amor.

485

Traían en silencio presentes al Señor

1. Traían en silencio
presentes al Señor;
su amor humilde y puro
les daba gran valor;
palabras de consuelo
y hechos de bondad,
Jesús los recibía
por su sinceridad.

Coro
¿Quisieras dar a Cristo
el más precioso don?
Di: "Cristo, mi Maestro,
te doy mi corazón".

2. Aparte de los otros
un pobre vïador
miraba cómo daban
tributos al Señor.
El nada poseía;
sentía gran amor,
¡y cuánto anhelaba
dar algo de valor!

3. "Señor", clamó el hombre,
"acepta tú mi don,
acepta lo que tengo:
mi triste corazón".
Le dijo el buen Maestro
al pobre vïador:
"De todos los presentes
es éste el mejor".

J. Marrón

486

Al Cristo ved

1. Al Cristo ved,
de Dios el Hijo eterno;
ved al Señor,
el grande Creador;
todo abandona
por vivir cual siervo,
del mal rodeado
y presa del dolor.

Coro
Por ti todo esto
hizo Jesús;
¿cómo respondes
a su divino amor?

2. En oración
tu alma hoy derrama
ante su trono
por el pecador;
lleva la luz
de su Palabra santa
a los que ignoran
el divino amor.

3. Consagra fiel
tus bienes, mayordomo,
que del Señor
manejas el caudal,
para que puedan
por el mundo todo
salvarse almas
del poder del mal.

A. Cativiela

487

Suenen las palabras

1. Suenen las palabras del buen Salvador:
"¡Oh!, traedme el diezmo al granero".
Aclamad a Cristo dueño y Creador,
dadle lo mejor primero.

Coro
"Oh, traedme el diezmo al granero,
probadme hoy", dice Jehová;
quien sobre tierras y dinero,
bendiciones abundantes pondrá.

2. Cristo nuevamente vuelve a decir:
"Con el diezmo y liberal ofrenda,
almas el mensaje hoy podrán oír
y hallarán la santa senda".

3. Dad a Dios mejor y más completo don:
vuestra vida entera y vuestra hacienda.
Entregad a Cristo hoy el corazón,
que es la más preciosa ofrenda.

488
Predica tú

1. "Predica tú", dice el Señor,
"el Evangelio a todo ser;
anuncia tú que hay Salvador
que a todos salvos quiere ver".

2. "Tú cumplirás mi comisión,
mi amor al mundo anunciarás;
ofrecerás la salvación,
mis maravillas mostrarás".

3. "A todo el mundo tú irás
y yo contigo he de estar;
de mi poder tú hablarás,
que a todos puede hoy salvar".

4. Me habló mi Dios, se elevó al cielo
envuelto en áurea luz.
Cumplí su orden; me ayudó;
yo prediqué al buen Jesús.

W. Pardo G.

489
¡Oh, dónde se hallará!

1. ¡Oh, dónde se hallará
del alma el descansar!
En vano fuera al polo ir,
o el mar profundizar.

2. Libre de llanto está
la vida celestial;
temor no habrá ni más dolor,
mas gozo divinal.

3. En Cristo, vida y luz
podemos encontrar,
y por la sangre que él vertió,
gloria sin fin lograr.

J. Montgomery, trad.

490
Jubilosas nuestras voces

1. Jubilosas nuestras voces
elevemos con fervor,
para dar la bienvenida
a los siervos del Señor.

Coro
¡Bienvenidos! ¡Bienvenidos!
¡Adalides de Jehová!
Parabienes no fingidos
la congregación os da.

2. Bienvenidos, los campeones
de la fe y la verdad,
a vosotros tributamos
nuestro afecto y amistad.

3. Bienvenidos los soldados
de las huestes de Jesús,
los que luchan denodados
por el triunfo de la cruz.

F. S. Montelongo

491
Cuando pese nuestros hechos

1. Cuando pese nuestros hechos
nuestro Juez con equidad,
¿nos tendrá por oro puro,
o escoria de maldad?

Coro
En la balanza del Señor
fuiste pesado;
de sus palabras a la luz,
falto hallado.

2. ¿Oiremos las palabras:
"Bien has hecho, siervo fiel";
o del fallo la sentencia:
"Eres falto, fuiste infiel"?

3. ¿Al Espíritu oiremos
por nosotros implorar?,
o ya tarde, ¿a Dios veremos
nuestra perdición sellar?

Elisa Pérez

492

Cuando junte Jesús las naciones

1. Cuando junte Jesús las naciones
que ante él han de comparecer;
¡oh!, ¿cómo hemos de estar en el juicio,
el fallo del Juez al saber?

Coro
Juntará todo el trigo en su troje,
mas al viento el tamo esparcirá.
Pues, ¿cómo hemos de estar en el juicio
del gran día que pronto vendrá?

2. ¿Del Señor las palabras oiremos:
"Bien hecho, mi buen siervo fiel"?
¿O temblando de espanto, seremos
quitados del trono por él?

3. Mirará complacido a sus hijos,
su sello en sus frentes verá;
mientras ellos de hinojos le adoren,
coronas de luz les pondrá.

4. Esperemos, velemos, y hagamos
las lámparas todas brillar,
y al venir el Esposo a las bodas,
gozosos podremos entrar.

E. L. Maxwell

493

Día grande viene

1. Día grande viene, un día grande,
día grande viene y cerca está,
cuando justos y malos
separados quedarán.
¡Oh! hermano, ¿apercibido estás?

Coro
¿Te hallas listo?, ¿te hallas listo
para el fallo del gran tribunal?
¿Te hallas listo?,
¿te hallas listo para el tribunal?

2. Día triste viene, un día triste,
día triste viene y cerca está,
cuando: "Id, pecadores,
no os conozco", el Juez dirá.
¡Oh! hermano, ¿apercibido estás?

3. Día alegre viene, un día alegre,
día alegre viene y cerca está;
mas su luz brilla sólo en
los que aman al Señor.
¡Oh! hermano, ¿apercibido estás?

E. L. Maxwell

494

No puede el mundo ser mi hoga

1. No puede el mundo ser mi hogar,
sus bienes han de perecer;
anhelo pronto a Sion llegar
y a mi Maestro ver.

Coro
Iré al hogar,
a mi eterno y dulce hogar,
mi hogar;
sí, iré al hogar
que Jesús fue a preparar.

2. La muerte allí no existirá;
tampoco la separación;
tristeza nunca más habrá
en la anhelada Sion.

3. Deseo pronto arribar
al puerto de la eterna paz.
Con Cristo quiero allí reinar
dejando el mundo atrás.

Ruth M. de Riffel

495

Hay un feliz Edén

1. Hay un feliz Edén
lejos de aquí,
y gozará del bien
el justo allí.
Cantemos con fervor:
"Digno eres, oh Señor,
de gloria y de honor;
¡loor a ti!"

2. Marchad a aquel lugar,
   partid de aquí;
   un bello y dulce hogar
   tendréis allí.
   ¡Oh, cuán feliz seré
   cuando a tu lado esté!
   Bendito viviré
   morando en ti.

3. Eterno resplandor
   fulgura allí.
   Eterno es el amor
   de Dios por mí.
   Corramos, pues, allá:
   bello aquel hogar será,
   por siempre habitará
   el santo allí.

496

Jerusalén, mi amado hogar

1. Jerusalén, mi amado hogar,
   anhelo en ti morar;
   tus calles de oro recorrer,
   lucientes como el sol;
   tu río cristalino ver,
   hermoso sin igual;
   y en sus verdes márgenes
   tranquilo reposar.

Coro
   ¡Jerusalén! ¡Jerusalén;
   Jerusalén, mi amado hogar!
   ¡Oh, cuándo te veré!

2. Jerusalén, mi amado hogar,
   en ti no habrá dolor;
   el llanto no existirá,
   ni muerte, ni clamor;
   allí no habrá enemistad,
   pues reinará el amor,
   y sólo habrá felicidad
   con nuestro Redentor.

3. Ansío pronto a ti llegar,
   mi celestial hogar;
   con mis amados que perdí,
   hallarme otra vez,
   y conocer a Abrahán,
   a Eva y Adán;
   y contemplar el rostro
   de Jesús, mi Salvador.

   N. Samojluk

497

Jerusalén, la excelsa

1. Jerusalén, la excelsa,
   llegar anhelo a ti;
   mi sueño y mi esperanza
   al transitar aquí.
   La grey, que ya tus glorias
   en lontananza ve,
   depone sus afanes,
   y vive por la fe.

2. Jesús te está alumbrando,
   y tú le das honor
   a Aquel que fue inmolado,
   tu Esposo y Redentor.
   ¡Qué gozo me es, tranquila,
   eterna habitación,
   saber que en ti termina
   mi peregrinación!

3. Mi dulce patria amada,
   ¿mi gozo tú serás?
   Feliz mansión soñada,
   ¿contemplaré tu faz?
   ¡Ten gozo, tú que gimes
   y triste siempre estás,
   pues con Jesús, sublime,
   por siempre reinarás!

498

Las montañas de Sion

1. Las montañas de Sion
do el santo estará
son de gloria y belleza sin par;
de sus cumbres el ojo
encantado verá
los paisajes del célico hogar;
los paisajes del célico hogar, hogar;
los paisajes del célico hogar;
de sus cumbres el ojo
encantado verá
los paisajes del célico hogar.

Coro
Cantemos del célico Edén,
de glorias eternas sin par;
cantemos del célico Edén
do el cansado reposará.

2. La angustia, el dolor
y la muerte atroz
cesarán en la patria de Dios;
destruidos serán
cuando suene el clarín,
al oírse de Cristo la voz;
al oírse de Cristo la voz, la voz;
al oírse de Cristo la voz;
destruidos serán
cuando suene el clarín,
al oírse de Cristo la voz.

3. Mas de todos los gozos
será el mayor
siempre estar junto al dulce Jesús
y cantarle las gracias
por su grande amor,
por el don de su vida en la cruz;
por el don de su vida en la cruz,
   la cruz;

por el don de su vida en la cruz;
y cantarle las gracias
por su grande amor,
por el don de su vida en la cruz.
J. Marrón

499

De luz sin par es mi mansión

1. De luz sin par es mi mansión,
en donde muerte no habrá;
sus calles, de oro puro son;
allí mi alma gozará.

2. Está el hogar feliz de Dios
de las estrellas más allá,
y de su luz ya voy en pos;
allí mi alma gozará.

3. Si otros buscan su mansión
en este mundo terrenal,
mi hogar se encuentra allá en Sion:
es una patria celestial.

4. Yo voy a Sion, yo voy a Sion,
eternamente a morar;
yo voy a mi feliz mansión,
eternamente a morar.
J. N. de los Santos

500

Aunque en esta vida

1. Aunque en esta vida fáltenme
   riquezas,
sé que allá en la gloria tengo mi
   mansión.
Alma tan perdida entre las pobrezas,
de mí Jesucristo tuvo compasión.

Coro

Más allá del sol, más allá del sol,
yo tengo un hogar, hogar,
bello hogar más allá del sol.
Más allá del sol, más allá del sol,
yo tengo un hogar, hogar,
bello hogar más allá del sol.

2. Así por el mundo yo voy caminando,
pruebas me rodean y hay tentación.
Pero Jesucristo, que me está probando,
llevaráme salvo hasta su mansión.

3. Cristo a cada raza del linaje humano
puede impartirle plena salvación.
Y una bella casa hecha por su mano
fue a prepararle a la santa Sion.

Credit line on page 206.

501

¡Oh célica Jerusalén!

1. ¡Oh, célica Jerusalén!,
¡oh, cuándo te veré!
Tus glorias, que por fe se ven
¿oh, cuándo gozaré?

2. Amada patria celestial,
ajena de dolor,
a los que agobia aquí el mal,
consolará tu amor.

3. Sin sombra te contemplaré:
hay vida y luz en ti;
cual astro resplandeceré
eternamente allí.

4. Del cristalino manantial
de vida beberé;
del árbol de la eternidad
gozoso comeré.

5. Al Rey de gloria, mi Jesús,
allí veré reinar;
mi alma llenará de luz
en esa Sion sin par.

T. M. Westrup, adaptado

502

A veces oigo un himno

1. A veces oigo un himno
cual yo jamás oí:
es cántico divino,
igual no conocí;
es santa melodía
que expresa tierno amor;
es célica armonía
que exalta al Creador.

Coro

¡Oh, música divina!
¡Oh, canto del Edén!
Es eco de la bella,
feliz Jerusalén.

2. ¡Qué dulce paz yo gozo
oyendo un canto tal!
El mundo tenebroso
olvido y todo mal.
Más dulce que las voces
del viento y del mar
es el cantar que llega
del trono celestial.

3. El cántico sublime
cual sueño llega a mí;
paréceme su ritmo
cual brisas del jardín.
¡Dichoso pensamiento!:
salvado yo seré,
y con los redimidos
el himno entonaré.

J. Marrón

503

Las riberas de dicha inmortal

1. Las riberas de dicha inmortal,
   la mansión de indecible placer,
   la bellísima luz celestial,
   ¡cuántas glorias iremos a ver!

Coro
   En aquel porvenir
   que divisa con júbilo el fiel,
   más allá del Jordán,
   en la patria do reina Emmanuel.

2. Cada santo de Dios gozará,
   deslumbrante en pureza y candor;
   del Cordero en pos andará,
   cantará alabanzas de amor.

3. De mi viaje la terminación
   tan feliz, no dilata en llegar.
   Efectuada mi transformación,
   con Jesús para siempre he de estar.

   T. M. Westrup

504

Del bello país he leído

1. Del bello país he leído,
   y su hermosa ciudad capital,
   cuyas calles gloriosas son de oro,
   y de jaspe su muro eternal;
   por el río las aguas de vida
   fluyen en perennal claridad;
   mas en cuanto a toda esta excelencia
   no se ha dicho aún la mitad.

Coro
   No se ha dicho aún la mitad;
   no se ha dicho aún la mitad;
   de la santa ciudad tan gloriosa,
   no se ha dicho aún la mitad.

2. Leído he de aquellas mansiones
   que el Maestro fue a preparar,
   do los santos que aquí fueron fieles
   van por siempre jamás a gozar;
   no habrá muerte, dolor, ni pecado,

sino reina la inmortalidad;
mas en cuanto a su excelsa grandeza
no se ha dicho aún la mitad.

3. Leído he de níveos vestidos,
   de coronas que han de ostentar
   los que sean del Padre llamados
   de su gloria eternal a gozar;
   andarán por las calles de oro,
   pues han hecho justicia y verdad;
   mas de historia tan bella y sublime
   no se ha dicho aún la mitad.

4. Leído he de Cristo el benigno,
   que al más vil pecador limpiará;
   cómo paz y perdón le confiere
   al que humilde buscándolos va.
   He leído cómo él nos protege,
   que se apiada de nuestra orfandad;
   mas de tanta bondad pregonada
   no se ha dicho aún la mitad.

505

¿Nos veremos junto al río?

1. ¿Nos veremos junto al río
   cuyas aguas cristalinas
   fluyen puras, argentinas,
   desde el trono de nuestro Dios?

Coro
   ¡Oh! sí, nos congregaremos
   en la ribera hermosa del río
   cuyas aguas vivas dimanan
   del trono de nuestro Dios.

2. En las márgenes del río
   do los serafines van,
   donde hay bellos querubines,
   da la dicha eterna Dios.

3. Antes de llegar al río,
   nuestras cargas al dejar,
   libres todos quedaremos
   por la gracia del Señor.

4. Pronto al río llegaremos,
   nuestra peregrinación
   terminando en los acentos
   de la célica canción.

506

En la tierra adonde iré

1. En la tierra adonde iré
muerte y llanto no habrá;
gozo eterno allí tendré,
y no hay noche allá.

Coro

Dios las penas quitará,
muerte no hay ni más dolor;
tiempo no se contará,
y no hay noche allá.

2. Puertas bellas se abrirán
en la Santa Ciudad;
calles áureas se verán,
y no hay noche allá.

3. Para siempre viviré
en mi amado hogar;
agua viva beberé,
y no hay noche allá.

4. Luz de sol jamás habrá
en el célico hogar.
El Cordero luz será,
y no hay noche allá.

A. E. Thomann

507

En la célica morada

1. En la célica morada
de las cumbres del Edén,
donde toda voz ensalza
al Autor de todo bien,
¿el pesar recordaremos,
y la triste nublazón,
tantas luchas del Espíritu
con el débil corazón?

Coro

Sí, allí será gratísimo
conocer y alabar
al Pastor fiel y benéfico
que nos ayudó a llegar.

2. Oración, deberes, penas,
vías que anduvimos ya,
poseyendo las riquezas
que Jesús nos guarda allá,
¿la memoria retendremos
del pretérito dolor,
del camino largo, aspérrimo,
con sus luchas, su temor?

3. La bondad con que nos mira
sin cansarse cuando ve
poco fruto en nuestra vida,
y tan débil nuestra fe,
¿nos acordaremos de ella
en aquel dichoso hogar,
de eternal aurora espléndida
e inefable bienestar?

T. M. Westrup

508

Al bello hogar

1. Al bello hogar, allí a morar,
de todo mal exentos,
a descansar sin un pesar,
iremos muy contentos.

Coro

Por la mansión feliz
que nos invita
el corazón cristiano
fiel palpita.

2. Encontrarán los que allí van
las calles de oro puro,
gloria y solaz, eterna paz,
el don de Dios, seguro.

3. Si al sufrir y combatir,
cantáis la triste endecha,
la vista alzad: tenéis ciudad;
seguid la vía estrecha.

J. B. Cabrera

509

Todo es bello

1. Todo es bello en el hogar cuando
   hay amor;
   nada allí podrá dañar cuando
   hay amor.
   Paz y gozo se hallarán, fuerzas se
   restaurarán
   y el Señor será el Guardián cuando
   hay amor.

Coro
   Con amor, con amor,
   todo es bello en derredor cuando
   hay amor.

2. Hasta en chozas hay placer cuando
   hay amor;
   odio y mal no puede haber cuando
   hay amor.
   Cada rosa en el jardín, los claveles
   y el jazmín
   a mis males ponen fin cuando
   hay amor.

3. Tiene el labio su canción cuando
   hay amor;
   llega el cielo al corazón cuando
   hay amor.
   El rïacho al murmurar y las aves
   al cantar
   nos inspiran sin cesar cuando
   hay amor.

4. Mi Jesús, te ruego hoy más de
   ese amor.
   Ya que tuyo siempre soy, dame
   ese amor.
   Los que tienes en tu grey siempre
   andan en tu ley
   y te honran como Rey por tu
   gran amor.

   W. Pardo G.

510

Hogar de mis recuerdos

1. Hogar de mis recuerdos,
   a ti volver anhelo;
   no hay sitio bajo el cielo
   más dulce que el hogar.
   Posara yo en palacios,
   corriendo el mundo entero,
   a todos yo prefiero
   mi hogar, mi dulce hogar.

Coro
   ¡Mi hogar, mi hogar!
   No hay sitio bajo el cielo
   más dulce que mi hogar.

2. Allí la luz del cielo
   desciende más serena;
   de mil delicias llena
   la dicha del hogar.
   Allí las horas corren
   más breves y gozosas;
   memorias muy dichosas
   nos hablan sin cesar.

3. Más quiero que placeres
   que brinda tierra extraña,
   volver a la cabaña
   de mi tranquilo hogar.
   Allí mis pajarillos
   me alegran con sus cantos;
   allí con mil encantos
   está la dulce paz.

511

Guía a ti, Señor

1. Guía a ti, Señor, guía a ti
   los hijos tiernos que me has dado
   a mí.
   ¡Oh, por tu grande amor, guíalos,
   Dios, a ti!

    Guíalos, Dios, a ti,
    guíalos, sí.

2. Cuando del mundo vean el esplendor,
    entonces guárdalos del tentador.
    De sus engaños ¡oh, guíalos, Dios,
        a ti!

3. Los niños a salvar vino Jesús,
    y anduvo sin pecar hasta la cruz.
    Suplico por tu amor: ¡guíalos, Dios,
        a ti!

4. Aunque me falte fe quiero creer
    que este precioso don quieres tener:
    tiernos de corazón, hoy los vuelvo
        a ti.

                            E. L. Maxwell

512

Perfecto amor

1. Perfecto amor del cielo descendiendo,
    por ti, Señor, enviado a este hogar;
    por este don tan noble y venturoso
    las gracias hoy venímoste a dar.

2. Perfecto amor, ¡oh Dios!, tu don
        gratuito
    sea abundante, y de este hogar solaz;
    sagrado amor que sea para siempre
    fuente de gozo, esperanza y paz.

3. Perfecto amor, ¿qué más desea el alma,
    de bendiciones rebosando ya?
    Amor que ensalce, de tu amor la gloria,
    y que perdure por la eternidad.

                    Mercedes P. de Bernal

513

Cristo, yo te seguiré

1. Cristo, yo te seguiré;
    óigote llamándome;
    vengo a ti con fe y amor,
    y a tu mansión, Señor.

Coro
    Yo te seguiré, yo te seguiré,
    yo te seguiré, bendito Salvador.

2. Mis ojuelos no verán;
    mis piecitos errarán;
    débil me hallo en el vaivén;
    mas tú eres mi sostén.

3. Cuando solo y triste estoy
    siempre a ti, Jesús, yo voy;
    y ¡qué gozo es para mí,
    seguirte siempre a ti!

                    Engracia Glenn, trad.

514

De su trono, mi Jesús

1. De su trono, mi Jesús,
    a morir aquí bajó,
    y clavado en la cruz,
    mis pecados él expió.

Coro
    Sí, Cristo me ama;
    sí, Cristo me ama;
    sí, Cristo me ama,
    la Biblia dícelo.

2. Bien me quiere el Salvador
    que sufrió por mi maldad.
    ¡Te bendigo, mi Señor,
    reconozco tu bondad!

3. Guarda fiel mi corazón
    tú, que velas sobre mí;
    y con toda devoción
    haz que viva yo por ti.

515

En este bello día

1. En este bello día
   de gozo, amor y luz,
   cantamos alabanzas
   a nuestro Rey, Jesús.

Coro

Cantad, cantad,
a Cristo dad loor;
cantad, cantad
la gloria del Señor.

2. Amólos a los niños
   estando aún aquí,
   y ahora en los cielos
   los ama siempre así.

3. La historia de su vida
   nos gusta escuchar;
   su amor y mansedumbre
   queremos imitar.

4. ¡Oh! Salvador bendito,
   rogámoste a ti
   nos guardes del maligno
   en nuestra senda aquí.

   E. L. Maxwell

516

Cuando venga Jesucristo

1. Cuando venga Jesucristo
   en busca de joyas,
   todo niño redimido
   su gema será.

Coro

Como estrellas que brillan
son los niños que le aman;
son tesoros que adornan
al Rey y Señor.

2. Quiere Cristo en su corona
   brillantes preseas;
   cada gema que le adorna
   con sangre compró.

3. El escoge por tesoros
   los niños amantes,
   y en su seno los corderos
   acoge Jesús.

4. Si los niños y las niñas
   acuden a Cristo,
   bellas joyas, escogidas,
   serán para él.

   W. O. Cushing, trad.

517

¡Cuánto me alegra!

1. ¡Cuánto me alegra que nuestro Señor
   diera su vida por el pecador!
   Hizo sin par maravillas aquí,
   y la más grande es que me ama a mí.

Coro

¡Qué maravilla! Me ama Jesús,
me ama Jesús, me ama Jesús.
¡Qué maravilla! Me ama Jesús;
sí, me ama aun a mí.

2. Aunque vagaba olvidándome de él,
   siempre siguióme porque siempre
   es fiel;
   presto a sus brazos amantes volví
   al recordar que Jesús me ama a mí.

3. Cuando en el cielo ver pueda a Jesús,
   ya revestido de gloriosa luz,
   entonaré mi himno eterno allí:
   "¡Qué maravilla! ¡Jesús me ama a mí!"

   P. P. Bliss, trad.

518

Cuando leo en la Biblia

1. Cuando leo en la Biblia
cómo llama Jesús
y bendice a los niños con amor,
yo también quisiera estar,
y con ellos descansar
en los brazos del tierno Salvador.

2. Ver quisiera sus manos
sobre mí reposar,
cariñosos abrazos de él sentir;
su mirada disfrutar,
las palabras escuchar:
"A los niños dejad a mí venir".

3. ¡Cuántos hay que no saben
de la bella mansión,
y no quieren a Cristo recibir!
Les quisiera yo mostrar
que para ellos hay lugar
en el cielo, do los convida a ir.

4. Yo espero aquel día
venturoso, sin fin,
el más grande, el más lúcido,
   el mejor,
cuando de toda nación,
niños mil sin distinción
a los brazos acudan del Señor.

S. Cruellas

519

Es el amor divino

1. Es el amor divino
mi gozo y mi placer,
allana mi camino
y me hace obedecer.

Coro
Dios es amor,
soy su pequeñuelo;
quiero ser santo
como es él.
Es el amor divino
mi gozo y mi placer,
allana mi camino
y me hace obedecer.

2. Del triste mundo lleno
de muerte y dolor,
quisiera yo llevar a Dios
un pobre pecador.

3. Y cuando vaya al cielo
con Cristo, mi Señor,
allí por siempre cantaré
de Dios y de su amor.

E. L. Maxwell

520

Yo temprano busco a Cristo

1. Yo temprano busco a Cristo,
cada día aprendo de él;
por la senda angosta sigo
sus pisadas, firme y fiel.

Coro
Cristo me ama; Cristo me ama;
Cristo me ama, esto sé:
él murió para salvarme;
yo, ferviente, le amaré.

2. Dondequiera que él me mande,
yo con gozo presto voy;
sé su voluntad divina
aunque niño tierno soy.

3. A la puerta Cristo aguarda:
él me quiere libertar;
yo, confiando en su promesa,
hoy invítole a entrar.

E. L. Maxwell

521

Bellas las manitas son

1. Bellas las manitas son
que obedecen a Jesús;
bellos ojos los que están
llenos de célica luz.

Coro
Bellas, sí, bellas las manos son,
que obedecen a Jesús;
bellos, los ojos que siempre están
llenos de célica luz.

2. Hizo las manitas Dios,
porque a él podrán servir;
hizo al tierno corazón
en su servicio a latir.

3. Toda boca debe orar
cada día al Salvador,
y los pies habrán de andar
siempre siguiendo al Señor.

4. Cuanto puedas tú hacer,
Cristo te lo exigirá;
haz, pues, de ello tu placer
con el poder que él te da.

T. Corben, trad.

522

Tu reino amo

1. Tu reino amo, ¡oh Dios!,
tu casa de oración,
y al pueblo que en Jesús halló
completa redención.

2. Tu iglesia, mi Señor,
su templo, su ritual,
la iglesia que guiando estás
con mano paternal.

3. Por ella es mi oración,
mis lágrimas, mi amor;
solicitud, cuidado, afán,
por ella son, Señor.

4. Un gozo sin igual
me causa en ella estar,
y andando aquí, su comunión
anhelo disfrutar.

5. Tu iglesia durará,
oh Dios, cual tu verdad;
y victoriosa, llegará
hasta la eternidad.

E. Velasco

523

¡Oh santo Dios!

1. ¡Oh santo Dios!, tu tierno amor
es nuestro fiel consolador.
Cual Padre amante, tú nos das
consuelo, alivio y solaz.

2. Tu hijo fiel, que ya durmió,
la copa amarga apuró.
La vida que le diste aquí
de nuevo la ha devuelto a ti.

3. Sus obras acabadas ya,
el galardón le espera allá.
Y con la hueste angelical
tendrá la vida eternal.

W. John

524

Ven, alma que lloras

1. Ven, alma que lloras, ven al Salvador;
en tus tristes horas dile tu dolor.
Sí, dile tu duelo; ven tal como estás;
habla sin recelo, y no llores más.

2. Penas y tristuras, dilas al Señor;
crueles desventuras, lágrimas y error;
en su tierno seno tú descansarás;
ven, Cristo es bueno, y no llores más.

3. Guía al extraviado, muéstrale tu luz.
Lleva al angustiado al manso Jesús.
La bendita nueva de celeste paz
al triste, pues, lleva, y no llores más.

525

No habrá más llanto allá

1. No habrá más llanto allá,
   ni angustia, ni dolor.
   Gozoso viviré en
   el reino del amor.
   Ya no, no habrá más llanto allá.

2. No habrá enfermedad,
   penas ni luto allá.
   Salud eterna y rica
   allí florecerá.
   Ya no, no habrá más llanto allá.

3. No habrá más muerte allá,
   ni hora de partir.
   La muerte morirá;
   por siempre he de vivir.
   Ya no, no habrá más llanto allá.

4. Volviendo a recibir
   los míos que perdí,
   con ellos al estar,
   me arrobaré allí.
   Ya no, no habrá más llanto allá.

   F. E. Belden, trad.

526

Llegaremos al hogar

1. Llegaremos al hogar
   que Jesús preparó,
   donde irán a descansar
   los que aquí redimió.
   Llamaremos sin temor
   y a la puerta él estará;
   con ternura y santo amor
   bienvenida dará.

Coro
   Un hogar Dios nos da,
   y con Cristo, en su mansión,
   todo fiel vivirá.

2. Vuestro hogar aquí no está.
   Cuanto veis en redor
   a la nada volverá
   a la voz del Señor.
   Este mundo de maldad,
   con su fausto y su placer,
   con su orgullo y vanidad,
   lo veréis perecer.

3. Por el que a la tumba va
   no lloréis con dolor,
   pues a vida volverá
   cuando venga el Señor.
   Junto al trono de Jesús
   a los vuestros hallaréis,
   y viviendo en gracia y luz
   nunca "adiós" les diréis.

   V. Mendoza

527

¿Para quién será el ay?

1. ¿Para quién será el ay,
   olvidada la salud?
   ¿Para quién el mal vendrá,
   ya perdida la virtud?

Coro
   ¿Para quién será el ay?
   ¿Para quién será el ay?
   ¿Para quién será el ay?
   Para el que bebe alcohol.

2. ¿Para quién será el dolor,
   junto al ron, vencido ya?
   ¡Amadores del licor,
   en el ron la muerte está!

3. ¿Para quién rencilla habrá,
   desvergüenzas, destrucción,
   la deshonra, la impiedad?
   Bebebores, vuestras son.

4. Nunca el vino contempléis,
   ni siquiera en su color,
   que si fluye con placer,
   como sierpe morderá.

   L. B. Salmans

Lecturas Antifonales

LOS DIEZ MANDAMIENTOS
Exodo 20:3-17*

No tendrás otros dioses fuera de mí.

No te harás imagen, ni ninguna semejanza de lo que hay arriba en el cielo, ni abajo en la tierra.

No te inclinarás a ellas, ni las honrarás. Porque el Eterno tu Dios soy yo, fuerte, celoso, que visito la maldad de los padres sobre los hijos, hasta la tercera y la cuarta generación, a los que me aborrecen.

Pero trato con invariable amor por mil generaciones a los que me aman y guardan mis Mandamientos.

No tomarás el Nombre del Eterno tu Dios en vano. Porque el Señor no dará por inocente al que tome su Nombre en vano.

Acuérdate del sábado para santificarlo.

Seis días trabajarás y harás toda tu obra.

Pero el sábado es el día de reposo del Señor tu Dios. No hagas ningún trabajo en él; ni tú, ni tu hijo, ni tu hija, ni tu siervo, ni tu criada, ni tu bestia, ni tu extranjero que está dentro de tus puertas.

Porque en seis días el Eterno hizo el cielo, la tierra y el mar, y todo lo que contienen, y reposó el séptimo día. Por eso, el Señor bendijo el sábado y lo declaró santo.

Honra a tu padre y a tu madre, para que tus días se alarguen en la tierra que el Señor tu Dios te da.

No matarás.

No cometerás adulterio.

No hurtarás.

No hablarás contra tu prójimo falso testimonio.

No codiciarás la casa de tu prójimo, no codiciarás la esposa de tu prójimo, ni su siervo, ni su criada, ni su buey, ni su asno, ni cosa alguna de tu prójimo.

EL MENSAJE DE LOS TRES ANGELES
Apo. 14:6-14

Entonces vi a otro ángel que volaba por el cielo, con el evangelio eterno para predicarlo a los que habitaban en la tierra, a toda nación y tribu, lengua y pueblo.

Y decía a gran voz: ¡Reverenciad a Dios y dadle honra, porque ha llegado la hora de su juicio! Y adorad al que hizo el cielo y la tierra, el mar y las fuentes de las aguas.

Un segundo ángel lo siguió diciendo: ¡Ha caído la gran Babilonia!, porque ha dado de beber a todas las naciones del vino del furor de su fornicación.

Y el tercer ángel los siguió dicien-

---

*Todas las citas de estas Lecturas Antifonales han sido tomadas de la Biblia "Nueva Reina-Valera", de la Sociedad Bíblica Emanuel.

do a gran voz: Si alguno adora a la bestia y a su imagen, y recibe su marca en su frente o en su mano,

éste también beberá del vino de la ira de Dios, vaciado puro en la copa de su ira. Y será atormentado con fuego y azufre ante los santos ángeles y ante el Cordero.

Y el humo de su tormento sube para siempre jamás. Y los que adoran a la bestia y a su imagen, y los que reciben la marca de su nombre, no tienen reposo ni de día ni de noche.

¡Aquí está la paciencia de los santos, los que guardan los Mandamientos de Dios y la fe de Jesús!

Y oí un voz del cielo que dijo: Escribe: ¡Dichosos los que de aquí en adelante mueren en el Señor! Cierto —dice el Espíritu—, descansarán de sus fatigas, porque sus obras los acompañan.

Entonces miré, y vi una nube blanca, y sobre la nube uno sentado semejante al Hijo del Hombre, con una corona de oro en su cabeza, y en su mano una hoz aguda.

ADORACION Y LOOR — 1

Salmo 107:21-36

¡Den gracias al Señor por su constante amor, por sus maravillas en bien de los hombres!

Ofrezcan sacrificios de alabanza, y publiquen sus obras con júbilo.

Los que descienden en naves al mar, y negocian en las muchas aguas, han visto las obras del Eterno, y sus maravillas en el océano.

El habla y desata la tempestad, que encrespa las olas.

Eran lanzados hasta el cielo, hundidos hasta el fondo del mar; su ánimo desfallecía ante el peligro.

Temblaban y titubeaban como ebrios, y toda su pericia era inútil.

Entonces clamaban al eterno en su angustia. Y él los libraba de su aflicción.

Cambiaba la tempestad en sosiego, y apaciguaba sus olas.

Entonces se tranquilizaban, y se alegraban, y él los guiaba al puerto que deseaban.

¡Den gracias al Eterno por su constante amor, y por sus maravillas en bien de los hombres!

Exáltenlo en la congregación del pueblo, y alábenlo en la reunión de los ancianos.

El Señor convierte los ríos en desierto, y seca los manantiales, la tierra fructífera en estéril, por la maldad de sus habitantes.

También convierte el desierto en estanques de agua, y la tierra seca en manantiales.

Allí establece a los hambrientos, y fundan ciudad donde vivir.

ADORACION Y LOOR — 2

Salmo 24

Del Eterno es la tierra y su plenitud, el mundo y los que habitan en él.

Porque él la fundó sobre los mares, y la afirmó sobre los ríos.

¿Quién subirá al monte del Eterno? ¿Quién estará en su Santuario?

El limpio de manos y puro de corazón,

el que no eleva su alma a la vanidad, ni jura con engaño.

Este recibirá la bendición del Eterno, y la justicia de Dios, su Salvador.

Tal es la generación del que lo busca, del que busca tu rostro, oh Dios de Jacob.

Alzad, oh puertas, vuestras cabezas, y alzaos vosotras, puertas eternas, y entrará el Rey de gloria.

¿Quién es ese Rey de gloria?

El Eterno, el fuerte y valiente; el Eterno, el poderoso en batalla. Alzad, oh puertas, vuestras cabezas, y alzaos vosotras, puertas eternas, y entrará el Rey de gloria.

¿Quién es ese Rey de gloria?

El Eterno Todopoderoso, él es el Rey de gloria.

PODER Y MAJESTAD

Salmo 19:1-4; Isaías 42:5-12

Los cielos cuentan la gloria de Dios, y el firmamento anuncia la obra de sus manos.

Un día emite palabras al otro día, y una noche a la otra noche declara sabiduría.

Aunque no se escuchan palabras, ni se oye su voz,

por toda la tierra sale su pregón, y hasta el extremo del mundo sus palabras. En los cielos puso tienda para el sol.

Así dice Dios, el Eterno, el Creador de los cielos, el que los despliega, el que extiende la tierra y sus productos; el que da aliento al pueblo que nora en ella, y vida a los que andan por ella:

Yo, el Eterno, te llamé en justicia, y te sostendré por la mano. Te guardé, y te pondré por pacto del pueblo, por luz de las naciones. Para que abras los ojos de los ciegos, saques de la cárcel a los presos, y de prisión a los que están en tinieblas.

Yo, el Eterno, éste es mi Nombre; y a otro no daré mi gloria, ni mi alabanza a las esculturas.

Las primeras predicciones se cumplieron. Yo anuncio las cosas futuras, las anuncio antes que sucedan.

¡Cantad al Eterno una canción nueva! ¡Cantad su alabanza desde el fin de la tierra! ¡Cante el mar y cuanto hay en él, las islas y sus habitantes!

Alcen su voz el desierto y sus ciudades, las aldeas donde habita Cedar. Canten los habitantes de Sela, y desde la cumbre de los montes den voces de júbilo.

Glorifiquen al Señor, y prediquen su loor en las islas.

EL PODER DE DIOS EN LA NATURALEZA

Salmo 8:1-9

Oh Eterno, Señor nuestro, ¡cuán glorioso es tu Nombre en toda la tierra! has puesto tu gloria sobre los cielos.

De la boca de los pequeños y de los que maman, afirmas tu fortaleza, frente a tus adversarios, para silenciar al enemigo y al rebelde.

Cuando veo los cielos, obra de tus

dedos, y la luna y las estrellas que tú formaste,

pienso: ¿Qué es el hombre para que lo recuerdes, y el hijo del hombre para que lo cuides?

Lo hiciste un poco menor que los ángeles, y lo coronaste de gloria y de honra.

Lo hiciste señor de las obras de tus manos,

todo lo pusiste bajo sus pies; ovejas y bueyes, junto con las bestias del campo, las aves del cielo y los peces del mar; todo cuanto surca las sendas del mar.

¡Oh Eterno, Señor nuestro, cuán glorioso es tu Nombre en toda la tierra!

EL AMOR DE DIOS

Juan 3:16 y 17; 1 Juan 4:7-19

Tanto amó Dios al mundo, que dio a su Hijo único, para que todo el que crea en él, no perezca, sino que tenga vida eterna.

Porque Dios no envió a su Hijo al mundo para condenar al mundo, sino para que el mundo sea salvo por él.

Amados, amémonos unos a otros, porque el amor viene de Dios. El que ama ha nacido de Dios y conoce a Dios.

El que no ama, no conoce a Dios, porque Dios es amor.

En esto se manifestó el amor de Dios hacia nosotros, en que Dios envió a su Hijo único al mundo, para que vivamos por él.

En esto consiste el amor: No en que nosotros hayamos amado a Dios, sino en que él nos amó a nosotros, y envió a su Hijo como

víctima por nuestros pecados.

Amados, si Dios nos ha amado tanto, nosotros también debemos amarnos unos a otros.

Nadie ha visto jamás a Dios. Si nos amamos unos a otros, Dios vive en nosotros, y su amor se perfecciona en nosotros.

En esto conocemos que vivimos en él, y él en nosotros, en que nos ha dado de su Espíritu.

Y nosotros hemos visto y damos testimonio que el Padre ha enviado a su Hijo para ser el Salvador de mundo.

Todo el que confiesa que Jesús es el Hijo de Dios, Dios está en él, y él en Dios.

Nosotros hemos conocido el amor que Dios nos tiene, y hemos creído en él. Dios es amor, y el que permanece en el amor, permanece en Dios, y Dios en él.

En esto se perfecciona el amor en nosotros, para que tengamos plena confianza en el día del juicio. Porque como él es, así somos nosotros en este mundo.

En el amor no hay temor. Antes el amor perfecto echa fuera el temor, porque el temor mira el castigo. De donde el que teme, aún no está perfecto en el amor.

Nosotros le amamos, porque él nos amó primero.

SUFRIMIENTOS Y MUERTE DE CRISTO

Isaías 53:1-12

¿Quién ha creído a nuestro anuncio? ¿A quién se ha revelado el brazo del Eterno?

Mi Siervo creció como un retoño, como raíz en tierra seca. No tenía belleza ni majestad para atraernos, nada en su apariencia para que lo deseáramos.

Despreciado y desechado entre los hombres, varón de dolores, experimentado en quebranto. Y como escondimos de él el rostro, fue menospreciado, y no lo estimamos.

Sin embargo, él llevó nuestras enfermedades, y sufrió nuestros dolores. Y nosotros lo tuvimos por azotado, por herido de Dios y abatido.

Pero él fue herido por nuestras rebeliones, molido por nuestros pecados, el castigo de nuestra paz fue sobre él, y por su llaga fuimos curados.

Todos nos descarriamos como ovejas, cada cual se desvió por su camino. Pero el Eterno cargó sobre él el pecado de todos nosotros.

Angustiado y afligido, no abrió su boca. Como cordero fue llevado al matadero. Como oveja ante sus trasquiladores, enmudeció y no abrió su boca.

Fue arrestado y juzgado injustamente, sin que nadie pensara en su linaje. Fue cortado de la tierra de los vivientes. Por la rebelión de mi pueblo le dieron muerte.

Se dispuso con los impíos su sepultura, pero con los ricos fue en su muerte; porque nunca hizo maldad, ni hubo engaño en su boca.

Con todo, el Eterno quiso quebrantarlo mediante el sufrimiento. Y como puso su vida en sacrificio por el pecado, verá linaje, prolongará sus días, y la voluntad del

Eterno será prosperada en su mano.

Después de tanta aflicción verá la luz, y quedará satisfecho. Con su conocimiento mi Siervo justo justificará a muchos y llevará las iniquidades de ellos.

Por tanto, yo le daré parte con los grandes, y con los fuertes repartirá despojos; por cuanto derramó su vida hasta la muerte, y fue contado con los perversos, cuando en realidad, él llevó el pecado de muchos, y oró por los transgresores.

LA OBRA SACERDOTAL DE CRISTO
Hebreos 8:1-4; 9:11-14, 24-28

Lo principal de lo que venimos diciendo es que tenemos un Sumo Sacerdote que se sentó a la diestra del trono de la Majestad en el cielo.

Y es ministro del Santuario, de aquel verdadero Santuario que el Señor levantó, y no el hombre.

Todo sumo sacerdote es puesto para ofrecer presentes y sacrificios. De ahí que era necesario que Jesús también tuviese algo que ofrecer.

Si estuviera sobre la tierra, ni siquiera sería sacerdote, habiendo aún sacerdotes que ofrecen los presentes según la Ley.

Pero Cristo ya vino, y ahora es el Sumo Sacerdote de los bienes definitivos. El Santuario donde él ministra es más grande y más perfecto, y no es hecho por mano de hombre, es decir, no es de este mundo.

Y Cristo entró en el Santuario una vez para siempre, no con sangre de machos cabríos ni de becer-

ros, sino con su propia sangre, y consiguió la eterna redención.

Porque si la sangre de los toros, los machos cabríos y la ceniza de la becerra rociada a los impuros, santifican para purificar la carne,

¡mucho más la sangre de Cristo, quien por el Espíritu Eterno se ofreció a sí mismo sin mancha a Dios, purificará vuestra conciencia de las obras que llevan a la muerte, para que sirváis al Dios vivo!

Porque Cristo no entró en el Santuario hecho por mano de hombre, que era sólo copia del Santuario verdadero, sino que entró en el mismo cielo, donde ahora se presenta por nosotros ante Dios.

Tampoco entró para ofrecerse muchas veces a sí mismo, como entra el sumo sacerdote en el Lugar Santísimo, cada año con sangre ajena.

De otra manera, a Cristo le hubiera sido necesario padecer muchas veces desde la creación del mundo. Pero ahora, al final de los siglos, se presentó una sola vez para siempre, para quitar el pecado, por medio del sacrificio de sí mismo.

Y así como está ordenado que los hombres mueran una vez, y después enfrenten el juicio,

así también Cristo fue ofrecido una sola vez, para quitar los pecados de muchos. Y la segunda vez, sin relación con el pecado, aparecerá para salvar a los que lo esperan ansiosamente.

AMOR Y SIMPATIA DE CRISTO
Salmo 103:6,7,12-22

El Eterno hace justicia y derecho a todos los oprimidos.

Sus caminos notificó a Moisés, y al pueblo de Israel sus obras.

Cuanto está lejos el oriente del occidente, alejó de nosotros nuestros pecados.

Como el padre compadece a sus hijos, se compadece el Señor de los que lo reverencian.

El conoce nuestra condición, se acuerda que somos polvo.

Como la hierba son los días del hombre. Florece como la flor del campo, que apenas pasa el viento por ella, perece, y su lugar no se conoce más.

Pero el amor del Señor es desde la eternidad y por la eternidad sobre los que lo reverencian.

Y su justicia sobre los hijos de los hijos, sobre los que guardan su pacto, y se acuerdan de obedecer sus Mandamientos.

El Eterno estableció en el cielo su trono, su reino domina sobre todos.

¡Alabad al Eterno, vosotros sus ángeles, poderosos en fortaleza, que ejecutáis sus órdenes, y obedecéis su Palabra!

¡Alabad al Eterno, vosotros sus ejércitos celestiales, ministros suyos, que hacéis su voluntad!

¡Alabad al Señor, vosotras todas sus obras, en todo lugar de su señorío! ¡Alaba, alma mía, al Eterno!

CRISTO EL LIBERTADOR
Isaías 43:1-7, 10-13

Ahora, así dice el Eterno, tu Creador, oh Jacob, y tu Formador, oh Israel: No temas, porque yo te redimí. Te puse nombre, eres mío.

Cuando pases por el agua, yo seré contigo; y los ríos, no te anegarán. Cuando pases por el fuego, no te quemarás, ni la llama arderá en ti.

Porque yo el Eterno tu Dios, el Santo de Israel, soy tu Salvador. A Egipto, a Etiopía y a Seba he dado por tu rescate.

Porque en mis ojos eres de gran estima, eres honorable, y yo te amo. Daré, pues, hombres por ti, y naciones por tu vida.

No temas, porque yo estoy contigo. Del oriente traeré tu generación, y del occidente te juntaré.

Diré al norte: Da acá, y al sur: No detengas. Trae de lejos a mis hijos e hijas, desde los extremos de la tierra,

a todos los que llevan mi Nombre, para gloria mía los he creado, los formé y los hice.

Vosotros sois mis testigos —dice el Eterno—, y mis siervos que yo elegí, para que me conozcáis, creáis en mí, y entendáis que Yo Soy. Antes de mí, no existió ningún Dios, ni habrá otro después de mí.

Yo, Yo Soy el Eterno, y fuera de mí, no hay quien salve.

Yo anuncié, salvé e hice oír, y no hubo extraño entre vosotros. Vosotros sois mis testigos —dice el Eterno—, que Yo Soy Dios.

Aun antes que hubiera día, yo existía; y no hay quien libre de mi mano. Cuando yo hago algo, ¿quién lo estorbará?

LA SEGUNDA VENIDA DE CRISTO

Juan 14:1-3; Hechos 1:10,11
Mateo 24:42-51

No se turbe vuestro corazón. Creéis en Dios, creed también en mí.

En la casa de mi Padre hay muchas moradas. Si así no fuera, os lo hubiera dicho. Voy, pues, a preparar lugar para vosotros.

Y cuando me vaya y os prepare lugar, vendré otra vez, y os llevaré conmigo, para que donde yo esté, vosotros también estéis.

Mientras miraban fijamente cómo se iba al cielo, se pusieron junto a ellos dos varones vestidos de blanco,

y les dijeron: Galileos, ¿por qué quedáis mirando al cielo? Este mismo Jesús, que ha sido llevado de vosotros al cielo, volverá del mismo modo en que lo habéis visto ir al cielo.

Velad, pues, porque no sabéis a qué hora ha de venir vuestro Señor.

Sin embargo, sabed esto, si el padre de la familia supiera a qué hora el ladrón había de venir, velaría y no dejaría asaltar su casa.

Por tanto, estad preparados también vosotros, porque el Hijo del Hombre vendrá a la hora que no pensáis.

¿Quién, pues, es el siervo fiel y prudente, a quien su señor puso sobre su familia, para que le dé el alimento a tiempo?

Dichoso aquel siervo, a quien, cuando su señor vuelva, lo encuentre haciendo así.

Os aseguro que lo pondrá sobre todos sus bienes.

Pero si aquel siervo fuera malo, y dijera en su corazón: Mi señor se tarda en venir.

Y empezara a herir a sus consiervos, y a comer y beber con los borrachos;

vendrá el señor de aquel siervo en el día que no espera, a la hora que no sabe,

lo castigará, y lo pondrá con los hipócritas. Allí será el llanto y el crujir de dientes.

EL ESPIRITU SANTO
Juan 14:15-18; 16:7-14; 15:26; 14:26

Si me amáis, guardaréis mis Mandamientos;

y yo rogaré al Padre, y os dará otro Ayudador, para que esté con vosotros para siempre,

al Espíritu de verdad, a quien el mundo no puede recibir, porque no lo ve, ni lo conoce. Pero vosotros lo conocéis, porque está con vosotros, y estará en vosotros.

Sin embargo, os digo la verdad: Os conviene que me vaya, porque si no me fuera, el Ayudador no vendría a vosotros. Pero al irme, os lo enviaré.

Y cuando él venga convencerá al mundo de pecado, de justicia y de juicio.

De pecado, porque no creen en mí. De justicia porque voy al Padre, y no me veréis más. Y de juicio, por cuanto el príncipe de este mundo ahora ya está condenado.

Aún tengo muchas cosas que deciros, pero ahora no las podéis llevar.

Cuando venga el Espíritu de verdad, él os guiará a toda la verdad; porque no hablará de sí mismo, sino que hablará todo lo que oiga, y os hará saber lo que ha de venir.

El me glorificará, porque tomará de lo mío, y os lo comunicará.

Cuando venga el Ayudador que os enviaré del Padre, el Espíritu de la verdad que procede del Padre, él testificará de mí.

El Ayudador, el Espíritu Santo, a quien el Padre enviará en mi Nombre, os enseñará todas las cosas, y os recordará todo lo que os he dicho.

SU PRESENCIA PERMANENTE — 1
Salmo 37:1-11

No te impacientes a causa de los malignos, ni envidies a los que practican la iniquidad.

Porque como hierba serán pronto cortados, y como la hierba se secarán.

Confía en el Eterno, y haz el bien; habita en la tierra y cultiva la fidelidad.

Deléitate en el Señor, y él te dará los deseos de tu corazón.

Encomienda al Eterno tu camino, confía en él, y él obrará.

Exhibirá tu justicia como la luz, y tu derecho como el mediodía.

Descansa en el Eterno, y espera con paciencia en él. No te impacientes por el que prospera en su camino, por el hombre que hace maldad.

Deja la ira y abandona el enojo. No te impacientes, que eso sólo conduce al mal.

Porque los malhechores serán exterminados, pero los que esperan en el Señor, heredarán la tierra.

SU PRESENCIA PERMANENTE — 2

Salmo 139:1-12

Oh, Eterno, tú me has examinado y me conoces.

Tú conoces mi sentarme y mi levantarme; desde lejos entiende mis pensamientos.

Tú conoces mi senda, y mi acostarme. Conoces todos mis caminos.

Aún no está la palabra en mi lengua, y tú, oh Eterno, la sabes toda.

Detrás y delante me rodeas, y sobre mí pones tu mano.

Tal conocimiento es demasiado maravilloso para mí, demasiado alto para alcanzarlo.

¿Adónde iré de tu Espíritu? ¿Y adónde huiré de tu presencia?

Si subiera a los cielos, allí estás tú; si en el abismo hiciera mi lecho, allí estás también.

Si tomara las alas del alba, y habitara en el extremo del mar, aún allí me guiará tu mano, y me sostendrá tu diestra.

Si dijera: De seguro las tinieblas me encubrirán, hasta la noche resplandecerá sobre mí.

Ni las tinieblas me encubren de ti, y la noche es tan luminosa como el día; lo mismo son las tinieblas que la luz.

LA SAGRADA ESCRITURA

Deu. 29:29; 2 Ped. 1:19-21; 2 Tim. 3:15-17; Juan 5:39; Heb. 4:12,13; Jer. 15:16

Las cosas secretas pertenecen al Eterno nuestro Dios, pero las reveladas son para nosotros y nuestros hijos para siempre, para que cumplamos todas las palabras de esta Ley.

Tenemos la palabra profética más segura, a la cual hacéis bien en estar atentos, como a una antorcha que alumbra en lugar oscuro, hasta que el día esclarezca, y el Lucero de la mañana salga en vuestro corazón.

Ante todo, sabed que ninguna profecía de la Escritura vino por interpretación privada del mismo profeta.

Porque ninguna profecía vino jamás por voluntad humana, sino que los santos hombres de Dios hablaron inspirados por el Espíritu Santo.

Desde niño conoces las Sagradas Escrituras, que te pueden hacer sabio para la salvación mediante la fe en Cristo Jesús.

Toda la Escritura es inspirada por Dios, y es útil para enseñar, reprender, enmendar e instruir en justicia,

para que el hombre de Dios sea perfecto, cabalmente instruido para toda buena obra.

La Palabra de Dios es viva y eficaz, más cortante que cualquier espada de dos filos. Penetra hasta partir el alma y el espíritu, las coyunturas y los tuétanos, y discierne los pensamientos y las intenciones del corazón.

Nada está oculto a la vista de Dios. Todas las cosas están desnudas y abiertas a los ojos de aquel a quien tenemos que dar cuenta.

Cuando recibía tus palabras, yo las devoraba, y tu Palabra fue el

gozo y la alegría de mi corazón; porque tu Nombre se invocó sobre mí, oh Eterno Todopoderoso.

LOS REQUISITOS DE DIOS

Miqueas 6:6-8; 7:18-20
Oseas 14:1,2, 4-6

¿Con qué me presentaré al Eterno, y adoraré al excelso Dios? ¿Iré ante él con holocaustos y becerros de un año?

¿Se agradará el Eterno de millares de carneros, o de diez mil arroyos de aceite? ¿Daré mi primogénito por mi rebelión, el fruto de mi seno por mi pecado?

Oh, hombre, el Señor te ha declarado qué es lo bueno, y qué pide de ti. Sólo actuar con justicia, y andar humildemente con tu Dios.

Vuelve, oh Israel al Eterno tu Dios; porque por tu pecado has caído.

Tened palabras de arrepentimiento, convertíos al Eterno, y decidle: Quita toda iniquidad y acepta el bien. Te ofrecemos la ofrenda de nuestros labios.

Yo sanaré tu rebelión, los amaré de pura gracia; porque mi furor se apartó de ellos.

Yo seré a Israel como el rocío. El florecerá como el lirio, y extenderá sus raíces como el Líbano.

Extenderá sus ramas, su gloria será como la del olivo, y su fragancia como el Líbano.

LA UNION CON CRISTO

Juan 15:1-16

Yo soy la vid verdadera, y mi Padre es el labrador.

Toda rama que en mí no lleva fruto, la quitará; y toda rama que lleva fruto, la limpiará, para que lleve más fruto.

Vosotros ya estáis limpios por la Palabra que os he hablado.

Permaneced en mí, y yo en vosotros. Como la rama no puede llevar fruto por sí misma, si no permanece en la vid; tampoco vosotros, si no permanecéis en mí.

Yo soy la vid, vosotros las ramas. El que permanece en mí, y yo en él, éste lleva mucho fruto. Porque separados de mí, nada podéis hacer.

El que no permanece en mí, es como la rama que se desecha, y se seca. Las juntan, las echan al fuego, y las queman.

Si permanecéis en mí, y mis palabras permanecen en vosotros, pedid todo lo que queráis, y os será hecho.

En esto es glorificado mi Padre, en que llevéis mucho fruto, y seáis mis discípulos.

Como el Padre me amó, también os he amado. Permaneced en mi amor.

Si guardáis mis Mandamientos, permaneceréis en mi amor; como yo también he guardado los Mandamientos de mi Padre, y permanezco en su amor.

Estas cosas os he hablado, para que mi gozo esté en vosotros, y vuestro gozo sea completo.

Este es mi Mandamiento: Que os améis unos a otros, como yo os he amado.

Nadie tiene mayor amor que éste, que uno dé su vida por sus amigos.

Vosotros sois mis amigos, si ha-

céis lo que os mando.

Ya no os llamo siervos, porque el siervo no sabe lo que hace su señor. Os he llamado amigos, porque os di a conocer todo lo que oí de mi Padre.

No me elegisteis vosotros a mí, sino que yo os elegí a vosotros, para que vayáis y llevéis fruto, y vuestro fruto permanezca; para que todo lo que pidáis al Padre en mi Nombre, él os lo dé.

EL BUEN PASTOR
Juan 10:1-16

Entonces Jesús les dijo: Os aseguro: El que no entra en el redil de las ovejas por la puerta, sino que sube por otra parte, es ladrón y asaltante.

Pero el que entra por la puerta es el pastor de las ovejas.

A éste el portero le abre, y las ovejas reconocen su voz. Llama a sus ovejas por su nombre, y las saca del redil.

Y cuando ha sacado fuera a todas las que le pertenecen, va delante de ellas. Y las ovejas lo siguen, porque reconocen su voz.

Pero no siguen al extraño, antes huyen de él, porque no conocen la voz del extraño.

Esta comparación hizo Jesús; pero ellos no entendieron lo que les decía.

Jesús volvió a decirles: Os aseguro: Yo Soy la puerta de las ovejas.

Todos los que vinieron antes de mí, son ladrones y asaltantes, y las ovejas no los oyeron.

Yo Soy la puerta. El que entre por medio de mí, será salvo. Entrará, saldrá, y hallará pastor.

El ladrón no viene sino a hurtar, matar y destruir. Yo he venido para que tengan vida, y para que la tengan en abundancia.

Yo Soy el buen pastor. El buen pastor da su vida por las ovejas.

Pero el asalariado, que no es el pastor, ni el propietario de las ovejas, ve al lobo que viene, y abandona las ovejas y huye. Y el lobo las arrebata y las esparce.

El asalariado huye, porque es mercenario, y no le importan las ovejas.

Yo Soy el buen pastor. Conozco mis ovejas, y las mías me conocen.

Así como el Padre me conoce, yo conozco al Padre. Además, doy mi vida por las ovejas.

También tengo otras ovejas que no son de este redil. A éstas también tengo que traer. Y habrá un rebaño y un pastor.

NUESTRO PROTECTOR
Salmo 91:1-16

El que habita al abrigo del altísimo, morará bajo la sombra del Todopoderoso.

Diré al Eterno: ¡Esperanza mía y castillo mío, mi Dios, en quien confío!

El te librará del lazo del cazador, de la plaga destructora.

Con sus plumas te cubrirá, debajo de sus alas estarás seguro. Escudo y muralla es su fidelidad.

No temerás el espanto nocturno, ni saeta que vuele de día, ni plaga que ande en oscuridad, ni peste que al mediodía destruya.

Caerán mil a tu lado, y diez mil a tu diestra, pero a ti no llegará.

Con tus ojos mirarás, y verás la retribución de los impíos.

Porque has puesto al Eterno, que es mi refugio, al Altísimo, por tu habitación, no te sobrevendrá mal, ni plaga tocará tu morada.

Pues a sus ángeles mandará por ti, que te guarden en todos tus caminos.

En las manos te llevarán, para que tu pie no tropiece en piedra.

Sobre el león y el áspid pisarás, hollarás al cachorro del león y al dragón.

Por cuanto ha puesto su amor en mí —dice el Señor—, yo lo libraré; lo pondré en alto, por cuanto ha conocido mi Nombre.

Me invocará, y yo le responderé. Con él estaré en la angustia, lo libraré y lo glorificaré.

Lo saciaré de larga vida, y le mostraré mi salvación.

LA BONDAD DE DIOS
Salmo 107:1-15

¡Dad gracias al Eterno, porque es bueno, porque su amor es para siempre!

Díganlo los redimidos del Señor, los que redimió del poder del enemigo, y congregó de los países, del oriente y del occidente, del norte y del sur.

Anduvieron perdidos por el desierto, en la soledad sin camino, sin hallar ciudad en que vivir.

Hambrientos y sedientos, su vida desfallecía en ellos.

Entonces clamaron al Eterno, y los libró de su aflicción, y los dirigió por camino derecho, a ciudad habitable.

¡Dad gracias al Señor por su constante amor, y por sus maravillas en bien de los hombres!

Algunos yacían en tinieblas y sombra de muerte, aprisionados en aflicción y cadenas.

Por cuanto fueron rebeldes a las Palabras del Eterno, y despreciaron el consejo del Altísimo,

por eso él abatió con trabajo sus corazones, cayeron, y no hubo quien los ayudase.

Entonces clamaron al Señor en su angustia, y los libró de su aflicción; los sacó de las tinieblas y de la sombra mortal, y rompió sus prisiones.

¡Den gracias al Eterno por su constante amor, y por sus maravillas en bien de los hombres!

LA INVITACION
Isaías 55:1-13

¡Todos los sedientos, venid a las aguas! ¡Y los que no tienen dinero, venid, comprad y comed! ¡Venid, comprad sin dinero y sin precio, vino y leche!

¿Por qué gastáis el dinero no en pan, y vuestro trabajo en lo que no satisface? Oídme con atención, y comed del bien, y os deleitaréis con algo sustancioso.

Inclinad vuestro oído, y venid a mí. Oídme y viviréis. Y haré con vosotros un pacto eterno, las amorosas y fieles promesas hechas a David.

Yo lo di por testigo a los pueblos, por jefe y por maestro a las naciones.

Llamarás a naciones que no conociste, y naciones que no te conocieron correrán a ti, por causa del Eterno tu Dios, y del Santo de Israel, que te ha dotado de esplendor.

Buscad al Eterno mientras puede ser hallado, llamadlo en tanto que está cerca.

Deje el impío su camino, y el hombre malo sus pensamientos; y vuélvase al Señor, quien tendrá de él misericordia, y a nuestro Dios, que es amplio en perdonar.

Porque mis pensamientos no son vuestros pensamientos, ni vuestros caminos mis caminos —dice el Eterno.

Como es más alto el cielo que la tierra, así son mis caminos más altos que vuestros caminos, y mis pensamientos más que vuestros pensamientos.

Como descienden del cielo la lluvia y la nieve, y no vuelven allá, sino que riegan la tierra, y la hacen germinar y producir, y da semilla para sembrar y pan para comer,

así será mi Palabra que sale de mi boca, no volverá vacía, antes hará lo que yo quiero, y prosperará en lo que le ordené.

Con alegría saldréis, y en paz seréis guiados. Los montes y los collados levantarán canción ante vosotros, y todos los árboles del campo darán palmadas de aplauso.

En lugar de la zarza crecerá ciprés, y en lugar de la ortiga crecerá arrayán. Y será de renombre para el Señor, señal eterna que nunca será borrada.

ARREPENTIMIENTO

Salmo 51:1-17

Ten compasión de mí, oh Dios, conforme a tu amante bondad; conforme a tu inmensa ternura, borra mis transgresiones.

Lávame a fondo de mi maldad, y límpiame de mi pecado.

Porque reconozco mis transgresiones, y mi pecado está siempre delante de mí.

Contra ti solo he pecado, e hice lo malo ante tus ojos; pues tú eres justo cuando hablas, y sin reproche cuando juzgas.

En cambio, en maldad nací yo, y en pecado me concibió mi madre.

Pero tú amas la verdad en lo íntimo, y en lo secreto me ayudas a reconocer la sabiduría.

Purifícame con hisopo y seré limpio. Lávame, y seré más blanco que la nieve.

Hazme oír gozo y alegría, y se recrearán los huesos que abatiste.

Esconde tu rostro de mis pecados, y borra todas mis maldades.

Oh Dios, crea en mí un corazón limpio, y renueva un espíritu recto dentro de mí.

No me eches de tu presencia, y no retires de mí tu Santo Espíritu.

Devuélveme el gozo de tu salvación, y sosténme con un espíritu dispuesto.

Entonces enseñaré a los transgresores tus caminos, y los pecadores se convertirán a ti.

Líbrame de homicidios, oh Dios, Dios de mi salvación; y mi lengua cantará tu justicia.

Señor, abre mis labios, y mi boca publicará tu alabanza.

Porque tú no quieres sacrificio, que yo daría; no quieres holocausto.

El sacrificio aceptable para Dios es el espíritu quebrantado. Tú, oh Dios, no desprecias el corazón contrito y humillado.

LA CONVERSION
Efes. 2:1-10; 1 Cor. 6:9-11

Pablo apóstol de Jesucristo por la voluntad de Dios, a los santos y fieles en Cristo Jesús que están en Efeso. Gracia y paz a vosotros, de Dios nuestro Padre, y del Señor Jesucristo.

Alabado sea el Dios y Padre de nuestro Señor Jesucristo, que en Cristo nos bendijo con toda bendición espiritual en los cielos.

Dios nos eligió en él desde antes de la creación del mundo, para que fuésemos santos y sin culpa ante él en amor.

Y nos predestinó para ser sus hijos adoptivos por Jesucristo, conforme al afecto de su voluntad, para alabar su gloriosa gracia, que nos dio generosamente en el Amado.

En él tenemos redención por su sangre, el perdón de los pecados según la riqueza de su gracia, que nos prodigó con abundancia en toda sabiduría e inteligencia.

Y nos dio a conocer el misterio de su voluntad, según su beneplácito, que se había propuesto en Cristo,

para que llegado el tiempo, reuniera en él, bajo una sola cabeza, todo lo que está en el cielo y lo que está en la tierra.

¿No sabéis que los injustos no

heredarán el reino de Dios? No erréis, que ni los fornicarios, ni los idólatras, ni los adúlteros, ni los afeminados, ni los homosexuales, ni los estafadores, heredarán el reino de Dios.

Eso erais algunos. Pero ahora habéis sido lavados, habéis sido santificados, habéis sido justificados en el Nombre del Señor Jesús, y por el Espíritu de nuestro Dios.

EL GOZO DEL PERDON
Salmo 32

¡Dichoso aquel a quien es perdonada su transgresión, y cubierto su pecado!

¡Dichoso el hombre a quien el Señor no culpa de pecado, y en cuyo espíritu no hay engaño!

Mientras callé, se envejecieron mis huesos en mi gemir todo el día.

Porque de día y de noche se agravó sobre mí tu mano. Mi verdor se volvió en sequedad de verano.

Entonces te declaré mi pecado, y no encubrí mi culpa. Dije: Confesaré mis transgresiones al Eterno, y tú perdonaste la maldad de mi pecado.

Por eso orará a ti todo hombre piadoso mientras pueda hallarte. Y aunque las muchas aguas se desborden, no llegarán a él.

Tú eres mi refugio, me guardarás de angustia, con cantos de liberación me rodearás.

Te haré entender, te enseñaré el camino en que debes andar, sobre ti fijaré mis ojos.

No seáis sin entendimiento, como el caballo o el mulo, que han de ser sujetados con cabestro y freno, para que no se acerquen a ti.

Muchos dolores sufre el impío, pero el constante amor del Eterno rodea al que confía en él.

¡Alegraos en el Eterno y gozaos justos! ¡Cantad todos vosotros, los rectos de corazón!

CONSAGRACION
Rom. 12:1-3, 9-21

Así, hermanos, os ruego por la misericordia de Dios, que presentéis vuestro cuerpo en sacrificio vivo, santo, agradable a Dios, que es vuestro culto razonable.

Y no os conforméis a este mundo, sino transformaos mediante la renovación de vuestra mente, para que podáis comprobar cuál es la buena voluntad de Dios, agradable y perfecta.

Por la gracia que me es dada, digo a cada uno de vosotros, que no tenga más alto concepto de sí que el que debe tener, sino que piense de sí con moderación, conforme a la medida de la fe que Dios repartió a cada uno.

El amor sea sin fingimiento. Aborreced el mal, seguid el bien.

Amaos unos a otros con afecto fraternal. En cuanto a la honra, dad preferencia a los otros.

En el trabajo no seáis perezosos. Sed fervientes en espíritu, sirviendo al Señor.

Gozosos en la esperanza, sufridos en la tribulación, constantes en la oración.

Contribuid a las necesidades de los santos. Practicad la hospitalidad.

Bendecid a los que os persiguen, bendecid, y no maldigáis.

Gozaos con los que se gozan, llorad con los que lloran.

Sed unánimes entre vosotros. No altivos, sino asociándoos con los humildes. No seáis sabios en vuestra opinión.

No paguéis a nadie mal por mal. Procurad lo bueno ante todos los hombres.

En lo posible, en cuanto dependa de vosotros, tened paz con todos.

No os venguéis vosotros mismos, amados míos, antes dad lugar a la ira de Dios. Porque escrito está: Mía es la venganza, yo pagaré, dice el Señor.

Al contrario, si tu enemigo tuviera hambre, dale de comer; si tuviera sed, dale de beber. Actuando así, ascuas de fuego amontonas sobre su cabeza.

No seas vencido por el mal, sino vence el mal con el bien.

PALABRAS DE PAZ
Sal. 133:1; Prov. 12:20; Zac. 8:19; Juan 14:27; Sant. 3:17; Fil. 4:8; 2 Cor. 13:11

¡Mirad cuán bueno y agradable es que los hermanos habiten en unión y armonía!

Engaño hay en el corazón de los que traman el mal, pero los que aconsejan la paz tienen alegría.

Así dice el Eterno Todopoderoso: El ayuno del cuarto mes, el del quinto mes, el del séptimo mes y el del décimo mes, se convertirán en gozo y alegría, y en fiestas solemnes para Judá. Amad, pues, la verdad y la paz.

La paz os dejo, mi paz os doy. Os la doy, no como el mundo la da. No se turbe vuestro corazón, ni tenga miedo.

La sabiduría que viene de lo alto, primero es pura, después pacífica, modesta, benigna, llena de misericordia y buenos frutos, imparcial y sin hipocresía.

Por lo demás, hermanos, todo lo que es verdadero, todo lo honorable, todo lo justo, todo lo puro, todo lo amable, todo lo que es de buen nombre; si hay virtud alguna, si algo digno de alabanza, en eso pensad.

Por fin, hermanos, tened gozo. Procurad la perfección. Animaos mutuamente. Sed de un mismo sentir. Vivid en paz. Y el Dios de paz y de amor estará con vosotros.

MEDITACION Y ORACION

Jos. 1:8; Sal. 1:2;
Sal. 119:11, 15, 16, 48, 55, 97-99
Sal. 19:14

El Libro de la Ley nunca se aparte de tu boca. Antes medita en él de día y de noche, para que guardes y cumplas todo lo que está escrito en él. Entonces prosperarás y todo te saldrá bien.

En mi corazón he guardado tus dichos, para no pecar contra ti.

En tus Mandamientos medito, considero tus caminos.

Me deleito en tus decretos, no descuidaré tus palabras.

Alzaré mis manos a tus Mandamientos que amo, y meditaré en tus preceptos.

En la noche recuerdo tu Nombre, oh Señor, y guardo tu Ley.

¡Cuánto amo yo tu Ley! Todo el día es mi meditación.

Tus Mandamientos me han hecho más sabio que mis enemigos, siempre me acompañan.

Más que mis maestros he entendido, porque tus testimonios son mi meditación.

Sean gratos los dichos de mi boca y la meditación de mi corazón ante ti, oh Eterno, Roca mía y Redentor mío.

LA LUCHA DEL CRISTIANO
Efesios 6:10-18

Por lo demás, hermanos míos, fortaleceos en el Señor y en el poder de su fuerza.

Vestíos de toda la armadura de Dios, para que podáis estar firmes contra las artimañas del diablo.

Porque no tenemos lucha contra sangre y carne; sino contra principados, contra potestades, contra dominadores de este mundo de tinieblas, contra malos espíritus en los aires.

Por tanto, tomad toda la armadura de Dios, para que podáis resistir en el día malo, y habiendo acabado todo, quedar firmes.

Estad, pues, firmes, ceñida vuestra cintura con la verdad, vestidos con la coraza de justicia,

calzados los pies con la prontitud para dar el evangelio de paz.

Sobre todo, tomad el escudo de la fe, con que podáis apagar todos los dardos encendidos del maligno.

Tomad el yelmo de la salvación, y la espada del Espíritu, que es la Palabra de Dios.

Y orad en el Espíritu, en todo tiempo, con toda oración y ruego, velando en ello con perseverancia y súplica por todos los santos.

EXHORTACION A LA PIEDAD
Col. 3:1-17

Siendo que habéis resucitado con Cristo, buscad las cosas de arriba, donde está Cristo sentado a la diestra de Dios.

Poned la mira en las cosas de arriba, no en las de la tierra.

Porque habéis muerto, y vuestra vida está escondida con Cristo en Dios.

Cuando Cristo, vuestra vida, se manifieste, entonces vosotros también seréis manifestados con él en gloria.

Por tanto, haced morir en vosotros lo terrenal: Fornicación, impureza, pasiones lascivas, malos deseos y la avaricia, que es idolatría.

Por estas cosas viene la ira de Dios sobre los desobedientes.

En estas prácticas también vosotros anduvisteis en otro tiempo viviendo en ellas.

Pero ahora, dejad también todas estas cosas: Ira, enojo, malicia, maledicencia, palabras groseras.

No mintáis unos a otros, habiéndoos despojado del viejo hombre con sus prácticas, y habiéndoos revestido de la nueva naturaleza, que se renueva hasta el conocimiento pleno, conforme a la imagen de su Creador;

donde no hay griego ni judío, circuncisión ni incircuncisión, bárbaro ni escita, siervo ni libre, sino que Cristo es el todo, en todos.

Por lo tanto, como elegidos de Dios,

santos y amados, vestíos de entrañable compasión, de benignidad, humildad, mansedumbre y tolerancia.

Soportaos y perdonaos unos a otros, si alguno tuviera queja del otro. De la manera que Cristo os perdonó, así también hacedlo vosotros.

Y sobre todo, vestíos de amor, que es el vínculo de la perfección.

Y la paz de Dios gobierne vuestro corazón, a la que fuisteis también llamados en un solo cuerpo. Y sed agradecidos.

La Palabra de Cristo habite en abundancia en vosotros, enseñando y exhortándoos unos a otros, con toda sabiduría. Cantad a Dios salmos e himnos y canciones espirituales, con gratitud en vuestro corazón.

Y todo lo que hagáis, sea de palabra o de hecho, hacedlo en el Nombre del Señor Jesús, dando gracias a Dios el Padre por él.

LOS PIADOSOS
Salmo 1

Dichoso el hombre que no anda en el consejo de los malos, ni se detiene en el camino de los pecadores, ni en silla de burladores se sienta.

Antes en la Ley del Eterno está su delicia, y en su Ley medita de día y de noche.

Será como árbol plantado junto a corrientes de agua, que da su fruto a su tiempo, y su hoja no cae, y todo lo que hace prosperará.

No así con los malos, que son como la paja que arrebata el viento.

Por eso, no se levantarán los malos en

el juicio, ni los pecadores en la congregación de los justos.

Porque el Eterno conoce el camino de los justos, pero la senda de los malos perecerá.

LA VIDA CRISTIANA
Mateo 5:3-16

Bienaventurados los pobres en espíritu, porque de ellos es el reino de los cielos.

Bienaventurados los que lloran, porque ellos serán consolados.

Bienaventurados los mansos, porque ellos heredarán la tierra.

Bienaventurados los que tienen hambre y sed de justicia, porque ellos serán saciados.

Bienaventurados los misericordiosos, porque ellos alcanzarán misericordia.

Bienaventurados los de limpio corazón, porque ellos verán a Dios.

Bienaventurados los pacificadores, porque ellos serán llamados hijos de Dios.

Bienaventurados los que padecen persecución por causa de la justicia, porque de ellos es el reino de los cielos.

Bienaventurados sois cuando os insulten y persigan, y digan de vosotros todo mal por mi causa, mintiendo.

Gozaos y alegraos, porque vuestra recompensa es grande en el cielo, que así persiguieron a los profetas que fueron antes de vosotros.

Vosotros sois la sal de la tierra. Pero si la sal pierde su sabor, ¿con qué será salada? No sirve más para nada, sino para ser echada fuera y hollada por los hombres.

Vosotros sois la luz del mundo. Una ciudad situada sobre un monte no se puede esconder.

Ni se enciende una lámpara y se pone debajo de una caja, sino sobre el candelero, y así alumbra a todos los que están en casa.

Así alumbre vuestra luz ante los hombres, para que vean vuestras obras buenas, y glorifiquen a vuestro Padre que está en el cielo.

LLAMADO A LOS JOVENES
Ecle. 12:1-7, 13,14

Acuérdate de tu Creador en los días de tu juventud, antes que vengan los días malos, y lleguen los años, de los cuales digas: No tengo en ellos contentamiento.

Antes que se oscurezca el sol y la luz, la luna y las estrellas, y las nubes vuelvan tras la lluvia.

Antes que tiemblen los guardas de la casa, se encorven los hombres fuertes, y cesen las muelas, por haber disminuido, y se oscurezcan los que miran por las ventanas.

Antes que las puertas de afuera se cierren, por lo bajo de la voz de la muela; y se levanten a la voz del ave, y todas las hijas de la canción sean abatidas.

Antes que teman a la altura, y los tropezones en el camino, y florezca el almendro, se agrave la langosta, y se pierda el apetito. Y entonces el hombre vaya a su eterna morada, y los endechadores recorran las calles.

Acuérdate de tu Creador antes

que la cadena de plata se quiebre, se rompa el cuenco de oro, el cántaro se quiebre junto a la fuente, y la rueda se rompa sobre el pozo.

Y el polvo vuelva a la tierra de donde vino, y el aliento de vida vuelva a Dios que lo dio.

El fin de todo el discurso es éste: Venera a Dios y guarda sus Mandamientos, porque éste es todo el deber del hombre.

Porque Dios traerá toda obra a juicio, incluyendo toda cosa oculta, buena o mala.

EL REGRESO A DIOS
Luc. 15:11-24

Jesús siguió diciendo: Un hombre tenía dos hijos. El menor dijo a su padre: Padre, dame la parte de los bienes que me corresponde. Entonces el padre repartió la hacienda.

No muchos días después, el hijo menor juntó todo, y se fue a un país lejano. Y allá desperdició sus bienes viviendo perdidamente.

Cuando hubo malgastado todo, vino una gran hambre en aquella provincia, y empezó a faltarle.

Y se fue y se juntó con un ciudadano de esa tierra, que lo envió a su hacienda a cuidar los cerdos.

Y deseaba llenar su estómago de las algarrobas que comían los cerdos, pero nadie se las daba.

Al fin volvió en sí, y pensó: ¡Cuántos jornaleros en casa de mi padre tienen abundancia de pan, y yo aquí padezco de hambre!

Me levantaré, iré a mi padre, y le diré:

Padre, he pecado contra el Cielo y contra ti. Ya no soy digno de ser llamado tu hijo. Trátame como a uno de tus jornaleros.

Y levantándose, volvió a casa de su padre. Y cuando aún estaba lejos,

su padre lo vio venir, y se enterneció. Corrió, se echó sobre su cuello, y lo besó.

Y el joven le dijo: Padre, he pecado contra el Cielo y contra ti. Ya no soy digno de ser llamado tu hijo...

Pero el padre dijo a sus siervos: ¡Pronto! Sacad el mejor vestido, y vestidlo. Poned un anillo en su mano, y sandalias en sus pies.

Traed el becerro grueso, y matadlo. Y comamos, y hagamos fiesta.

Porque este hijo mío estaba muerto, y ha revivido; se había perdido, y ha sido hallado. Y empezaron a regocijarse.

Así, hay más alegría en el cielo por un pecador que se arrepiente, que por noventa y nueve justos, que no necesitan arrepentimiento.

EN BUSCA DE LO PERDIDO
Lucas 15:3-10

Y les contó esta parábola: ¿Quién de vosotros, si tuviera cien ovejas y perdiera una de ellas, no dejaría a las noventa y nueve en el campo, e iría a buscar la que se perdió, hasta encontrarla?

Y cuando la encuentra la pone sobre sus hombros gozoso.

Y al llegar a su casa, junta a sus amigos y vecinos, y les dice: Alegraos conmigo, porque ya encontré a mi oveja que se había perdido.

Os digo, que así hay más alegría en el Cielo por un pecador que se arrepiente, que por noventa y nueve justos, que no necesitan arrepentimiento.

O, ¿qué mujer que tenga diez dracmas y perdiera una dracma, no enciende la lámpara, y barre la casa, y la busca con diligencia hasta hallarla?

Y cuando la encuentra, junta a las amigas y vecinas, y les dice: Alegraos conmigo, porque encontré la dracma que había perdido.

Así os digo que hay alegría ante los ángeles de Dios por un pecador que se arrepiente.

LA PERFECCION CRISTIANA

Efe. 4:1-8, 11-16

Yo, preso en el Señor, os ruego que andéis como es digno de la vocación a que fuisteis llamados,

con toda humildad, mansedumbre y paciencia, soportándoos unos a otros en amor;

solícitos en guardar la unidad del Espíritu en el vínculo de la paz.

Hay un solo cuerpo, y un solo Espíritu, como también fuisteis llamados a una misma esperanza de vuestra vocación;

un Señor, una fe, un bautismo, un Dios y Padre de todos, que está sobre todos, y en todos.

Sin embargo, a cada uno de nosotros le ha sido dada la gracia conforme a la medida del don de Cristo.

Por eso dice: Cuando subió a lo alto,

llevó cautivos consigo, y dio dones a los hombres.

El mismo dio a unos el ser apóstoles; a otros, profetas; a otros, evangelistas; y a otros, pastores y maestros;

a fin de perfeccionar a los santos para desempeñar su ministerio, para la edificación del cuerpo de Cristo,

hasta que todos lleguemos a la unidad de la fe y del conocimiento del Hijo de Dios, a un estado perfecto, a la madurez de la plenitud de Cristo;

para que ya no seamos niños fluctuantes, llevados por cualquier viento de doctrina, por estratagema de hombres, que para engañar emplean con astucia los artificios del error;

sino que, siguiendo la verdad en amor, crezcamos en todo en aquel que es la cabeza, esto es, en Cristo.

De quien todo el cuerpo, bien ajustado y unido por todos los ligamentos que lo mantienen, según la acción propia de cada miembro, crece para edificarse en amor.

EL DISCIPULADO

Rom. 6:1,2,7-22

¿Qué diremos, pues? ¿Perseveraremos en pecado para que abunde la gracia?

¡De ninguna manera! Porque los que hemos muerto al pecado, ¿cómo viviremos aún en él?

Porque el que ha muerto, queda libre del pecado.

Y si hemos muerto con Cristo, creemos que también viviremos con él.

194

Sabiendo que Cristo, habiendo resucitado de entre los muertos, ya no muere; la muerte ya no tiene más dominio sobre él.

La muerte que Cristo murió, fue una muerte al pecado, una vez para siempre. Pero la vida que él vive, la vive para Dios.

Así también vosotros, consideraos muertos al pecado, pero vivos para Dios en Cristo Jesús.

Por consiguiente, no reine el pecado en vuestro cuerpo mortal, para obedecer a sus malos deseos.

Ni tampoco ofrezcáis vuestros cuerpos como armas al servicio del pecado, sino ofreceos a Dios, como quienes han vuelto de la muerte a la vida; y ofreced vuestros miembros a Dios por instrumentos de justicia.

Porque el pecado no tendrá dominio sobre vosotros, pues no estáis bajo la Ley, sino bajo la gracia.

Pues, ¿qué? ¿Pecaremos porque no estamos bajo la Ley? ¡De ninguna manera!

¿No sabéis que al ofreceros a alguien para obedecerle, sois siervos de aquel a quien obedecéis, o del pecado para muerte, o de la obediencia para justicia?

Pero gracias a Dios, que aunque fuisteis esclavos del pecado, habéis obedecido de corazón a aquel modelo de enseñanza al cual estáis entregados;

y liberados del pecado, habéis llegado a ser siervos de la justicia.

Hablo en términos humanos, por vuestra natural limitación. Así como solíais ofrecer vuestros miembros a las impurezas y a la iniquidad, así ahora presentad vuestros miembros para servir a la justicia, que conduce a la santidad.

Cuando fuisteis esclavos del pecado, estabais libres de la justicia.

¿Qué fruto cosechabais entonces de las cosas que ahora os avergüenzan? Porque el fin de ellas es la muerte.

Pero ahora, librados del pecado y hechos siervos de Dios, tenéis por vuestro fruto la santificación, y como fin la vida eterna.

LA OBRA Y EL DEBER

1 Tim. 2:8-10; Tito 3:14
1 Tim. 6:18,19; Tito 3:8
2 Cor. 5:10; Ecl. 12:14

Teniendo sustento y abrigo, estemos contentos.

Los que quieren enriquecerse caen en tentación y lazo, y en muchas codicias necias y perniciosas, que hunden a los hombres en ruina y perdición.

Porque el amor al dinero es la raíz de todos los males. Y algunos, en esa codicia se desviaron de la fe, y fueron traspasados de muchos dolores.

Aprendan los nuestros a sobresalir en buenas obras para los casos de necesidad, para que no queden sin fruto.

Que hagan bien, que sean ricos en buenas obras, dadivosos, prontos a compartir;

atesorando para sí buen fundamento para lo porvenir, que echen mano de la vida eterna.

Palabra fiel es ésta. En estas cosas insiste con firmeza, para que los que creen a Dios, procuren sobresalir en buenas obras. Estas cosas son buenas y útiles a los hombres.

Porque todos debemos comparecer ante el tribunal de Cristo, para que cada uno reciba según lo que haya hecho cuando estuvo en el cuerpo, sea bueno o mal.

Porque Dios traerá toda obra a juicio, incluyendo toda cosa oculta, buena o mala.

EL AMOR
1 Corintios 13

Si yo hablara lenguas humanas y angélicas, y no tengo amor, vengo a ser como bronce que resuena, o címbalo que retiñe.

Si tuviera profecía, y entendiera todos los misterios y toda ciencia; y si tuviera toda la fe, de manera que trasladara los montes, y no tengo amor, nada soy.

Y si repartiera todos mis bienes para dar de comer a pobres, y entregara mi cuerpo para ser quemado, y no tengo amor, de nada me sirve.

El amor es sufrido, es benigno. El amor no siente envidia. El amor no es jactancioso, no se engríe;

no es rudo, no busca lo suyo, no se irrita, no guarda rencor;

no se alegra de la injusticia, sino que se alegra de la verdad.

Todo lo sufre. Todo lo cree. Todo lo espera. Todo lo soporta.

Las profecías terminarán. Cesarán las lenguas. La ciencia tendrá su fin. Pero el amor nunca se acaba.

Porque en parte conocemos, y en parte profetizamos;

pero cuando venga lo que es perfecto, desaparecerá lo imperfecto.

Cuando yo era niño, hablaba como niño, pensaba como niño, razonaba como niño. Pero cuando llegué a ser hombre, dejé lo que era de niño.

Ahora vemos en un espejo, oscuramente, pero entonces veremos cara a cara. Ahora conozco en parte, pero entonces conoceré cabalmente, como soy conocido.

Ahora permanecen estas tres virtudes: la fe, la esperanza y el amor. Pero la mayor es el amor.

PALABRAS DE LOOR
Salmo 90:1-12

Señor, tú has sido nuestro refugio de generación en generación.

antes que naciesen los montes y formases la tierra y el mundo, desde la eternidad y por la eternidad, tú eres Dios.

Vuelves el hombre al polvo, y dices: Convertíos, hijos de Adán.

Porque mil años ante tus ojos son como el día de ayer que pasó, como una vigilia de la noche.

Tú arrebatas a los hombres como un torrente, son como un sueño, como la hierba de la mañana.

En la mañana florece y crece, y a la tarde es cortada, y se seca.

Porque con tu furor somos consumidos, y turbados con tu ira.

Pusiste nuestras maldades ante ti, nuestros pecados ocultos, a la luz de tu rostro.

Todos nuestros días declinan a causa de tu ira, acabamos nuestros años como un suspiro.

Los días de nuestra edad son setenta años, y si en los más robustos son ochenta; con todo, lo mejor de ellos es fatiga y trabajo, porque pasan a prisa, y volamos.

¿Quién conoce el poder de tu ira y tu enojo, como los que te veneran?

Enséñanos de tal modo a contar nuestros días, que traigamos al corazón sabiduría.

LA ORACION
Mat. 6:5-15; 7:7-11

Cuando ores, no seas como los hipócritas, que gustan orar de pie en las sinagogas y en las esquinas de las calles, para ser vistos de los hombres. Os aseguro que ya tienen su recompensa.

Cuando tú ores, entre en tu aposento, cierra tu puerta, y ora a tu Padre que está en secreto. Y tu Padre que ve en secreto, te recompensará en público.

Y al orar, no uses vanas repeticiones, como los gentiles, que piensan que por su palabrería serán oídos.

No seáis como ellos, porque vuestro Padre sabe qué cosas necesitáis, antes que las pidáis.

Vosotros pues, orad así: Padre nuestro que estás en los cielos, santificado sea tu Nombre.

Venga tu reino. Sea hecha tu voluntad en la tierra, como en el cielo.

Danos hoy el pan nuestro de cada día.

Perdona nuestras deudas, como nosotros también perdonamos a nuestros deudores.

Y no nos dejes caer en tentación, sino líbranos del mal; porque tuyo es el reino, el poder y la gloria, por todos los siglos. Amén.

Porque si perdonáis a los hombres sus ofensas, vuestro Padre celestial os perdonará también a vosotros.

Pero si no perdonáis a los hombres, tampoco vuestro Padre perdonará vuestras ofensas.

Pedid, y os darán; buscad, y hallaréis; llamad y os abrirán. Porque todo el que pide, recibe; el que busca, halla; y al que llama, le abren.

¿Qué hombre de vosotros, si su hijo le pide pan, le dará una piedra?

¿Y si le pide un pescado, le dará una serpiente?

Pues si vosotros, siendo malos, sabéis dar buenas dádivas a vuestros hijos, ¿cuánto más vuestro Padre que está en los cielos, dará buenas cosas a los que le piden?

LA LEALTAD
1 Juan 3:1-10

¡Mirad qué gran amor nos ha dado el Padre, que seamos llamados hijos de Dios! ¡Y lo somos! Por eso el mundo no nos conoce, porque no lo conoce a él.

Amados, ahora ya somos hijos de Dios. Y aunque no se ve aún lo que hemos de ser, sabemos que cuando Cristo aparezca, seremos semejantes a él, porque lo veremos como es él.

Todo el que tiene esta esperanza en

él, se purifica así como él es puro.

Todo el que comete pecado, quebranta la Ley, pues el pecado es la transgresión de la Ley.

Pero vosotros sabéis que Cristo apareció para quitar nuestros pecados. Y en él no hay pecado.

Todo el que permanece en él, no sigue pecando. El que sigue pecando, no lo ha visto, ni lo ha conocido.

Hijos míos, que nadie os engañe. El que practica la justicia es justo, como Cristo es justo.

En cambio el que practica el pecado es del diablo, porque el diablo peca desde el principio. Para esto se manifestó el Hijo de Dios, para deshacer las obras del diablo.

Todo el que ha nacido de Dios, no sigue pecando, porque la vida de Dios está en él. No puede seguir pecando, porque ha nacido de Dios.

En esto se ve quiénes son hijos de Dios y quiénes son hijos del diablo. El que no practica la justicia, ni ama a su hermano, no es de Dios.

LA VIGILANCIA
Exo. 23:13; Deu. 4:9,23;
Mar. 13:33-37; Sal. 141:3

Guarda cuidadosamente todo lo que te dije. No menciones el nombre de otros dioses, no se oiga de tu boca.

Por tanto, guárdate, cuida muy bien de no olvidar las cosas que has visto con tus ojos. Que no se aparten de tu corazón en todos los días de tu vida. Enséñalas a tus hijos y a tus nietos.

Guardaos, pues, no olvidéis el pacto que el Eterno vuestro Dios estableció con vosotros, ni os hagáis esculturas o imagen de lo que el Eterno vuestro Dios os ha prohibido. Velad y orad, porque no sabéis cuándo será el tiempo.

Es como el hombre que partió lejos, dejó su casa, y dio facultad a sus siervos, a cada uno su obra, y al portero mandó que velase.

Velad, pues, porque no sabéis cuándo vendrá el señor de la casa, si al atardecer, a medianoche, al canto del gallo, o a la mañana.

Para que cuando venga de repente, no os halle durmiendo.

Y lo que digo a vosotros, a todos digo: Velad.

Oh Señor, guarda mi boca, guarda la puerta de mis labios.

ESPERANZA Y ASPIRACIONES
Sal. 9:18; 16:8,9; 33:18
Jer. 17:7; Rom. 5:2-5; 15:4,13

El necesitado no siempre será olvidado, ni la esperanza de los pobres perecerá para siempre.

Al Eterno he puesto ante mí; porque está a mi diestra, no seré conmovido.

Por eso se alegra mi corazón, y se goza mi gloria. También mi cuerpo reposará seguro.

Pero el ojo del Eterno está sobre los que lo veneran, sobre los que esperan en su constante amor.

Bendito el que confía en el Eterno, y pone su esperanza en él.

Por medio de él tenemos acceso por la fe a esta gracia, en la cual

estamos firmes. Y nos alegramos en la esperanza de la gloria de Dios.

Y no sólo esto, sino que nos alegramos aún en las tribulaciones, al saber que la tribulación produce paciencia;

y la paciencia produce un carácter aprobado; y la aprobación alienta la esperanza.

Y la esperanza no avergüenza, porque el amor de Dios está vertido en nuestro corazón por medio del Espíritu Santo que nos ha sido dado.

Todo lo que antes fue escrito, para nuestra enseñanza fue escrito, para que por la paciencia y el consuelo de las Escrituras, tengamos esperanza.

El Dios de esperanza os llene de todo gozo y paz, al confiar en él, para que abundéis en esperanza por el poder del Espíritu Santo.

NUESTRO GUIA

Sal. 21:3; 30:3; Luc. 1:79; Isa. 30:21; 1 Tes. 3:11-13

Lo precediste con ricas bendiciones, corona de oro fino pusiste sobre su cabeza.

Oh Eterno, me sacaste del sepulcro, me hiciste revivir para que no descienda a la sepultura.

Para dar luz a los que habitan en tinieblas y sombra de muerte, y guiar nuestros pies por el camino de paz.

Si te desvías a la derecha o a la izquierda, oirás una voz detrás de ti que te dirá: Este es el camino, andad por él.

Que el mismo Dios y Padre nuestro, y el Señor nuestro Jesucristo, encamine nuestro viaje a vosotros.

El Señor acreciente el amor entre vosotros, y hacia todos, como es también de nosotros hacia vosotros.

Para que sean afirmados vuestros corazones en santidad, irreprensibles ante nuestro Padre Dios, para la venida de nuestro Señor Jesucristo con todos sus santos.

EL SABADO

Gén. 2:1-3; Exo. 20:8-11 Isa. 58:13,14

Así quedaron acabados los cielos y la tierra, y todas sus criaturas.

Y acabó Dios en el séptimo día la obra que hizo, y reposó en el séptimo día de todo lo que había hecho en la creación.

Y Dios bendijo al séptimo día, y lo santificó, porque en él reposó de toda la obra que había hecho en la creación.

Acuérdate del día sábado para santificarlo.

Seis días trabajarás y harás toda tu obra. Pero el sábado es el día de reposo del Señor tu Dios. No hagas ningún trabajo en él; ni tú, ni tu hijo, ni tu hija, ni tu siervo, ni tu criada, ni tu bestia, ni tu extranjero que está dentro de tus puertas.

Porque en seis días el Eterno hizo el cielo, la tierra y el mar, y todo lo que contienen, y reposó en el séptimo día. Por eso, el Señor bendijo el sábado y lo declaró santo.

Si retiras tu pie de pisotear el sábado, de hacer tu voluntad en mi día santo, y si al sábado llamas delicia, santo, glorioso del Eterno, y lo veneras, no siguiendo tus caminos, ni buscando tu voluntad, ni hablando palabras vanas, entonces te deleitarás en el Señor, y yo te haré subir sobre las alturas de la tierra, y te sustentaré con la herencia de Jacob tu padre; porque la boca del Eterno lo ha dicho.

EL BAUTISMO

Mat. 28:19,20; Rom. 6:3-6; Gál. 3:26,27; Juan 3:5; 1 Cor. 12:13; 1 Ped. 3:21

Por tanto, id y haced discípulos en todas las naciones, bautizándolos en el Nombre del Padre, del Hijo y del Espíritu Santo,

enseñándoles que guarden todo lo que os he mandado. Y yo estoy con vosotros todos los días, hasta el fin del mundo.

¿No sabéis que todos los que hemos sido bautizados en Cristo Jesús, hemos sido bautizados en su muerte?

Porque fuimos sepultados junto con él para muerte por medio del bautismo, a fin de que como Cristo resucitó de los muertos para gloria del Padre, así también nosotros andemos en novedad de vida.

Porque así como hemos sido unidos con él en una muerte semejante a la suya, seremos unidos también con él en su resurrección.

Sabiendo que nuestro viejo hombre fue crucificado junto con él, para que el cuerpo del pecado sea destruido, a fin de que no seamos más esclavos del pecado.

Así, todos sois hijos de Dios por la fe en Cristo Jesús;

Porque todos los que habéis sido

bautizados, de Cristo estáis revestidos.

Respondió Jesús: Te aseguro: El que no nace de agua y del Espíritu, no puede entrar en el reino de Dios.

Porque por el Espíritu fuimos todos bautizados en un cuerpo, sean judíos o griegos, siervos o libres. Y a todos se nos dio a beber de un mismo Espíritu.

Esa agua simboliza el bautismo que ahora os salva —no quitando las impurezas del cuerpo, sino pidiendo a Dios una buena conciencia—, por la resurrección de Jesucristo.

LA CENA DEL SEÑOR

Mat. 26:26-30; 1 Cor. 11:23-31

Mientras comían, Jesús tomó el pan, lo bendijo, y lo partió. Dio a sus discípulos, y dijo: Tomad, comed. Esto es mi cuerpo.

Luego tomó la copa, dio gracias, y la pasó, diciendo: Bebed de ella todos.

Porque esto es mi sangre del nuevo pacto, que va a ser vertida en favor de muchos, para el perdón de los pecados.

Y os digo, que no beberé más de este fruto de la vid, hasta aquel día, cuando he de beber vino nuevo con vosotros, en el reino de mi Padre.

Y después de cantar un himno, salieron al monte de los Olivos.

Yo recibí del Señor lo que también os enseñé: Que el Señor Jesús, la noche que fue entregado, tomó pan,

y después de dar gracias, lo partió, y dijo: Tomad, comed. Esto es mi cuerpo que por vosotros es partido. Haced esto en memoria de mí.

De igual modo, después de haber cenado, tomó la copa, y dijo: Esta copa es el nuevo pacto en mi sangre. Cada vez que la bebáis, bebedla en memoria de mí.

Porque cada vez que comáis este pan, y bebáis esta copa, la muerte del Señor anunciáis hasta que venga.

Por eso, cualquiera que coma este pan o beba esta copa del Señor indignamente, será culpado del cuerpo y de la sangre del Señor.

Por tanto, pruébese cada uno a sí mismo, así coma de aquel pan, y beba de aquella copa.

Porque el que come y bebe indignamente, sin discernir el cuerpo del Señor, come y bebe juicio para sí.

Por eso hay muchos enfermos y debilitados entre vosotros, y algunos han muerto.

Si nos examináramos a nosotros mismos, no seríamos castigados.

LOS DIEZMOS Y LAS OFRENDAS
Mat. 23:23; Lev. 27:30-33
Mal. 3:8-12

¡Ay de vosotros, escribas y fariseos hipócritas! Porque dais el diezmo de la menta, del eneldo y del comino; y dejáis lo más importante de la Ley, a saber, la justicia, la misericordia y la fidelidad. Esto es necesario hacer, sin dejar lo otro.

Todo el diezmo de la tierra, así de las semillas de la tierra como del fruto de los árboles, es del Eterno. Es cosa sagrada del Señor.

Si alguno quisiera rescatar parte de su diezmo, deberá pagar un quinto más sobre su valor.

Todo el diezmo de las vacas y las ovejas, es decir, cada décima cabeza que pasa bajo la vara, será consagrada al Eterno.

No mirará si el animal es bueno o malo, ni lo cambiará. Si lo cambia, ese animal y su sustituto serán consagrados. No se podrán rescatar.

¿Robará el hombre a Dios? Pues vosotros me estáis robando. Y preguntáis: ¿Qué te estamos robando? Los diezmos y las ofrendas.

Malditos sois con maldición, porque vosotros, la nación toda, me está robando.

Traed el diezmo íntegro al templo, haya alimento en mi casa. Y probadme en esto —dice el Eterno Todopoderoso—, a ver si no os abro las ventanas del cielo, y vacío sobre vosotros bendición hasta que sobreabunde.

Reprenderé también por vosotros al devorador, para que no destruya el fruto de la tierra; ni vuestra vid en el campo sea estéril —dice el Eterno Todopoderoso.

Y todas las naciones os llamarán dichosos, porque seréis tierra deseable, dice el Señor Todopoderoso.

EL JUICIO
Sal. 50:3-6; 96:13; Ecl. 3:17
Dan. 7:9,10; Mat. 12:36,37;
Heb. 9:27; Hech. 17:31; 1 Ped. 4:5,6

Vendrá nuestro Dios, y no callará. Fuego consumirá delante de él, y una poderosa tempestad lo rodeará.

Convocará a los altos cielos, y a la tierra, para juzgar a su pueblo.

Juntadme a mis fieles, los que hicieron conmigo pacto con sacrificio.

Y los cielos anunciarán su justicia, porque Dios mismo es el juez.

Pensé en mi corazón: Dios juzgará al justo y al impío. Porque hay tiempo para todo lo que se quiere y se hace.

Fueron puestos tronos, y un Anciano de muchos días se sentó. Su vestido era blanco como la nieve, y el cabello de su cabeza como lana pura. Su trono llama de fuego, y sus ruedas fuego ardiente.

Un río de fuego salía delante de él. Millares de millares le servían, y millones de millones asistían ante él. El tribunal se sentó en juicio, y los libros fueron abiertos.

Os digo que en el día del juicio, los hombres darán cuenta de toda palabra ociosa que hablen.

Porque por tus palabras serás justificado, y por tus palabras serás condenado.

Así... está ordenado que los hombres mueran una vez, y después enfrenten el juicio.

Por cuanto ha establecido un día, en el cual juzgará al mundo con justicia, por medio de aquel Hombre que él ha designado, dando a todos una garantía al resucitarlo de entre los muertos.

Ellos darán cuenta al que ha de juzgar a vivos y muertos.

Por eso el evangelio ha sido predicado a los que ahora están muertos; para

que aunque sean juzgados en carne como hombres, vivan en espíritu según Dios.

LA TEMPERANCIA

**Tito 2:1-4,4; Pro. 20:1; 23:29-32
1 Cor. 9:25; Tito 2:11-13**

Pablo, siervo de Dios y apóstol de Jesucristo, para promover la fe de los elegidos de Dios, y el conocimiento de la verdad que conduce a la piedad,

basada en la esperanza de la vida eterna, que Dios, que no miente, prometió antes del principio del tiempo.

Y a su tiempo manifestó su Palabra por medio de la predicación, que me fue encomendada por mandato de Dios nuestro Salvador,

a Tito, verdadero hijo en la común fe: Gracia y paz del Padre Dios, y del Señor Jesucristo, nuestro Salvador.

El vino es burlador, y el licor alborotador; el que por ellos se desvía, no es sabio.

¿Para quién es el ay? ¿Para quién el dolor? ¿Para quién las rencillas? ¿Para quién las heridas de balde? ¿Para quién los ojos amoratados?

Para los que se detienen en el vino, para los que buscan la mistura.

No mires al vino cuando rojea, cuando resplandece su color en el vaso. Entra suavemente, pero al fin morderá como serpiente, y como víbora dará dolor.

Todo atleta se abstiene de todo. Ellos para recibir una corona corruptible, pero nosotros una incorruptible.

Porque la gracia de Dios que trae salvación, se manifestó a todos los hombres,

y nos enseña a renunciar a la impiedad y a los deseos mundanos, y a vivir en este siglo sobria, justa y piadosamente,

mientras aguardamos la bendita esperanza, la gloriosa aparición de nuestro gran Dios y Salvador Jesucristo.

LA RECOMPENSA DE LOS SANTOS — 1

Isaías 35

Se alegrarán el desierto y el secadal; el yermo se gozará y florecerá como la rosa.

Florecerá profusamente, se alegrará y cantará con júbilo. La gloria del Líbano le será dada, la hermosura de nuestro Dios.

Fortaleced las manos cansadas, afirmad las rodillas débiles.

Decid a los de corazón apocado: ¡Animo! ¡No temáis! Vuestro Dios viene con venganza, con recompensa. Dios mismo vendrá, y os salvará.

Entonces los ojos de los ciegos serán abiertos, y oirán los oídos de los sordos.

Entonces el lisiado saltará como un ciervo, y cantará la lengua del mudo. Agua brotará en el desierto, y torrentes en el secadal.

El lugar seco se convertirá en estanque, y el secadal en manantiales. En la habitación de los chacales se guarecerán los rebaños, será lugar de cañas y juncos.

Y habrá allí calzada, que se llamará camino de santidad. Ningún impuro andará por él. Será sólo para los que anden por ese camino. Los impíos no andarán por él.

No habrá león feroz allí, ni bestia fiera. Sólo los redimidos caminarán por él.

Y los redimidos del Eterno volverán y vendrán a Sión con alegría. Gozo perpetuo será sobre sus cabezas. ¡Tendrán gozo y alegría, y huirá la tristeza y el gemido!

LA RECOMPENSA DE LOS SANTOS — 2

Apo. 21:1-7; 22:1-5

Entonces vi un cielo nuevo y una tierra nueva, porque el primer cielo y la primera tierra habían desaparecido, y el mar ya no existía más.

Y yo, Juan, vi la santa ciudad, la Nueva Jerusalén, que descendía del cielo, de Dios, engalanada como una novia para su esposo.

Y oí una gran voz del cielo que dijo: Ahora la morada de Dios está con los hombres, y él habitará con ellos. Ellos serán su pueblo, y Dios mismo estará con ellos, y será su Dios.

Y Dios enjugará toda lágrima de los ojos de ellos. Y no habrá más muerte, ni llanto, ni clamor, ni dolor, porque las primeras cosas pasaron.

Entonces, el que estaba sentado en el trono dijo: Yo hago nuevas todas las cosas. Y agregó: Escribe, porque mis Palabras son ciertas y verdaderas.

Y me dijo: Hecho está. Yo Soy el Alfa y la Omega, el principio y el fin. Al que tenga sed, le daré gratis de la fuente del agua de la vida.

El vencedor tendrá esta herencia, y yo seré su Dios, y él será mi hijo.

Después me mostró el río del agua de la vida, luciente como cristal, que salía del trono de Dios y del Cordero.

En medio de la plaza de la ciudad, a uno y a otro lado del río, estaba el árbol de la vida, que lleva doce frutos. Cada mes da su fruto, y las hojas del árbol son para la sanidad de las naciones.

Y ya no habrá maldición alguna. El trono de Dios y del Cordero estará en ella, y sus siervos le servirán.

Verán su rostro, y su Nombre estará en sus frentes.

Allí no habrá más noche. Y no necesitarán luz de lámpara, ni luz de sol, porque el Señor Dios los alumbrará. Y reinarán por los siglos de los siglos.

Copyright de los Himnos

205

English Index of First Lines

(Exceptions are indicated)

The hymns listed below are of those tunes to which Spanish words have been adapted through translation or original composition. The songs with a star (*) indicate that the thought in Spanish does not follow the thought in English. This index is included because at times bilingual congregations may wish to sing in both languages.

Este índice de las primeras palabras de los himnos en inglés tiene el propósito de facilitar el empleo del himnario en las congregaciones bilingües. El asterisco (*) colocado junto al número del himno indica que el contenido del poema en castellano es diferente del inglés.

207

209

Indice Temático de los Himnos

211

LA VIDA CRISTIANA

Gozo y paz

Oración y meditación

El trabajo y el deber

Lealtad

La lucha contra el mal

Peregrinación

El discipulado

Indice por Títulos (Primeras Palabras)